KB054828

남북한 유엔 가입

지지 교섭 2

_____

아주, 중남미

남북한 유엔 가입

지지 교섭 2

아주, 중남미

한국학술정보

| 머리말

　유엔 가입은 대한민국 정부 수립 이후 중요한 숙제 중 하나였다. 한국은 1949년을 시작으로 여러 차례 유엔 가입을 시도했으나, 상임이사국인 소련의 거부권 행사에 번번이 부결되고 말았다. 북한도 마찬가지로, 1949년부터 유엔 가입을 시도했으나 상임이사국들의 반대에 매번 가로막혔다. 서로가 한반도의 유일한 합법 정부라 주장하는 당시 남북한은 어디까지나 상대측을 배제하고 단독으로 유엔에 가입하려 했으며, 이는 국제적인 냉전 체제와 맞물려 어느 쪽도 원하는 바를 성취하지 못하게 만들었다. 하지만 1980년대를 지나며 냉전 체제가 이완되면서 변화가 생긴다. 한국은 북방 정책을 통해 국제적 여건을 조성하고, 남북한 고위급 회담 등에서 남북한 유엔 동시 가입 등을 강력히 설득한다. 이런 외교적 노력이 1991년 열매를 맺어, 제46차 유엔총회를 통해 한국과 북한은 유엔 회원국이 될 수 있었다.

　본 총서는 외교부에서 작성하여 30여 년간 유지한 남북한 유엔 가입 관련 자료를 담고 있다. 한국의 유엔 가입 촉구를 위한 총회결의한 추진 검토, 세계 각국을 대상으로 한 지지 교섭 과정, 국내외 실무 절차 진행, 채택 과정 및 향후 대응, 관련 홍보 및 언론 보도까지 총 16권으로 구성되었다. 전체 분량은 약 8천 쪽에 이른다.

2024년 3월
한국학술정보(주)

| 일러두기

· 본 총서에 실린 자료는 2022년 4월과 2023년 4월에 각각 공개한 외교문서 4,827권, 76만 여 쪽 가운데 일부를 발췌한 것이다.

· 각 권의 제목과 순서는 공개된 원본을 최대한 반영하였으나, 주제에 따라 일부는 적절히 변경하였다.

· 원본 자료는 A4 판형에 맞게 축소하거나 원본 비율을 유지한 채 A4 페이지 안에 삽입 하였다. 또한 현재 시점에선 공개되지 않아 '공란'이란 표기만 있는 페이지 역시 그대로 실었다.

· 외교부가 공개한 문서 각 권의 첫 페이지에는 '정리 보존 문서 목록'이란 이름으로 기록물 종류, 일자, 명칭, 간단한 내용 등의 정보가 수록되어 있으며, 이를 기준으로 0001번부터 번호가 매겨져 있다. 이는 삭제하지 않고 총서에 그대로 수록하였다.

· 보고서 내용에 관한 더 자세한 정보가 필요하다면, 외교부가 온라인상에 제공하는 『대한 민국 외교사료요약집』 1991년과 1992년 자료를 참조할 수 있다.

| 차례

정 리 보 존 문 서 목 록

기록물종류	일반공문서철	등록번호	2020080036	등록일자	2020-08-20
분류번호	731.12	국가코드		보존기간	영구
명 칭	남북한 유엔가입, 1991.9.17. 전41권				
생 산 과	국제연합1과	생산년도	1990~1991	담당그룹	
권 차 명	V.8 한국의 유엔가입 지지교섭 : 아주지역				
내용목차	[각국별 지지교섭 문서철 내용] * 한국의 유엔가입 신청서 제출 전(1~6월) 유엔회원국들을 접촉, 비토권을 가진 중국 및 소련의 반응 확인 * 중국 (고위)인사 접촉 시 우리의 유엔가입에 대한 관심과 중국의 건설적인 역할 촉구 내용 전달해 주도록 요청 * 4.5자 한국의 메모랜덤 제공 및 각국의 지지요청				

0001

주 미 얀 마 대 사 관

미얀마 700-2ㅣㅇ   30497   1990. 10. 19.

수신 장관

참조 아주국장, <u>국제기구 조약국장</u>

제목 미얀마 언론 한국의 유엔가입 지지 사설 송부

    대 : BMW-0654

    대호 당지 "Working People's Daily"   10.17자 사설 전문을 별첨
송부 합니다.

    첨부 : 상기 자료 1부.   끝.

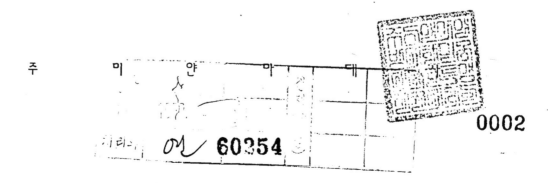

주   미   얀   마   대

에／60354   0002

WORKING PEOPLE'S DAILY

14th Waning of Thadinkyut, 1352 ME

Hope for Humanity

IN June 1945, when the Charter of the United Nations was adopted, the age of the nuclear bomb had not yet begun. By the time the Charter came into force on 24 October, nuclear fireballs over Hiroshima and Nagasaki had ended not just World War II but an entire period of history.

In the four and a half decades since then, the world has continued to change at a staggering rate. Any attempt to appreciate the complexities of international relations within the contemporary context must of necessity commence with a consideration of the speed with which the modern world has been unmoored from its own past. An exuberant new vitality has stirred the human species, altering patterns of life set at the dawn of agricultural civilization.

Motivated by ideals of individual dignity and worth, millions of peoples around the world have questioned and changed age-old hierarchies of power and influence. Empires as such have become extinct and new nations have been born. The change has never been so great as within the last twelve months.

Addressing the forty fifth session of the United Nations General Assembly earlier this month, the leader of the Myanmar delegation expressed great pleasure in warmly welcoming the Principality of Liechtenstein as the latest member of UN to date. Earlier in the year Namibia had also been similarly welcomed. As the Myanmar delegation leader declared, "the United Nations has come a step nearer to its ultimate goal of unversality of membership." And we have consistently adhered to the view that no State which is able and willing to fulfil the obligations of membership in the United Nations should be denied admission.

In the same spirit, the Myanmar delegation leader declared, "We therefore support the expressed desire of the Republic of Korea to join our ranks—this without prejudice to the goal of eventual Korean re-unification."

"As an ardent supporter of the cause of peaceful re-unification of divided nations, Myanmar also expressed earnest hope for early agreement on the re-unification of the long-divided Korean nation. By the same token the Myanmar delegation leader also welcomed the momentous event of the re-unification of the German nation and "In the same spirit we are pleased to welcome the peaceful merger of the two Yemeni States."

This then is the spirit of the United Nations, which we the Myanmar peoples hold in high esteem and adhere to in earnest hope for the well-being of entire humanity.

0003

관리 91
번호 ─40

외 무 부

종 별 :

번 호 : NDW-0040　　　　　　　　　일 시 : 91 0108 1500

수 신 : 장관(아서, 아이, 국연)

발 신 : 주 인도 대사

제 목 : 주재국 외무장관 면담

　　본직은 금 1.7(월) 오전 SHUKLA 주재국 외무장관을 의회집무실에서 면담, 양국관계에 관해 논의하였는바, 요지 아래 보고함.(SYAM SALAM 외무부 동아국장, SHARMA 한국담당관및 김원수 저기관 배적)

　　1. 본직은 우선 국회의장의 방문이 성공적으로 이루어질수 있도록 협조하여준데 사의를 표하면서 최근 양국간 실질관계의 강화추세를 언급한데 대해 동장관은 다음과 같이 답변함.

　　가. 본인은 인도올림픽위원회(IOA) 위원장 자격으로 86 년 아시안게임 당시방한한 기회에 한국의 발전상을 직접 목격하고 큰 감명을 받은바 있음.

　　나. 한국이 통일된다면 더큰 잠재력을 발휘할수 있을 것으로 믿는바, 최근 남북간 대화가 건설적인 방향으로 진전되기를 희망함.

　　2. 본직은 남북대화의 최근 진전사항과 북한측 입장의 문제점을 지적하고 한국의 유엔가입에 대한 인도정부의 계속적인 지지입장 표명에 감사한다고 함. 또한, 본직은 한. 인 실질관계의 강화를 위해서는 고위인적교류가 활발해지는 것이 필요하다고 하고 최근 정례화 추세에 있는 양국 외무장관간 상호 방문협의가 금번에는 인도측이 방한차례임을 언급함.

　　3. 이에대해 SHUKLA 장관은 자신의 방한에 강한 의욕을 표시하면서 그간 인.중간 현안이 되어온 방중일정이 2.1-6 간으로 거의 확정된 상태이므로 금번에 방한은 어렵겠지만, 얼마후 계획하고 있는 일본방문과 연계시키는 방안을 적극 검토해 보겠다고 함.

　　(대사 김태지-장관)

예고 : 91.6.30. 일반
　　　　의거 일반문서로 재분류

아주국　　장관　　차관　　1차보　　2차보　　아주국　　국기국

관리	9↑
번호	-32

분류번호	보존기간

발 신 전 보

WND-0035   910110 1147 DP

번 호: _____   종별: _____

수 신: 주   인도   대사·총영차
　　　　　　　(국연)

발 신: 장 관

제 목: 인도외상 중국방문

　　　대 : NDW-0040

　　1. 대호 Shulka 인도외상의 중국방문(2.1-6)시 동북아정세 논의등
자연스러운 기회에 최근의 국제적 분위기와 고양된 유엔의 위상에
비추어 남북한이 유엔에 동시가입하여 동북아지역정세 안정과 새로운
국제질서 확립에 기여토록 하는 것이 바람직 하다는 것을 인도측의
입장으로 중국측에 전달해 주도록 주재국 정부에 요청하고 결과 보고
바람.

　　2. 상기 요청시 귀국 정부의 아국 유엔가입문제 관련 적극적인
지지입장과 역내지도국가인 인도가 중국측에 아세아문제에 관심을
표명하는 것은 인도의 국제적 위상에도 합당한 것임을 적의 강조바람.
　　　　　　　　　　　　　　　　　　　　　　　　　　끝.

　　　　　　　　　　　　　　　　　　(차반 유총하)

예고 : 91. 6. 30. 일반 예고
　　　　회결 일반 순서로 재분뉴

아수촉람 :

보 안 통 제	

앙고재	91년1월1일	유엔과	기안자성명		과 장		국 장	1차보	차 관	장 관		외신과통제

0005

관리 91
번호 -105

종 별 :

번 호 : NDW-0110   일 시 : 91 0118 1620

수 신 : 장관(국연)

발 신 : 주 인도 대사

제 목 : 유엔가입 협조

대:WND-0035

본직은 금 1.18 주재국 외무부 SYAM SALAN 동아국장과 오찬을 같이 하면서
동국장에게 SHUKLA 외상 중국방문시(동국장 수행예정) 적극적 입장에서
남북한이유엔에 동시에 가입하는 것이 좋겠다는 입장을 중국측에 표명하여 주었으면
좋겠다는 우리측 요망을 표시한데 대하여 동국장은 아측의 동요청을 SHUKLA
외상에게도 보고하는 한편 외상과 또한 자신으로서도 중국측에 이야기해 보겠다고
말하였음.

(대상 김태지-국장 예고문 제
외거 일반문서 통제분류
예고 01.6.30. 일반

국기국   장관   차관   1차보   2차보   아주국

관리	9l
번호	-l07

분류번호	보존기간

발 신 0119 1125 OP 전 보

WUN-0110

번   호 : _____   종별 : _____

수   신 : 주   유엔   대사. 총영사"
                    (국연)
발   신 : 장   관

제   목 : 인도외상 중국방문

　　1. 본부는 Shulka 인도외상의 중국방문(2.1-6) 기회에 남북한 동시가입
지지 입장을 중국측에 적극 표명하여 줄 것을 요청한 바 있음.

　　2. 상기 관련, 1.18. 인도 외무성 Syam Salan 동아국장 (외상 중국방문
수행예정)은 아국요청을 외상에게도 보고하는 한편 외상과 자신으로서도 중국측에
이야기해 보겠다고 언급하였음을 참고바람.　　　　　　끝.

예 고 : 1991. 6. 30. 일반예고
　　　　의거 일반문서로 재분류

　　　　　　　　　　　　　　　　(국제기구조약국장　문동석)

			보 안 통 제	

앙 고 재	9l 년 / 월 /9 일	유 엔 과	기안자 성명		과 장		국 장		차 관	장 관	

외신과통제

0007

外 務 部

종 별 :

번 호 : SKW-0062

일 시 : 91 0131 1645

수 신 : 장관(아서,유엔)

발 신 : 주 스리랑카 대사

제 목 : 신임장 제정

연:SKW-0048(91.1.25)

1. 본직은 금 1.31(목) 11:00 주재국 대통령실에서 프레마다사 대통령에게 신임장을 제정 하였는바, 본직은 그 기회에 대통령 각하의 정중한 문안인사를 전달하였고 프 대통령은 대통령각하께 대한 문안인사의 말씀을 하였음.

2. 신임장 제정직후 대통령 접견실에서 동 대통령과 약 25 분간 환담 하였는바, 그요지를 아래 보고함.

가. 본직은 대통령각하께서 아국기업의 대주재국 진출 증가등 한, 스 양국간 관계가 꾸준히 증진되고 있는데 대하여 특별히 관심을 표하셨다는 뜻을 전하자, 프대통령은 전임 자예와데네 대통령 당시인 70 년대 대내외적인 강한 반대에도 불구하고 한국과 공식 관계를 수립한 사실을 상기시키면서 자신도 수상재직시 2 회 방한한바 있으며 한국의 발전을 칭찬하고 최근 양국관계, 특히 민간경제협력 증진을 포함한 다방면에 걸친 관계발전에 만족하면서 아국과의 관계를 매우 중시 하고 있다고 밝혔음.

나. 프 대통령은 최근 독일봉일등 국제정세 변화에 비추어 한국의 남북대화에 관심을 표하면서 장차 남북한 봉일로 보다 강한 단일국가가 될 경우에도 세계적인 지역별 협력의 강화 경향에 비추어 스리랑카와 같은 개도국과의 관계를 소홀히 하지않도록 희망한다고 말하였음. 이에 대하여 본직은 아국의 북방외교의 취지를 설명하면서 아국외교의 중요 지주중의 하나가 남남 협력의 증진임을 강조하였음.

다. 동기회에 본직은 유엔가입문제 관련, 아국입장지지에 사의를 표하고 계속 지지를 바라는 뜻을 전한바, 프 대통령은 지난번에도 지지하였음을 상기시켰음.

라. 프대통령은 자신의 통치철학인 JANASAVIYA 프로그램(빈민구제운동) 및 GAM UDAWA(촌락 재각성운동) 운동을 언급하는 가운데 아국의 새마을 운동 성공사례를

아주국   장관   차관   1차보   2차보   국기국

91.01.31 21:19
외신 2과 통제관 CF
0008

잘안다고 언급하였음.

　또한 아국 기업의 대주재국 부자에 관심을 표하였으며, 이에대하여 본직은 스측의 외국부자 유치정책에 따라 계속 증가추세에 있어 현재 약 30 개 아국 기업인 진출하고 있으며 동숫자는 양국간 상호 보완적인 경제협력 증진에 크게 이바지하고 있다고 하였음.

　2. 주재국의 HERAT 외무장관, WIJAYADASA 대통령 비서실장, 외무부 의전장이 동 행사에 참석하였으며, 당관에서는 정정검 참사관이 배석하였음.

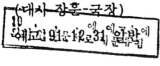

검 토 필 (199 (6.3)

관리
번호 91
　　 -251

외　무　부

종　별 :

번　호 : NDW-0215　　　　　　　　　　일　시 : 91 0201 1730

수　신 : 장관(아서,아이,국연,정일,기정)

발　신 : 주 인도 대사

제　목 : 인도 외무장관 중국방문(자료응신 91-12)

　　1.SHUKLA 외무장관은 1.29-31 간 스리랑카 방문을 마치고 2.1-6 간 중국방문
예정인바, 주요 예상의제및 전망은 다음과 같음.

　　가. 예상의제

　　1)국제정세

　　0 신데탕트시대 국제질서의 변화에 대한 의견교환

　　0 걸프사태, 특히 걸프전의 조기종식을 위한 방안 협의

　　-인도측은 중국측에 대해 걸프전 종식을 위한 비동맹차원의 외교노력을 설명하고
안보리에서의 공동대처를 요청할 것으로 예상

　　2)양국관계

　　0 국경문제

　　-2 회에 걸쳐 개최된 공동실무위원회의 활동 검토

　　0 양국간 실질관계 강화방안

　　-통상, 과학기술협력및 문화교류증진

　　-총영사관 증설

　　나. 관찰및 전망

　　1)최근 양국관계는 88.12. 간디 수상의 방중이후 고위인적교류가 증대되면서 상호
민감한 문제(티벳문제, 카시미르문제)에 대해서는 상대방의 입장을 존중해 주는
태도를 취하는등 정치적 이해의 폭을 확대하는 방향으로 진전되고 있는바, 최근 미.소
대결구조 완화및 소련의 영향력 퇴조에 따른 세계정세의 변화와 평화적인 주변환경
유지에 관한 양국의 국내적 필요성등을 감안할때 이러한 양국간 관계개선 추세는
당분간 지속될 것으로 전망됨.

　　0 금번 SHUKLA 장관의 방중은 90.3 월 전기침 외교부장의 방인에 대한

아주국　　장관　　차관　　1차보　　아주국　　국기국　　정문국　　청와대　　안기부

답방형식이며, 금번 방문이후 양측간 협의되어 오던 이붕수상의 방인이 실현될지 여부가 주목됨.

2)연이나, 양국간 정치적 이해의 현재수준과 양국이 공히 안고 있는 국내적제약요인에 비추어 볼때 양국관계의 최대현안인 국경문제에 대한 실질적인 진전을 기대하기는 상금 시기상조인 것으로 평가됨.

0 금번 방문시에도 국경문제에 대해서는 공동위원회의 활동을 검토하는 원론적 수준의 협의에 그칠 것이며, 양국관계에 있어서는 봉상, 과학기술, 문화교류 증진등 실질관계 강화방안에 대한 협의에 중점이 두어질 것으로 예상됨.

3)SHUKLA 장관은 금번 방중직후 2.7 유고를 재차 방문, 주요 비동맹국 외상회담을 가질 계획으로 있는바, 인도측으로서는 금번 방문시 걸프전 종식을 위해 추진하고 있는 인도의 외교노력에 대한 중국측의 적극 지지를 요청하고 안보리에서 협조하는 방안을 중점 협의할 것으로 예상됨.

2. 본직은 SHUKLA 장관의 중국방문을 수행하는 외무부 동아국장에게 아국의유엔가입과 관련한 인도측 입장전달 요청을 재차 상기시켰으며, 동인은 아측입장을 충분히 유념, 중국측과 논의하여 보겠다고 함.

(대사 김태지-국장)

의거 필 91. 6. 30. 에 일반 문서로 재분류

외 무 부

종 별 :

번 호 : SKW-0067   일 시 : 91 0201 1830

수 신 : 장관(아서,국연)

발 신 : 주 스리랑카 대사

제 목 : 외무차관 신임예방

　　1. 본직은 신임인사차 주재국 B.P.TILAKARATNA 외무차관을 금 2.1(금) 오후예방, 양국간 관계증진을 위하여 차후 상호 긴밀히 협의하기로 하였음. 동인은자신의 83-89 년간 한국겸임 주일 대사 재직시 수차 방한한 지한인사로서 최근아국기업의 주재국 부자 증가에 각별한 관심을 표시한바, 본직은 그러한 실질협력 관계의 증진이 무엇보다 중요함을 강조 하였음.

　　본직은 동기회에 아국의 유엔가입에 대한 주재국의 적극적 지지를 당부 하였음.

　　2. 본직은 내주부터 위제퉁가 수상, 국회의장등 주재국 고위인사들을 예방할 예정임.

　　(대사 장훈-국장)

　　예고:91.6.30-일반

아주국　　차관　　1차보　　2차보　　국기국

원 본

관리
번호 91
-145

외 무 부

종 별 :

번 호 : FJW-0030   일 시 : 91 0208 1640

수 신 : 장관(국연,아동)

발 신 : 주 휘지 대사

제 목 : 겸임국 주요인사 면담

　　본직은 당지 SPF 주최 2.7 DONORS MEETING 에 참석한 당관 겸임국 대표를 개별적으로 오찬 또는 만찬에 초대, 겸임국 정세파악및 양국간 관심사에 대해 상호 의견교환을 가졌는바 특히 유엔회원국인 솔로몬 아일랜드와 바누아투 대표와의접촉 결과를 아래보고함.

　　1. 신임 솔로몬 아일랜드 외무차관 TALOIKWAI 여사와의 만찬석상에서 지난해 유엔총회에서의 솔로몬대표의 아국관계 발언이 아국의 입장을 제대로 반영해주지 못한데 유감이 있음을 밝히고, 신임차관은 동문제에 대해 특별히 관심을 가지고 국제사회에서 아국입장을 적극 지지해 줄것을 요망한다고 거듭 강조하였음. 동차관은 외무부서에서는 처음 일을 해보기 때문에 관계사항을 잘 모르고 있으나 앞으로는 그런일이 없을 것이라고 언급 하면서 지난해는 국내정치 변동의 와중에서 외무장관및 차관이 유엔에 가지 못하고 현지대사가 대표로 참석한데 문제가 있었다고 변명하였음. 이와관련 동차관은 장관도 새로 경질 되었으므로 본직이일차방문, 상세를 직접 설명하고 요망사항을 건의해주기 바란다고 언급하면서 일단은 관계사항을 장관에게 보고하겠다고 말하였음.

　　2. 본직은 이에앞서 VUROBARAVU 바누아투 외무차관과의 오찬석상에서의 면담에서 남북한관계는 역내 안전과 평화에 기여하고 남태평양 도서국에도 유익한 방향으로 발전 되어야 한다고 전제하고 아국의 남북한 동시 유엔가입 문제와 관련, 이를 지지하는데 인색한 것으로 안다고 언급하고 독일이나 예멘의 사례를 참작, 아국의 입장을 지지해 주어도 바누아투의 중립노선과 충돌될 아무런 문제점이없는것으로 안다고 말하였음. 이에대한 동차관의 반응은 바누아투는 비동맹 중립노선을 견지, 한국의 입장이나 POLITICAL CAUSE 를 적극 지지하지는 못하더라도반대는 하지 않는다고 언급하면서 북한과는 외교관계는 갖고 있지만 친밀관계는유지하지않고

국기국　　장관　　차관　　1차보　　2차보　　아주국　　청와대　　안기부

PAGE 1

있다고 말하였음. 현 LINI 정권은비동맹노선을 표방, 리비아, 큐바,북한과도
외교관계를 맺고 한때 리비아 상주공관 설치를 허용할 정도로 남태평양
도서국으로서는 매우 BIZARRE 한 외교관행을 나타내고있는 나라로서
현정권이퇴진하지않는 이상 당분간 바누아부의 외교노선은 방향전환이 어려운 것으로
보고있음. 끝.

    (대사 백영기-국장)

예고:1991.6.30

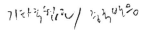

기타참정하이/ 검토바음

원 본

관리 번호	91 -350

외 무 부

종 별 :

번 호 : NDW-0253   일 시 : 91 0211 1900

수 신 : 장관(국연,아서,정이,정일,기정)

발 신 : 주 인도 대사

제 목 : 주재국 외무장관의 중국방문관련 보고(자료응신 91-18)

　　본직은 금 2.11 최근 SHUKLA 주재국 외무장관을 수행 중국을 방문(2.1-8 간)한바 있는 주재국 외무부 SYAM SARAN 동아국장과 면담(이석조 참사관및 CHAUHAN 한국담당 배석), 표기관련 알아본바, 면담요지 다음 보고함.

　　1. 양국대표단 회담에서 주요 토의사항으로는 거론되지 않았으나 대화중 중국측 QIAN 외상은 한반도문제에 언급, 중국으로서는 남북한간 대화를 지지하며 어떤 문제든 대화를 통해 해결되기를 바란다고 하고 때마침 있은 한국의 주북경 무역사무소 개설을 말하면서 한. 중국 무역이 진전되고 있음을 언급함.

　　2. 인도 외상 답례만찬에서 SARAN 국장이 QIAN 외상과 마침 옆자리에 앉게 되었으므로 다음과 같은 요지의 대화를 가졌음.

　　-동국장이 한국이 금년에는 유엔에 단독으로라도 가입하려는 의도로 알고 있으며 그를 위하여 인도에도 지지교섭이 있었고 인도로서도 보편성원칙에 따라 한국의 가입을 긍정적으로 생각하고 있다고 하면서 중국측의 입장을 참고로 알고싶다고 먼저 언급함.

　　-이에 대하여 QIAN 외상은 중국으로서는 동문제는 남북한의 합의에 따르는 것이 좋다고 생각하며, 따라서 현재 남북한간의 논의의 대상이 되어 있기 때문에 양측간의 논의결과를 지켜보고 있는데, 중국으로서는 북한측에 빨리 남북한간에 합의를 보도록 설득하고 있다고 말함.

　　-동국장이 한국이 단독가입 신청을 하는 경우 중국이 거부권을 행사할 것인지 질문한바, 동외상은 그에 관한 입장은 결정하고 있지 않다고 대답하고 그이상의 언급은 회피하였음.

　　3. 동국장은 한국으로서는 동건을 남북한에서 논의하고 있으므로 최대한 협의가 이루어지도록 노력하고, 그만한 노력을 한 다음 북한과 합의를 못 이룬다면그다음

국기국 안기부	장관	차관	1차보	2차보	아주국	정문국	정문국	청와대

PAGE 1

91.02.12　13:38

외신 2과 통제관 BW

0015

한국이 어떠한 조치를 취하더라도 국제적인 이해를 더욱 받게 되지 않겠는가 하고 말함. 이에 대하여 본직은 우선 동국장을 포함한 인도측의 수고에 사의를 표하고, 동국장이 말한 그러한 점을 감안, 아국으로서는 사실상 아국의 유엔가입문제는 아국과 유엔간의 문제이며 통일문제 논의와도 상관없고 따라서 북한과 논의할 필요조차 없는 사안임에도 불구 하고, 지금까지 성의를 다하여 북한과 같이 가입하자고 설득하여 온 것이고, 따라서 아국으로서는 필요이상의 노력을 하여온 셈이라고 지적한 다음, 아국으로서는 이번 걸프전쟁을 계기로 유엔가입의 필요성을 더욱 느끼고 있다고 하고, 그 이유로 1)세계정세가 동서간 화해후 오히려 국지적인 분쟁의 다발가능성의 위험이 더욱 나타나고 있고 그러한 상황하에서 유엔의 역할증대가 기대되고 있음에 비추어 긴장이 계속되고 있는 분쟁발발 가능지역인 한반도에서 남북한이 유엔에 가입한다는 것은 그만큼 분쟁발생 가능성 억제에 기여하는 것이 될 것이라는 점, 2)이락과 북한의 체제 유사성으로전쟁후 이를 보면서 북한지도자의 도발의도가 가중화될 수 있다는 점등을 들었음. 동국장은 이에 대하여 수긍하는 태도를 보임.

(대사 김태지-차관)

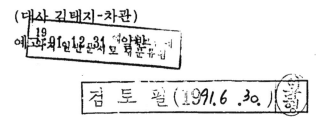

PAGE 2

0016

분류번호	보존기간

발 신 전 보

WUN-0290   910213 1519 BX

번   호 : _____   종별 : _____

수   신 : 주   유엔   대사♣♣♣♣♣사

발   신 : 장   관   (국연)

제   목 : 인도외상 중국방문

연 : WUN-0110

연호,표제결과 하기 통보하니 참고바람.

1. 양국대표단 회담에서 주요 토의사항으로는 거론되지 않았으나
   대화중 중국측 Qian 외상은 한반도문제에 언급, 중국으로서는
   남북한간 대화를 지지하며 어떤 문제든 대화를 통해 해결되기를
   바란다고 하고 때마침 있은 한국의 주북경 무역사무소 개설을
   말하면서 한.중국 무역이 진전되고 있음을 언급

2. 인도외상 답례만찬시 Saran 동아국장이 Qian 외상과 옆자리에
   착석,다음 요지의 대화를 가짐.
   - 동 국장은 한국이 금년에는 유엔에 단독으로라도 가입하려는
     의도로 알고 있으며 이를 위하여 인도에도 지지교섭이 있었고
     인도로서도 보편성원칙에 따라 한국의 가입을 긍정적으로
     생각하고 있다고 하면서 중국측의 입장을 타진

//계속...

보 안 통 제

앙고재	91년 2월 13일	기안자 성명		과 장		국 장		차 관	장 관

외신과통제

0017

- Qian 외상은 중국으로서는 동 문제를 남북한의 합의에 따르는
것이 좋다고 생각하며, 따라서 현재 남북한간의 논의의 대상이
되어 있기 때문에 양측간의 논의결과를 지켜보고 있는 바,
북한측에 빨리 남북한간에 합의를 보도록 설득
하고 있다고 언급

- 동 국장이 한국의 단독가입 신청 시 중국이 거부권을
행사할 것인지 질문한 바, 동 외상은 그에 관한 입장은 결정
하고 있지 않다고 대답하고 그 이상의 언급은 회피함. 끝.

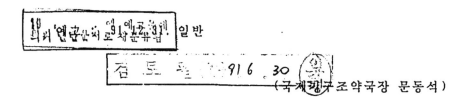 일반

검 토 필 '91 6. 30

(국제기구조약국장 문동석)

0018

협 조 문 용 지

분류기호 문서번호	아서 700- 2 ( )		결	담 당	과 장	심의관
시행일자	1991. 2. 18		재			
수 신	수신처 참조	발 신	아주국장			(서명)
제 목	면담 요록 송부					

'무르쉐드' 주한 파키스탄대사는 91.2.13. 아래 내용으로 차관을

면담하였는바, 동 면담요록을 별첨 송부하오니 관련 업무에 참고하시기

바랍니다.

- 아 래 -

가. 파키스탄수상의 중동 순방 (1.22-27) 결과

나. 아국의 UN 가입 문제

첨부 : 동 면담요록 1부. 끝.

수신처 : 중동아프리카국장, 국제기구조약국장.

검 토 필(1991. 6. 30.)

0019

면 담 요 록

1. 일 시 : 1991년 2월 13일 (수요일) 10시 - 10:40시

2. 장 소 : 차관 집무실

3. 면 담 자 : 유종하 외무차관
   Murshed 주한 파키스탄 대사
   (배석) 남상욱 서남아과장

4. 내 용

샤리프 파키스탄 수상의 중동순방 (1.22-27) 결과 브리핑

대 사 : 파키스탄은, 걸프만 사태는 원칙적으로 지역문제로서 지역차원에서 해결
되어져야 한다는 기본입장이며, 이를 위해 샤리프 수상은 금번 중동
순방을 통해 GCC 6개국과 ECO 3개국 (터키, 이란, 파키스탄) 협의에
의한 6 + 3 Formula 방안을 제시한바, 각국반응은 아래와 같았음.

(국별 반응)

- 이 란 (1.22)

  . 관련 UN 결의 존중
  . 이락의 쿠웨이트 철수와 함께 다국적군도 동시 철수 바람직
  . 지역분쟁이므로 지역차원 해결 필요 (OIC 긴급회의 지지)
  . 전후 이락의 기존 국경선 변경 불원

- 터 키 (1.23)

  . 현단계 휴전은 후세인 대통령의 승리를 뜻함으로 반대
  . OIC 간여 반대

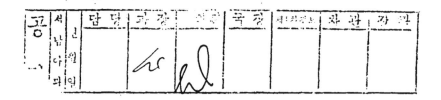

0020

- 시리아 (1.24)

  · 터키와 같이 대이락 비판적 입장
  · 후세인 대통령의 오판은 결과적으로 이스라엘의 국제적 입장만 강화 초래
  · OIC 회의에는 반대치 않으나 개최시기는 검토 필요
  · 이락의 기존 국경선 변경 불원

- 요르단 (1.25)

  · 미국은 이락측에서 철군을 위한 협상기회를 충분히 제공치도 않고 개전
  · 후세인 요르단 왕에게도 중재기회 부여치 않은데 비판적

- 이집트 (1.26)

  · OIC 회의 불반대

- 사우디아라비아 (1.27)

  · 파키스탄의 사우디 파병 (11,000)에 감사
  · OIC 회의 지지

대 사 : 상기 각국 반응을 종합하면, OIC 회의개최는 터키제외 모두 긍정적이며,
        이락의 기존 국경선 불변에 모두 찬성하고 있음. 또한 요르단 제외, 모두가
        UN 및 OIC 결의에 따른 이락의 쿠웨이트 철수 가능성에 희망적이었음.
        현재 샤리프 수상이 튜니시아, 알제리아, 모로코등 마그레브 제국 순방중
        인바, 결과 있는대로 한국정부에 재차 브리핑하겠음.

차 관 : 지상전 발발시기등 걸프전 양상에 관한 파키스탄측 견해는 어떤지?

대 사 : 지상전은 향후 15-20일이내 개전될것으로 보임.
        미국측이 전황을 낙관적으로 보고 있는것 같으나 본인 생각으로는 처절한
        장기전이 상당기간 지속될것으로 예측됨.

한-중관계 개선, 아국의 유엔가입 문제

대 사 : 파키스탄 정부는 한-중관계 개선을 위한 중개자역활을 수행할 용의가 있음.
이와 관련 본인도 파정부에 대해, 주북경 파키스탄 대사관을 통한 수교지원
공어토록 할것과 적절한 기회 파정부가 중국측에 대해 한국의 유엔가입을
더이상 지연시키기 어렵다는 중국측 입장을 북한에게 Signal을 주어야
한다고 조언토록 이미 청훈해 둔바 있음.

파측 감촉으로는 금년중 한국이 유엔가입 신청할시 중국이 Veto권을 행사
할것 같지 않음.

차 관 : 귀측 분석의 근거는 무엇인지?

대 사 : 중국측은 작년경 이미 파측에 대해 한국 유엔가입 문제관련 당시 여건상
작년은 어려우나 금년에는 고려해 보겠다는 입장을 밝힌바 있음. (본 내용
Confidential로 처리해 주기 당부함.)

차 관 : 귀국이 아국입장을 적극 지원해 주는데 감사함.
유엔가입 관련 아시아제국과 유엔 안보리 국가 포함한 다수 국제사회가
타당성을 인정하고 있으며 따라서 소련경우 기권가능성이 있으며 중국
으로서도 Veto키는 곤란할 것으로 생각됨.

특히 북한으로서는 한국이 유엔에 가입하는데도 이에 동참치 않고 있다가
추후 가입신청할 경우 미국등 서방제국이 북한의 IAEA 가입문제와 link할
가능성이 농후함. 또한 유엔 포함 해외 주재 북한공관원들 사이에는
남.북한의 유엔가입 타당성에 동조하는 흐름이 확산되고 있으며, 다만
북한 최고 권력층에서는 이러한 사실을 감지하지 못하고 있을 가능성이 큼.
따라서 현시점에서 이러한 국내외적 제반현실을 중국측이 북한에게 주지
시키는 것이 중요하다고 생각됨.

대 사 : 귀측 입장이 중국측에 반영되도록 적극 노력하겠으며, 이와관련 주북경
파키스탄 대사가 적절한 기회 중국측에 설명토록 추진하고 결과 있는데로
귀측에 알려주겠음.
금번 2.16-21간 파키스탄 민간경제인 수명이 업무차 방한하며, '칸' 파키스탄
대통령 사위가 포함되어 있음. 본인은 이들을 위해 2.19 관저 만찬 계획하고
있는바 차관께서 동 만찬에 참석하셔서 칸대통령 사위에게 관련사항 설명
하신다면 좋은 기회가 될것으로 믿음. 끝.

0022

1. 샤리트 수상 =취독전서한 (대통령 명의)

(영역문)

November 7, 1990

His Excellency
Mian Nawaz Sharif .
Prime Minister
Islamic Republic of Pakistan
Islamabad

Excellency,

On behalf of the Government and people of the Republic of Korea, I am pleased to extend to Your Excellency my sincere congratulations on your assumption of office as Prime Minister of the Islamic Republic of Pakistan.

I am confident that, under your distinguished leadership, the Islamic Republic of Pakistan will continue to enjoy peace and prosperity and that the friendly and cooperative relations happily existing between our two countries will be further enhanced during your tenure of office.

Please accept, Excellency, my best wishes for your continued good health and every success in your high responsibilities.

파키스탄 샤리트 수상 관련 자료

1. 수상취임축전서한
2. 방한 초청장 (91.2.12 외무성 전달됨)
3. 수상약력
4. 파키스탄개황 (정세부분참조)

Roh Tae Woo
President of the
Republic of Korea

0023

2. 샤리프수상앞 방한초청장
   (대통령명의)

President of the Republic of Korea

(Translation)

February 4, 1991

Excellency,

Wishing to have an opportunity for a useful exchange of views with Your Excellency on matters of mutual concern, I would like to extend to Your Excellency my cordial invitation to visit Korea at your convenience.

It gives me much pleasure to note that our two countries have developed a solid bond of friendship and cooperation in various fields of common interest since the establishment of diplomatic relations in 1983.

I firmly believe that Your Excellency's visit to my country will provide a great momentum to the furtherance of close ties happily existing between our two countries.

I am looking forward to the pleasure of welcoming you in Seoul soon.

Sincerely yours,

/s/ Roh Tae Woo

His Excellency
Muhammad Nawaz Sharif
Prime Minister of the
Islamic Republic of Pakistan

0024

Nawaz Sharif 파키스탄 수상 약력

o 성   명 : Mian Nawaz Sharif
              (미얀 나와즈 샤리프)

o 생년월일 : 1949.12.25생

o 학   력 : 푼잡대학 법과 졸

o 경   력 :

1981	푼잡주 재무장관
1985.4.	하원의원 및 푼잡주의원 당선, 푼잡주 수석장관 (주수상) 취임
1989.2.	IDA (이슬람민주동맹) 대표취임 (부토 전수상 집권기중 야당 세력의 구심점)

o 특기사항

  - 지아 전대통령 추종자로서 보수온건 정치 성향
  - 파키스탄 정치 신세대의 대표 인물
  - 88.5 주네조 수상 수행 방한

0025

파키스탄 概觀

1. 일반 개황

국 명	:	파키스탄 회교 공화국 (Islamic Republic of Pakistan)
면 적	:	79만6천㎢ (한반도의 약 3.6배)
인 구	:	1억3백만 (88년, 인구증가율 2.9%)
수 도	:	이슬라마바드 (인구 50만)
종 교	:	회교 (국교 : 97%)
인 종	:	인도 아리안족, 터키, 페르샤, 아랍인의 혼혈족
언 어	:	우르두어 (국어), 영어 (공용어)
문 맹 율	:	73%
독 립 일	:	1947. 8. 14
화폐단위	:	$1 = 20루피 (변동 환율제)
자 원	:	석유, 천연가스, 쌀, 원면
G N P	:	384억불 (88년)
1인당 GNP	:	390불 (88년)
경제성장율	:	4.9% (88년)
수출/수입 (88)	:	43억불/68억불 (무역적자 : 25억불)
수출품목	:	원면, 쌀, 면직물 및 의류, 피혁등
수입품목	:	원유 및 석유화학 제품, 소맥, 식용유, 비료
정부예산 (88)	:	99억불 (국방예산 28%)
외환보유고 (89)	:	5.7억불
대외부채 (89)	:	140억불

0026

2. 파키스탄 최근 정세

가. 정치 정세

1) 부토수상 실각

○ 90.8. 칸대통령은 부토수상을 부정부패 및 무능력을 이유로 해임 및 의회를 해산 시킴과 동시에 90.10. 총선시까지의 과도내각 수상에 자토이 야당연합 의장을 임명

○ 부토 수상의 실각은 군부등 구지아 대통령 세력과의 대립관계 심화에 기인

2) 이슬람 민주동맹 신정부 출범

○ 90.8. 부토 전수상의 실각후 90.10 실시된 총선에서 이슬람 민주동맹 (IDA)이 압도적 승리, 나와즈 샤리프 IDA 대표가 90.11 수상에 취임

○ 동수상은 이슬람 민주동맹을 주축으로 MQM (모하지르 민족운동)과 연정 구성

○ 신정부 주요인사

- 대통령 : 굴람 이샤크칸
- 수 상 : 나와즈 샤리프
- 외무장관 : 야쿱칸

3) 신정부 정책

○ 대 내 : 정치적 민주화 및 경제의 산업화.민영화 추진

○ 대 외 : 자주외교, 이슬람 유대강화 추구

○ 대아국관게 : 한.파 협력관계 강화 예상

- 샤리프 신임수상은 88.5. 방한등 지한 인사

0027

4) 정국 전망

○ 샤리프 수상 정부는 부토 전정부에 비해 안정적이고 효율적 정국운영 가능

- 하원에서 안정 지지 의석 (2/3 이상) 확보
- 4개주 정부 IDA 연립정권 구성
- 집권 IDA당의 군 및 대통령과 원활한 관계

○ 그러나 신정부의 장기집권은 IDA 내부단결 유지 및 산적한 현안의 효율적 대처 여부에 결정

- 걸프만 사태로 인한 경제위기 심화
- 대미관계 악화
- 카시미르 사태 및 아프가니스탄 사태 지속

나. 경제정세

○ 부토 전수상은 88.11 집권이래 파키스탄의 경제적 낙후를 탈피하기위해 외국자본과 기술의 도입, 경제의 민영화등으로 근대적 산업화를 적극 시도 하였으나, 비효율적인 관료조직, 농업위주의 후진적 경제구조등으로 인해 실적 부진

○ 특히 90.8 걸프만 사태로 인해 중동 취업근로자의 송금 감소, 유가인상등 으로 약 22억불에 달하는 재정부담이 증대하여 심각한 외환부족 위기에 직면중. 또한 미국이 파키스탄의 핵무기 개발을 이유로 91년도 대파 경제 원조 6억불을 전면중단함에 따라 경제난은 더욱 가중

○ 파정부는 이에 대처하기 위해 일본, 중동 우방국 및 국제기구로 부터의 긴급 차관도입 노력을 적극 전개중이나 성과는 미미할 것으로 예상

0028

3. 대아국 관계

가. 기본 관계

68. 1. 15   영사관계 수립
83.11. 17   외교관계 수립

나. 대한반도 정책

○ 정치적으로 중립입장 지속

- 7.4. 공동성명 원칙에 입각한 남.북통일 지지
- UN 에서 한반도 문제 불언급 고수
- 비동맹에서는 아국입장 (한국문제 불토의) 지지

○ 경제적으로 아국과의 실질협력관계 증대 희망

- 아국과의 관계를 북한관계보다 상대적 중시

다. 통상관계 (아국 기준)

(단위 : 백만불)

년 도	1987	1988	1989
수 출	209	239	245
수 입	110	140	172
무역수지	+99	+99	+73

주요 수출품 : 합성수지, 전기기기, 철강제품
주요 수입품 : 원면, 면사, 원피

0029

라. 협정 체결 현황

68.10	무역협정
84. 3	해운협정
85. 5	과학기술 및 무역증진협정, 문화협정, 사증면제협정
87. 4	이중과세방지협정
88. 5	투자보장협정

마. 친선단체 현황

1)   파.한 친선협회 (81.12 발족)

    ○ 회장 : M.A. Cheema (전대법관)

2)   파키스탄 태권도 협회

4. 대북한 관계

가. 기본 관계

68. 1. 14	영사관계 수립
72. 11	외교관계 수립

나. 대북 태도

○ 비동맹 중립노선에 따라 우호협력관계 유지

○ 북한-아프가니스탄 친밀관계 경계

○ 무역등 실질관계는 미미

0030

다. 통상관계 (북한기준)

(단위 : 만불)

구 분	1987	1988	1989 (1-11월)
수 출	19.2	9.5	1.5
수 입	9.7	0.5	0.7
무역수지	+17.8	+9	+0.8

라. 협정체결 현황

    66. 11   통상지불 협정
    73. 6   문화협정
    75. 1   항공협정
    76. 5   경제기술협력 협정
    83. 2   합작투자 협정

마. 주요인사 교류

    (북한인사 방파)

    82. 4   이종옥 총리
    85. 11   김영남 외교부장
    89. 7   양형섭 최고인민회의 의장
    90. 7   공보 사절단

    (파인사 방북)

    76. 5   Z. Bhutto 수상
    82.   Zia 대통령
    89. 10   Khalid 하원의장
    90. 5   N. Bhutto 수석장관

0031

No. Pol-2/7/89   31 December 1990.

The Embassy of the Islamic Republic of Pakistan presents its compliments to the Ministry of Foreign Affairs, Republic of Korea and has the honour to reproduce the following message of felicitations from His Excellency Mr. Muhammad Nawaz Sharif, Prime Minister of the Islamic Republic of Pakistan to His Excellency Mr. Ro Jai-Bong on his appointment as the Prime Minister of the Republic of Korea.

Begins

"Excellency

It gives me great pleasure to extend my heartiest felicitations on Your Excellency's assumption of the high office of Prime Minister which is a recognition of your outstanding qualities and service to the country.

It is my earnest hope that the friendship and cooperation between our two countries will continue to expand in the years ahead to the mutual benefit of our two peoples. Please accept Excellency the assurances of my highest consideration.

(Muhammad Nawaz Sharif)
Prime Minister of the Islamic Republic of Pakistan.

Ends."

It would be appreciated if the above message is conveyed to its high destination.

The Embassy of the Islamic Republic of Pakistan avails itself of this opportunity to renew to the Ministry of Foreign Affairs,

1   0032

Republic of Korea, the assurances of its highest consideration.

The Ministry of Foreign Affairs,
Republic of Korea,
S E O U L

2

0033

「샤리프」 파키스탄 首相, 中國·蘇聯 訪問豫定

1. 「샤리프」 파키스탄 首相은 2.26 - 3.1간 中國을 공식 방문하는데 이어 蘇聯(일자 미정)도 訪問할 예정임.

2. 파키스탄·中國 關係는

   가. 印度·파키스탄 戰爭(65.8, 71.12)시 中國측이 파키스탄을 지원한 이래 「주네조」首相(85.11, 88.5), 「부토」首相(89.2)의 訪中과 趙紫陽(87.6)·李鵬 總理(89.11)의 訪파등 首腦級 人士의 교류가 빈번히 이루어져 온 가운데

   나. 中國의 파키스탄 原子力發電所(210MW 3기) 및 싸인다크 製鍊所 건설(2億弗 소요) 지원, 交易增大(89년 4.9億弗) 등 經協을 강화하고

   다. 軍事的으로도 張愛萍 國防部長(85.7), 遲浩田 總參謀長(89.2) 등의 파키스탄 방문과 「알란 칸」參謀總長(88.12), 「베그」陸參總長(90.12)의 訪中등 인사교류와 T-59戰車 修理工場 합작건설(88.10) 및 戰車 共同開發協定 체결(90.6) 등으로 緊密關係를 유지하고 있음.

3. 한편 파키스탄·蘇聯 關係는

   가. 印·파戰爭시 蘇聯의 印度 支援 및 蘇聯의 아프간侵攻(79.12) 등으로 敵對關係를 지속하여 왔으나

25-23

나. 80년대 들어 「하크」大統領(82. 12), 「야쿠 칸」外相(87. 2, 88. 8)의 訪蘇와 「코발레프」副外相(87. 1), 「세바르드나제」外相(89. 2)의 訪파등 고위인사의 상호방문 등을 통해 關係改善을 모색해 오다가

다. 최근 美國이 同國의 核武器 개발과 관련, 軍·經援助(FY 90/91 5.64億弗)를 中斷(90. 10) 함에 따라 對美關係가 疎遠化되면서 對蘇 經濟代表團 파견추진 및 食糧 1萬屯 援助提供 결정(90. 12)등 관계개선을 적극화하고 있음.

4. 이번 「샤리프」首相의 中·蘇 訪問은

가. 同 首相이 걸프戰 종식을 위한 外交努力의 일환으로 中東 5개국을 巡訪(2. 9 - 15)한 데 이어 이루어지는 것으로

나. 현재 中·蘇 양국이 걸프戰과 관련 대화와 타협에 의한 전쟁의 조기종식 입장을 견지하고 있다는 점을 감안할 때 파키스탄의 걸프 平和案에 대한 中·蘇 양국의 支援을 모색하면서

┌────────────〈파키스탄의 걸프戰 平和案〉────────────┐

○ 이락의 쿠웨이트 철수선언에 의한 즉각적인 휴전

○ 이락 및 다국적군의 동시 철수

○ 걸프지역에 회교국가 군대 배치

○ 걸프지역의 항구적인 평화 모색을 위한 회교국 정상회담 소집

○ 이락 및 사우디 소재 모든 성지에 대한 평화지대 선언

○ 쿠웨이트·팔레스타인·캐시미르문제 관련 UN 결의안 이행

└──┘

25-24

0035

다. 中國과는 기존의 經濟·軍事的 紐帶關係를 재확인하고 최근 敵對國인 印度와 中國간에 「슈클라」 印度 外相의 中國訪問(2.1 - 6) 및 李鵬 中國總理의 訪印 의사표명 등으로 관계가 급진전되고 있는 추세를 사전 견제하는 한편

라. 蘇聯과는 經濟交流등 兩國關係 개선방안을 중점논의할 것으로 예상됨.

관리 91
번호 -432

외 무 부

종 별 :

번 호 : SKW-0112 　　　　　　　일 시 : 91 0220 1600

수 신 : 장관(아서,국연,경이,기정)

발 신 : 주 스리랑카 대사

제 목 : 주재국 수상 면담

1. 본직은 금일오전 WIJETUNGA 주재국 수상을 예방한바 면담 요지 아래와 같음.

가. 동 수상은 최근 한국 부자업체수의 증가와 교역확대 및 2.8 서명 교환한 EDCF 자금 공여건에 언급하면서 (동수상은 재무장관직 겸임), 이러한 실질관계의 확대가 양국간 유대 강화에 중요함을 강조함.

나. 또한 자신이 일본은 수차 방문하였으나, 아국은 상금 방문한 일이 없기 때문에 비교적 시간적 여유가 있는 금년 6-7 월중에 아측이 가능하다면 방한하고 싶다는 의사를 피력함.

2. 주재국 PREMADASA 대통령이 수상재직시 88.2. 아국 대통령 취임식에 참석한 이래 양국간 수상급 이상의 상호 방문이 없었던점, 최근 아국 업체의 대주재국 부자 진출의 급증 추세, 금년도 유엔대책및 아국 군수송기의 콜롬보 기착 허용과 같은 상호 협조관계의 증진등을 감안하여 가능 하다면 금년 6-7 월중 동 수상의 방한 초청을 건의함.

(대사 장훈-국장)

19 예고:91. 12. 31 일반
의거 일반문서로 재분류

검 토 필 (1991. 6. 30)

아주국　차관　1차보　2차보　국기국　경제국　청와대　안기부

報告事項

題目 : 파키스탄 首相 앞 總理님 Cable Message 發送(建議)

o 아시아地域 非同盟 中心國이며 中國과 特殊關係에 있는 파키스탄의 "나와즈" 首相이 91.2.26-3.1.間 中國을 訪問할 豫定임.

o 當部는 上記 訪問과 關聯, 우리의 유엔加入問題에 관한 中國 高位層의 關心과 態度變化를 誘導하는 契機로 活用코자 下記 要旨의 總理님 Cable message를 나와즈 首相에게 發送할 것을 建議드림.

   - 南北韓의 유엔加入은 韓半島情勢, 나아가서 東北亞地域 情勢安定에 寄與는 물론 周邊國의 이해와도 일치

   - 今番 中國訪問 機會에 中國 高位層의 關心과 態度變化 誘導努力 要請

※ 韓.中關係 改善 및 우리의 유엔加入問題 關聯, 最近 파키스탄側은 仲介者 役割 積極 遂行 意思 表明

   - 91.2.13. 外務次官 - 駐韓 파키스탄大使 面談

   - 91.2.19. "사이훌라" 上院議員 (대통령사위) 靑瓦臺 外交安保補佐官과 朝餐時 積極 協力意思 表明

   * 한편, 美側도 우리의 유엔加入問題 解決을 위해서는 파키스탄등 非同盟 中心國의 對中國 說得努力이 緊要할 것이라는 意見 隨時 表明

                                          - 끝 -

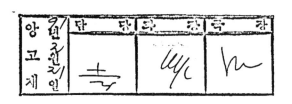

0038

國務總理

91. 2. 22

題目 : 파키스탄 首相 앞 總理님 Cable Message 發送 (建議)

○ 아시아地域 非同盟 中心國이며 中國과 特殊關係에 있는 파키스탄의 "나와즈" 首相이 91.2.26-3.1.間 中國을 訪問할 豫定임.

○ 當部는 上記 訪問과 關聯, 우리의 유엔加入問題에 관한 中國 高位層의 關心과 態度變化를 誘導하는 契機로 活用코자 下記 要旨의 總理님 Cable message를 나와즈 首相에게 發送할 것을 建議드림.

 - 南北韓의 유엔加入은 韓半島情勢, 나아가서 東北亞地域 情勢安定에
   寄與는 물론 周邊國의 이해와도 일치

 - 今番 中國訪問 機會에 中國 高位層의 關心과 態度變化 誘導努力 要請

※ 韓.中關係 改善 및 우리의 유엔加入問題 關聯, 最近 파키스탄側은 仲介者 役割 積極 遂行 意思 表明

 - 91.2.13. 外務次官 - 駐韓 파키스탄大使 面談
 - 91.2.19. "사이훌라" 上院議員 (대통령사위) 靑瓦臺 外交安保補佐官과
   朝餐時 積極 協力意思 表明
 * 한편, 美側도 우리의 유엔加入問題 解決을 위해서는 파키스탄등 非同盟 中心國의 對中國 說得努力이 緊要할 것이라는 意見 隨時 表明

外　　　務　　　部

0039

Excellency,

I have the honour to extend to Your Excellency my warmest personal
greetings. It is a source of great pleasure to note that a mutually
beneficial and cooperative relationship has been increasingly strengthened
in all areas between our two countries.

I would also like to pay high tribute to Your Excellency for your
outstanding leadership, under which the Islamic Republic of Pakistan has
achieved political stability and economic development while playing an
important role in regional efforts to resolve the Gulf war.

Taking this opportunity, I wish to explain recent developments
regarding the issue of the Republic of Korea's UN membership and to request
Your Excellency's special assistance in achieving the membership in this
year.

The Government of the Republic of Korea notes with utmost importance
the prevailing sense of the international community, clearly manifested
during the general debate of the 45th session of the UN General Assembly,
that the admission of the Republic of Korea to the UN, either separately
or together with North Korea, if the latter wishes to do so, should not
be delayed any longer, and that it is an anomaly that the Republic of
Korea, fully eligible for membership, should remain outside the UN despite
its contribution to the world community.

Albeit UN membership is essentially a matter between the UN and the
states wishing to join, thus disparate from the inter-Korean issues, the
Government of the Republic of Korea has made every effort in good faith to
respond to the wishes of the Korean people and the international community

0040

for an early and full representation of the Republic of Korea, desirably together with North Korea, during the course of all inter-Korean meetings and contacts including Premiers' Talks held between the two Koreas since September 1990.

Despite the exhaustive endeavour of the Republic of Korea, however, North Korea has shown no sign of change in its intransigent adherence to the "Single Seat Membership" formula. Furthermore, to our deepest regret, North Korea has abruptly cancelled the Premiers' Talks, scheduled to be held in Pyongyang from the 25th to the 28th of February this year.

Under these circumstances, I wish to request Your Excellency to take an initiative in persuading the People's Republic of China into taking a more realistic and forward-looking stance on the issue, so that the last remaining legacy of the cold war can be resolved to the satisfaction of all parties concerned. In this connection, I attach herewith, for Your Excellency's perusal, some points which might be useful in presenting our case to the Chinese side.

Hoping Your Excellency's visit to China will be successful and rewarding, I expect to welcome Your Excellency in Seoul in the nearest future.

Please accept, Excellency, my best wishes for the everlasting prosperity of the Islamic Republic of Pakistan and your continued success and good health.

Sincerely Yours,

Ro, Jai-Bong

Encl. : as stated

0041

(Enclosure)

A. Universal United Nations membership certainly contributes to the strengthening of international security in general, as emphasized in relevant resolutions of the General Assembly and the admission of the Republic of Korea to the United Nations, simultaneously with North Korea or in anticipation of its subsequent admission, will serve the best interests of all parties concerned, and will certainly contribute to furthering peace and stability in the region.

B. Admission of the Republic of Korea to the UN, together with North Korea, does not constitute any impediment to their ultimate unification as proved in the unification of the two Germanys and the two Yemens.

C. Once both Koreas are admitted to the United Nations, they will be able to develop an appropriate mode of cooperation to facilitate and strengthen the process of Korea's unification within the framework of the United Nations.

0042

과 91 - 54

분류기호 문서번호	국연 2031- 45 (	협조문용지		결 재	담당 여	과장 (4.	국장 ㅏ
시행일자	1991. 2. 22.						(서명)
수 신	아주국장		발 신	국제기구조약국장			
제 목	파키스탄수상 중국방문						

나와즈 파키스탄수상 중국방문과 관련 주파키스탄 대사관에

타전한 전문을 별첨 송부하오니 업무에 참고하시기 바랍니다.

첨 부 : 상기 전문(WPA-0139, 0140) 사본 각 1부.   끝.

예 고 : 첨부물 분리시 일반.

의기 인반문시로 재분됨

0043

1505 - 8 일 (1)
85. 9. 9 승인 "내가아낀 종이 한장 늘어나는 나라살림"   190㎜×268㎜ (인쇄용지 2급 60g / ㎡)
환 40 - 41 1989. 11. 14

공 란

공   란

관리	91-
번호	516

분류번호	보존기간

발 신 전 보

번 호 : WPA-0140   910222 1141 CG   종별 : 지급

수 신 : 주   파키스탄   대사. /총영사

발 신 : 장 관   (국연)

제 목 : 파키스탄 수상 중국방문

연 : WPA-0139

연호 Cable 메세지를 하기 타전함.

첨부 : Cable 메세지.   끝.

예고 : 1991.12.31에 일반교름에
의거 인반문서로 재문딥

검토필(1991. 6. 30.)   (국제기구조약국장   문동석)

	보 안 통 제	(서명)

앙고재	91년 2월 22일	유엔과	기안자 성명		과 장		국 장		차 관	장 관	
			홍		(서명)		전재			(서명)	

외신과통제

0046

Excellency,

I have the honour to extend to Your Excellency my warmest personal greetings. It is a source of great pleasure to note that a mutually beneficial and cooperative relationship has been increasingly strengthened in all areas between our two countries.

I would also like to pay high tribute to Your Excellency for your outstanding leadership, under which the Islamic Republic of Pakistan has achieved political stability and economic development while playing an important role in regional efforts to resolve the Gulf war.

Taking this opportunity, I wish to explain recent developments regarding the issue of the Republic of Korea's UN membership and to request Your Excellency's special assistance in achieving the membership in this year.

The Government of the Republic of Korea notes with utmost importance the prevailing sense of the international community, clearly manifested during the general debate of the 45th session of the UN General Assembly, that the admission of the Republic of Korea to the UN, either separately or together with North Korea, if the latter wishes to do so, should not be delayed any longer, and that it is an anomaly that the Republic of Korea, fully eligible for membership, should remain outside the UN despite its contribution to the world community.

Albeit UN membership is essentially a matter between the UN and the states wishing to join, thus disparate from the inter-Korean issues, the Government of the Republic of Korea has made every effort in good faith to respond to the wishes of the Korean people and the international community

0047

for an early and full representation of the Republic of Korea, desirably together with North Korea, during the course of all inter-Korean meetings and contacts including Premiers' Talks held between the two Koreas since September 1990.

Despite the exhaustive endeavour of the Republic of Korea, however, North Korea has shown no sign of change in its intransigent adherence to the "Single Seat Membership" formula. Furthermore, to our deepest regret, North Korea has abruptly cancelled the Premiers' Talks, scheduled to be held in Pyongyang from the 25th to the 28th of February this year.

Under these circumstances, I wish to request Your Excellency to take an initiative in persuading the People's Republic of China into taking a more realistic and forward-looking stance on the issue, so that the last remaining legacy of the cold war can be resolved to the satisfaction of all parties concerned. In this connection, I attach herewith, for Your Excellency's perusal, some points which might be useful in presenting our case to the Chinese side.

Hoping Your Excellency's visit to China will be successful and rewarding, I expect to welcome Your Excellency in Seoul in the nearest future.

Please accept, Excellency, my best wishes for the everlasting prosperity of the Islamic Republic of Pakistan and your continued success and good health.

Sincerely Yours

/ S / Ro, Jai-Bong
Prime Minister
Republic of Korea

His Excellency
  Muhammad Nawaz Sharif
    Prime Minister
      Islamic Republic of Pakistan

Encl. : as stated

0048

(Enclosure)

A. Universal United Nations membership certainly contributes to the strengthening of international security in general, as emphasized in relevant resolutions of the General Assembly and the admission of the Republic of Korea to the United Nations, simultaneously with North Korea or in anticipation of its subsequent admission, will serve the best interests of all parties concerned, and will certainly contribute to furthering peace and stability in the region.

B. Admission of the Republic of Korea to the UN, together with North Korea, does not constitute any impediment to their ultimate unification as proved in the unification of the two Germanys and the two Yemens.

C. Once both Koreas are admitted to the United Nations, they will be able to develop an appropriate mode of cooperation to facilitate and strengthen the process of Korea's unification within the framework of the United Nations.

0049

외　무　부 차관님.

국기증장

이＿＿＿＿토康가 大支 要請

으로 ㅋ個 大經院, 단써ㅎ

통ㅇㅇ 電話했t (이세)

今日 前拍ㅇㅇ 電話장하 이ㅆ

3, 2, 쇼튼ㅇ 圈계써 大호ㅇㅇ

올려주겠라바서　반면

기각별라고 이야기 들어 봅시다.

（4）

0050

차　관

원 본

관리 번호 91 -507

외 무 부

종 별 : 지급

번 호 : PAW-0227

일 시 : 91 0224 1450

수 신 : 장관(국연,아이,아서,기정)

발 신 : 주 파 대사

제 목 : 주재국수상 방중

대 WPA-139

1. 대호관련, 본직은 금 2.24(일)0830 MUJAHID HUSSAIN 외무성 아태차관보를 면담, 국무총리의 메세지를 전달하고, 아국의 유엔가입문제와 관련하여 주재국의 적극적인 협조를 요청하였음.

2. 동차관보는 동 메세지를 일독후 중국의 태도에 관해 문의한바, 본직은 아직 공식적으로 입장을 밝힌바없으나, 유엔 안보리에서 소련을 비롯 기타 이사국이 찬성하는 경우 중국도 반대할수 없는 입장에 처해질것으로 본다고 답변하였음. 동 차관보는 또한 남. 북한간의 유엔가입 문제 협의여부를 문의한바, 본직은그간 3 차의 총리회담및 실무회의에서 수차 북한측을 설득하였으나, 북한은 단일의석 가입안을 고집할뿐 오는 2.25-28 간 예정된 제 4 차 총리회담마저 취소하였다고 설명하였음.

3. 동 차관보는 북한의 단일의석에 대해 현실적으로 불가능하다는 논평을 하면서도, 시기적으로 적절치 못하고 검토할 시간이 없어 금번 나와즈수상의 방중기간에 동문제를 거론하기는 어려울것이라는 일차적 반응을 보임. 이에 대해 본직은 나와즈 수상의 방중계획이 최근에야 공식발표되었고, 아국의 유엔가입문제에 대해서는 그동안 수차 아국입장을 밝힌바있음을 상기시키고, 아국이 이렇게 파측에 지원요청하는것은 한. 파 우호관계외에도 파키스탄이 이지역에서 지도적국가이며 비동맹권에서 중심적 역활을 하는 나라로 간주하기 때문이라고 강조하면서 적극적인 협조를 재차 당부하였음.

4. 본직은 이에 앞서 2.23(토)수상실 외교담당 RIAZ KHOKHAR 차관보를 면담,동 메세지 사본을 전달하고 나와즈수상이 이문제에 관심을 갖도록 협조를 당부한바있으며, 금일 외무성관계 차관보에게 동메세지 정본을 전달하였음을 봉보한바, 이번 방중기간중 수상이 어려우면 외상이 아측입장을 전달토록

국기국	장관	차관	1차보	2차보	아주국	아주국	청와대	안기부

PAGE 1

91.02.24 20:27

외신 2과 통제관 CA

0051

주선하겠다고말하였음. 본직은 작일 면담시 북한이 중국으로서는 중요한 우방이겠으나, 중국이 북한의 입장을 옹호만 하는것은 북한을 SPOIL 시키는것이므로 적극적으로 북한이 개방하고, 한국및 외부세계와의 교류를 활성화하도록 설득할필요가 있다는것을 강조하였음.

　　5. 또한 금번 나와즈수상을 수행하는 TAYYAB SIDDIQUI 외무성 아주국장과도접촉, 실무책임자로서 최대한 협조를 당부한바, 적절한 기회에 아국입장을 중국측에 전달할수 있는 시간을 마련토록 하겠다고 말하였음. 끝.

　　(대사 전순규-국장)

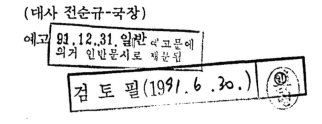

예고 91.12.31. 일반 예고문에
의거 일반문서로 재분류

검 토 필 (1991. 6. 30.)

관리	91
번호	-2923

	분류번호	보존기간

발 신 전 보

WPA-0151   910225 1431 DP

번   호 :   종별 :

수   신 : 주   파키스탄   대사. '총영사'

발   신 : 장 관   (국연)

제   목 : 주재국 수상 방중

대 : PAW-0227

연 : WPA-0139

금 2.25. 오전에 유차관이 I. Murshed 주한 파키스탄대사와 통화, 대호건
관련 협조를 요청했는 바, 이에 대해 동 대사는 본부에 전화로 지급 보고하여
가능한한 최대의 협조를 다하겠다고 언급하였음을 참고바람.   끝.

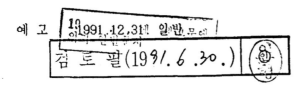

예 고 : 1991.12.31 일반.무.

검 토 필 (1991. 6. 30.)   (국제기구조약국장 문동석)

앙 고 재	91년 2월 일	유 엔 과	기안자 성명 김성민	과 장	국 장 전결	차 관	장 관		보 안 통 제
									외신과통제

0053

관리 번호 91-535

원 본

외 무 부

종 별 : 지 급

번 호 : PAW-0245 일 시 : 91 0226 1500

수 신 : 장관(국연,아서)

발 신 : 주 파 대사

제 목 : 파키스탄수상 중국 방문

대WPA-139

연 PAW-227

본직은 2.24. 오후 유엔담당 KHALID MAHMOOD 차관보와 접촉, 아국의 유엔가입문제와 관련, NAWAZ SHARIF 수상방중시 아국입장을 전달할수 있도록 적극 협조해줄것을 요청하였음. 끝.

(대사 전순규-국장)

예고 91.12.31 일반

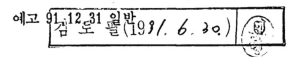

검토필(1991. 6. 30.)

1991.12.31에 예고문에 의거 일반문서로 재분류됨

국기국 장관 차관 1차보 2차보 아주국

PAGE 1

91.02.26 19:23

외신 2과 통제관 CH

0054

원 본

관리 번호	키 -557

외 무 부

종 별 : 지 급

번 호 : PAW-0251

일 시 : 91 0227 1400

수 신 : 장관(국연,아서)

발 신 : 주 파 대사

제 목 : 주재국 수상방중

대 WPA-151

연 PAW-245,227

대호관련,2.26(화)RIAZ KHOKHAR 수상실 외교담당 보좌관(차관보급)이 스스로 말한바에 의하면 MURSHED 주한대사는 차관님 요청에 따라 주재국 외무성 차관에게 아국의 유엔가입관련 주재국이 적극 협력해주도록 건의하였음. 끝.

(대사 전순규-차관)

예고:91.6.30 일반예고 재
의거 일반 ~~~ 로 재분류 ~

국기국   차관   1차보   2차보   아주국

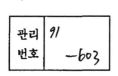

외　무　부

종　별 :

번　호 : PAW-0274

수　신 : 장관(국연, 아서, 아이)

발　신 : 주 파 대사

제　목 : 주재국수상 방중

일　시 : 91 0304 1530

대 EM-3

연 PAW-227

1. 연호관련, 당관 박서기관은 금 3.4(월)금번 나와즈수상 방중시 수행한 MASOOD KHALID 외무성 북동아과장을 면담한바, 결과 아래보고함.

가. 연호, 아측요청에따라 주재국 SHAHARYAR KHAN 외무차관이 파. 중 외무차관 회담(중국측은 QIHYIAN 외무차관이 대표)시 노총리의 메세지내용을 중심으로 아국의 유엔가입문제를 거론한바, 중국측 반응요지는 아래와 같음.

1)중국은 남. 북한이 상호대화와 협의(BILATERAL DIALOGUE AND CONSULTATION)을 통해 유엔멤버십 문제를 해결하기 바라며, 남. 북한 양측이 모두 수락가능한 합의가 이루어져 한반도 평화와 번영에 기여하기를 희망함.

2)중국은 한반도에서 전쟁이 발발하는것을 원치않으며, 남. 북한간의 고위회담개최를 환영하는바, 이러한 남.북대화가 평화통일에 기여할것으로 생각함.

3)만약 남. 북한중 어느한편이 다른 한편이 수락할수 없는것을 제안하는것은 한반도 평화에 유익하지 않을것임(IF ONESIDE PUTS FORWARDS PROPOSAL NOT ACCEPTABLE TO OTHER SIDE, IT WILL NOT BE CONDUCTIVE TO PEACE IN KOREAN PENINSULA)

나. 동과장은 상기 중국측 반응에 비추어 동문제에 대한 중국정부의 기본태도에 상금변화가 없는것으로 보인다고 해석하고, 중국측의 이러한 북한지지 입장고수및 대아국관계 정상화의 기본적 장애요인은 '대만문제'(중국정부는 ONE-CHINA정책을 고수하고있으며, 최근 대만과 관계정상화를한 몇개국가와 외교관계를 단절한바, 아국이 대만과 외교관계를 갖고있는것이 대중공관계 정상화의 장애요인)및 '중국과 북한지도층과간의 전통적 유대'라는 개인적견해를 피력함.

국기국	장관	차관	1차보	아주국	아주국	정문국	청와대	안기부

동과장은 또한 북한, 일본관계 정상화등 북한과 한국의 우방국간의 관계개선이 동문제에 대한 중국측 태도변화에도 유익한 영향을 미칠것이라고 관측함.

다. 대호관련, 아국의 유엔가입에 대한 외무부 성명문(2.27 자)을 수교하고,주재국정부의 적극적지원을 요청한바, 동과장은 한국정부가 중국이 거부권을 행사치않을것이라고 확신하고있는지, 아니면 동 가능성에도 불구하고 금년내에 유엔가입을 추진하기로 결정한것인지 궁금하다는 반응을 보였음.

2. 또한 본직은 KHALID MAHMOOD 유엔 담당차관보와 면담, 유엔가입문제와 관련한 외무부성명요지, 특히 북한이 비현실적이고 실현불가능한 단일석 가입안을 고집함은 한국의 유엔가입을 저지하기 위한 술책에 불과하다고 판단되므로, 우리의 유엔가입문제에 대한 주권을 행사하는것임을 강조하고, WAP-139 의 지시 2항에 따라 주재국의 계속적인 협조를 당부하였음.

3. 동차관보는 이미 중국측의 반응에 대해 수행실무자로부터 들었을줄 안다고 전제하고, 이번 파. 중 차관회담에서 중국측의 입장변화가 없었던것으로 안다고 말하였음.

4. 이에 본직은 북한이 유엔가입문제를 가지고 한국측을 위협하는등 국가관계에 있어서 있을수 없는 태도를 취하고있음을 지적, 북한이 유엔가입문제를 가지고 한반도 평화를 위협할 아무런 이유가 없음을 강조하고, 개방과 교류를 전제로한 남. 북한 및 한반도 주변 4 강의 가능한 관계증진이야말로 한반도 평화에 기여하는것임을 강조, 특히 한. 중간에 90 년도에 무역이 37 억불에 달하고, 투자, 해문, 관광등 모든분야에서 관계가 증진되고 있기때문에 중국은 유엔가입문제에 반대입장을 취하지않을것으로 바란다고 말하고, 주재국이 중공및 북한에 대해 영향력을 발휘해줄것을 재차 당부하였음.

5. 동차관은 파키스탄이 그동안 수차 중국측에 아국입장을 전달해왔음을 상기하면서, 앞으로도 남북대화진전, 한파관계및 파키스탄과 기타 우방국과의 관계특히 중국과의 관계를 고려, 이문제를 계속 다루겠다고 답변하였음.

6. 당관 관찰

√ 주재국역시 종전의 소극적인 태도를 벗어나지 않고있는것으로 보이나, 남북대화에 있어서의 아측의 성실한태도, 한. 중, 한. 파관계의 증진에따라 보다 적극적인 태도를 보일 가능성이 있어 보임.끝.

(대사 전순규-국장)

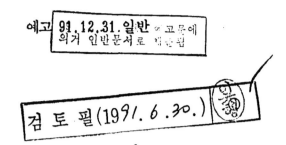

예고 **91.12.31. 일반** 고문에
의거 일반문서로 재분류

검 토 필(1991. 6. 30.)

분류번호	보존기간

발 신 전 보

번 호 : WUN-0440   910305 1539 DP 종별 : _____

수 신 : 주 유엔   대사. *총영사/* 대리

발 신 : 장 관 (국연)

제 목 : 파키스탄 수상 방중

연 : WUN-0356

연호관련, ███████████████████████

██████████ 아국의 유엔가입 문제를 거론한 바, 중국측 반응요지는 아래와 같음.

1. 중국은 남.북한이 상호 대화와 협의(BILATERAL DIALOGUE AND CONSULTATION)을 통해 유엔가입 문제를 해결하기 바라며, 남.북한 양측이 모두 수락 가능한 합의가 이루어져 한반도 평화와 번영에 기여하기를 희망함.

2. 중국은 한반도에서 전쟁이 발발하는 것을 원치 않으며, 남.북한 간의 고위급회담 개최를 환영하는 바, 이러한 남.북대화가 평화 통일에 기여할 것을 생각함.

3. 만약 남.북한중 어느 한편이 다른 한편이 수락할 수 없는 것을 제안하는 것은 한반도 평화에 유익하지 않을 것임.   끝.

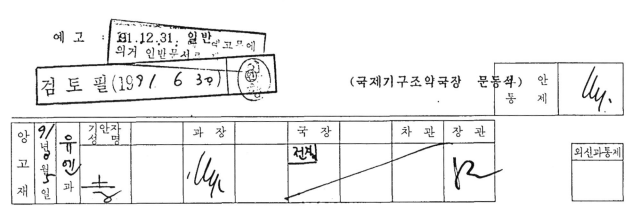

예 고 : 91.12.31. 일반~~~~~~~ 의거 일반문서~~~

검 토 필 (1991 6 3?)

(국제기구조약국장 문동석) 안
통 제

앙고재	9/년년월5일	유엔과	기안자성명	과 장	국 장	차 관	장 관
					전결		

외신과통제

0059

외 무 부

관리 91
번호 -616

원 본

종 별 :

번 호 : PAW-0280
수 신 : 장관(국연, 아서)
발 신 : 주 파 대사
제 목 : 유엔가입문제

일 시 : 91 0305 1630

대 : EM-5
연 : PAW-274

1. 금 3.5(화)당관 성정경공사는 자비스후세인 유엔및 국제기구국장을 면담하고, 대호 지침에 따라 우선 파키스탄이 아국의 유엔가입에대한 지지입장을 조속명시하여 줄것을 요청하였음.

2. 동국장은 북한의 남. 북총리회담 중단, 유엔 안보리회담문서등에 대해 한국측이 크게 실망한것은 충분히 이해할수 있다고 말하고, 금번 나와즈 수상의 방중시에도 중국측에 한국의 메세지를 전달하고 한국 유엔가입문제에 관해 의견교환을 갖었다고 설명한후, 주재국이 향후 가능한 조속히 한국의 유엔가입에 대해 전면 검토하여 공식입장을 정립하도록 하겠다고 말하였음. 동국장은 공식입장정립에는 첫째로 한국, 파키스탄 관계가, 둘째로 파키스탄, 중국관계가 고려될것이라고 언급하고, 주재국과 중국과의 밀접한관계에 비추어 주재국의 결정이 중국에 영향을 줄것은 확실하지만, 동시에 주재국도 중국의 입장에 영향을 받게될것은 한국이 이해해주기 바란다고 말함.

3. 금번 면담을 통해 받은 인상은 주재국 외무성이 한국의 유엔가입문제에 대해 입장결정을 피하기 어려운시기에 왔음을 인식하게 된것으로 보이며, 동입장결정에 파. 중관계를 강조하면서, 한. 파관계가 우선적인 고려요인임을 지적하였음이 주목됨. 끝.

(대사-전순규-국장) 예고무데
예고 91.6.30 일반

국기국   장관   차관   1차보   2차보   아주국

관리 9/ 번호 -620

외 무 부

종 별 : 긴 급

번 호 : CPW-0108   일 시 : 91 0306 0800

수 신 : 장관(아이,아서,국연)사본:주파대사(중계필)

발 신 : 주 북경 대표부

제 목 : 파키스탄수상 방중

대:WCP-0078

1. 대호 3.5 정상기서기관이 당지 파대사관의 ANISA 참사관에게 문의한바에의하면, NA-AS 수상 방중시 외상회담에서 파측이 아국 유엔가입문제를 제의했으며(수상간의 사적회담에서도 제기되엇을 가능성이있다함), 파외상은 귀국후 주파 아국 대사관에 동결과를 알려 주겠다고했다함.

2. 여타 중.파 관련사항은 별전보고하겠음.-끝-

예고:91.12.31 일반

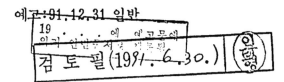

검 토 필 (1991. 6. 30.)

아주국   장관   차관   1차보   2차보   아주국   국기국   정문국

PAGE 1   91.03.06   10:47
                                        외신 2과 통제관 BW
                                                    0061

관리 번호 **91 −2/5**

외 무 부

종 별 :

번 호 : FJW-0047　　　　　　　　　일 시 : 91 0307 1720

수 신 : 장관(아동,국연,국기,사본정일)

발 신 : 주 휘지 대사

제 목 : 주재국 외무차관 면담(자료응신:제4호)

　　1. 본직은 3.7 주재국 외무성 YARROW 차관을 오찬에 초대, 3.1 자 당지 FIJITIMES 에 "S.KOREA SEEKS TO ENTER THE UN"제하에 보도된 아국의 유엔 가입문제와 관련한 서울발 AFP 기사를 보여주면서 아국 북방정책의 성공과 이에 따른 한반도 주변정세의 호전, 그리고 국제적 지지세력이 점증함에 따라 아국의 유엔가입에대한 국제적 ACCEPTANCE 가 더욱 커진것으로 안다고 강조하고 예년과 다름없이 주재국의 적극적인 지지와 협조를 요청한다고 언급하였음. 이에대해 동인은금년 유엔총회 의장으로 파푸아 뉴기니아 MICHAEL SOMARE 외상이 물망에 오르고 있다고 말하면서 휘지대표는 차기 수상으로 지목되고 있는 현 KAMIKAMICA 재무장관이 참석할 가능성이 많다고 시사하고 주재국의 대한정책 에 대해서는 아무런 변함이 없고 유엔을 비롯 국제사회에서 계속 지지할것이라고 말하였음. 또한 본직은 UNESCO 집행위원 선출건에 대해서도 주재국의 적극적인지지를 요청한다고 말하였던바 동건에 대해서도 관계부서와 협의, 적극 협조하겠다고 언급하였음.

　　2. 동차관은 지난번 당지에서 개최된 SOUTH PACIFIC FORUM 회원국 정부대표위원회에 참석한바 있어 SPF DIALOGUE PARTNER 로 가입하려는 대만 문제에 대해서 문의하였던바, 현재 대만과 외교관계를 갖고있는 나우루, 부발루, 퐁가, 솔로몬 아일랜드등 4 개국이 이를 적극 추진하고 있으나 잔여 11 개 국가는 모두 중국과 외교관계를 수립하고 있고 중국을 의식, 적극적인 자세를 보이지않고있다 함. 그러나 대만을 어떠한 형식이라도 가입시킬려는 분위기가 고조됨에 따라 대만과 관련있는 국가들과 별도의 회의를 개최, 경제통상 문제만 한정한 "LESS THAN FULL DIPLOMATIC PARTNER"의 자격을 부여하는 FORMULA 를 찾고있다고 언급하였음을 보고하오니 참고바람. 끝.(대사 백영기-국장)

　　예고:1991.6.30

아주국　　차관　　1차보　　국기국　　국기국　　정문국

분류기호 문서번호	아동20210- 53	(720-2319)	협 조 문 용 지	결 재	담 당	과 장	심의관
시행일지	1991. 3. 12						
수 신	수신처참조		발 신	아주국장		(서방)	
제 목	민담자료 송부						

91.3.11 P. Burdon 뉴질랜드 상공장관 겸 통상교섭장관(대외관계

및 무역부 부장관도 겸임)의 장관님 예방시 (민담요록)을 별첨 송부하오니

참고하시기 바라며 후속조치가 필요한 사항에 대해서는 조치를 취하여

주시고 그 결과를 당국에 통보하여 주시기 바랍니다.

첨부 : 상기 민담요록 사본 1부. 끝.

수신처 : 국제기구조약국장, 통상국장, 정보반장

0063

P.Burdon 뉴질랜드 상공장관 면담요록

1. 일 시 : 1991.3.11(월) 15:00~15:45

2. 장 소 : 장관실

3. 배석자 :

아 측	뉴질랜드측
김정기 아주국장	R.Nottage 대외관계 및 무역부 경제차관보
장철균 동남아과장	B. Downey 통상진흥위원회 위원장
홍종기 통상기구과장	C. Butler 주한대사

4. 면담요지

외무장관 : - 장관일행의 방한을 환영함
          - 내기억이 맞다면 Nottage 차관보는 1971년 주한뉴질랜드
            대사관을 개설, 최초의 주한대사를 역임한 분으로 생각함

Nottage : 장관님 말씀대로입.
차관보

Burdon장관: - 뉴질랜드와 한국은 1950년 한국전시 뉴질랜드가 참전하여
            관계를 맺고 71년 주한 상주대사관을 설치한 이래 계속
            긴밀한 우호 관계를 유지하여 왔음. 특히 최근에는 양국간
            실질협력 관계가 확대된바, 통상의 증진이 주도적 요인으로
            작용하여 왔음
          - 본인의 금번 아시아 순방은 작년 10월 국민당 정부 출범이후
            각료급으로서는 최초이며 이는 뉴질랜드가 한국을 포함한
            아시아와의 관계를 중요시하기 때문임

0064

- 이기회에 본인이 강조하고 싶은것은 뉴질랜드가 아시아
  국가라는 사실임. 우리는 뉴질랜드가 유럽국가의 일원이란
  인식을 반대하며 아·태 지역 국가로 인식되기를 희망함.
  이는 특히 뉴질랜드의 젊은세대들도 공감하고 있으며
  대부분의 관리들도 같은생각임

- 이러한 생각은 뉴질랜드의 지역적·전략적 관점은 물론
  우리 자신의 identification 이라는 차원에서도 우리의
  미래를 위해 매우 중요함

- 뿐만아니라 뉴질랜드 대외교역량의 비중이 아·태지역에
  편중되어 있다는 현실도 이러한 우리의 생각을 뒷받침해
  주고 있음

- 이러한 맥락에서 결론적으로 우리는 한국과의 관계를 매우
  중요시하고 있으며 특히 통상, 농업, 관광분야에서의
  협력확대를 희망함

- 본인은 통상교섭 관계등을 담당하고 있으며 금번 본인의
  방한이 89년이래 뉴질랜드의 각료급 고위관료로서는 최초임을
  다시 강조하고 싶음

외무장관 : - 뉴질랜드가 아시아 지역국가임을 강조하는 장관의 말씀에
  공감함

  장관께서 지적한바와 같이 한·뉴질랜드 양국관계는 매우
  만족스러움. 지난 5년간 양국간 교역규모는 급속도로
  양적 팽창을 하였는바, 보다 중요한것은 이러한 교역이 년
  30% 이상의 빠른 속도로 증대되고 있다는 사실임

- 앞으로 양국간 협력분야가 확대되길 기대하며 특히 본인은
  우리 기업인들의 대뉴질랜드 투자를 장려해 나가겠음

- 한국문제와 관련하여 UN 등 국제무대에서 뉴질랜드 정부가 우리입장을 지지해 준데 감사하며 계속 적극적인 지지를 기대함. 특히 우리정부는 금년도 유엔가입을 최우선의 과제로 추진하고 있는바 이에 대한 귀국의 적극적인 지지를 요방함

Burdon장관: - 장관께서 희망하신 대로, UN 기입문제에 대한 뉴질랜드의 한국입장 지지는 확실함

외무장관 : - 우리정부는 오는 10월 서울에서 개최될 예정인 APEC 회의를 성공적으로 개최키 위해 최선의 노력을 경주하고 있는바, 이런점에서 지난주 제주에서 개최된 제2차 APEC 고위 실무회의 결과가 매우 긍정적인것을 기쁘게 생각함

- 우리정부는 APEC 의 성공적 개최와 동기구의 발전을 위해 한·뉴질랜드간 긴밀히 협력해 나갈것임

Burdon장관: - 우리도 APEC 을 매우 중요시하고 있음

- 당면해서는 우루과이 리운드의 성공적 타결이 중요하다고 생각함 UR의 성공적 타결을 위해 APEC 차원의 협력도 필요하며 UR 의 성공은 APEC 발전에 도움을 줄것으로 봄

외무장관 : - 작년에 신임 Bolger 수상이 Moore 진 수상과 나란히 브랏셀 UR 회의에 참석한것을 인상깊게 기억하고 있음

- 우리측으로서도 UR 협상의 성공에 기여하기 위해 브랏셀 각료회의 이후 협상에 임하는 입장을 재 검토하고 전향적인 입장을 취하기로 한바 있음

- UR / 농산물 협상의 실질 협상이 재개되면 협상 진전사항을 보아 수정 offer를 제출하게 될것임

- UR 협상 전망과 관련한 뉴질랜드측의 평가는?

0066

Burdon장관 : - 3주전 Dunkel 총장의 타협안이 제시되기 전까지는 협상이
난국(impasse)에 처해 있었으나, 이제는 궤도에 올랐으며,
걸프전쟁 이후 Bush 대통령의 입장 강화로 Fast-track 협상
권한의 연장이 확실시 되고 있음

- 뉴질랜드로서는 금년내로 협상이 종료되기를 희망하며
60 70%의 가능성이 있다고 봄

- 농산물 협상 관련 뉴질랜드는 Hellstrom 의장 초안을
협상의 기초로 생각함. EC 의 입장이 불확실하나 UR 협상의
실패는 모두에게 손실을 초래한다는 점은 인식되어 있으므로
궁극적으로는 성공할 것으로 기대하며, Hellstrom 의장
초안에 접근된 타협점이 모색되기를 기대함

외무장관 : - 한국도 UR 의 성공적 타결을 희망하며 92년말에는 EC 통합등의
과제등이 있으므로 그이전에 협상이 종결되어야 할 것으로
보고있음

- 농산물은 우리국내에는 매우 민감한 문제이며 국내적으로
3.26 및 6월의 두차례 지방의회 선거와 내년봄 총선을 앞두고
있어 정치일정상 농산물에 전향적 입장을 취하기는 어려운
시정이나 국내적 어려움이 따르더라도 UR 타결에 전향적인
입장을 취한다는 정책 기조를 결정한비 있음

Burdon장관 : - 유럽도 어느정도 양보할 필요가 있으며 이럴경우 UR 협상의
타결 가능성은 매우 높아질것임

- 양국관개로 돌아가서, 한.뉴 항공협정의 체결은 양국관계에
있어 하나의 돌파구가 될것임. 이외 관련 한국측 대표단이
뉴질랜드를 방문할 애정인 것으로 알고 있는비 동기회에
양국간 항공협정이 체결되기를 기대함

0067

Nottage : - 항공협정 체결이 필요한 이유로는 최근 뉴질랜드를 방문하는
차관보   한국인 수가 급증하였으며 이러한 추세는 앞으로 지속될것으로
         예상되기 때문임

외무장관 : - 귀하의 제의를 유념하겠으며 관계실무자로 하여금 이 문제에
           보다 더 관심을 갖도록 encourage 히겠음
         ·· 본인이 알기로는 작년에 우리측은 호주와 항공협정을
           체결한바 있음

Burdon장관: - 통상등 다방면에 걸쳐 양국관계가 진전을 보이고 있는바
           우리 양국은 공통의 진로를 갖고 나기고 있음

외무장관 : - 우리로서는 호주, 뉴질랜드를 이 태지역 협력의 중요한
           파트너로 생각히고 있음
         - 지역 협력과 관련해서 최근 말린이 동아시아 경제그룹
           (EAEG)구상을 제의한바, 우리로서는 이직까지 구체적으로
           말측으로부터 협의를 받은바 없으니 이러한 구상이 Bloc
           화나 보호무역주의를 추구히어서는 안된다는 인식을 갖고
           있음. 그러니 동 구상이 multi-regionalism 에 입각 , 자유무역
           주의의 유지발전에 기여히는 협의체로 추진된다면 당사국간에
           그 가능성을 검토해 볼수 있다고 봄. ASEAN 측이 이문제에
           관해 협의해 오면 응할 용의가 있음

Burdon장관: EAEG 구상은 GATT 및 APEC 을 복잡하게 만들 소지가
           있다고 보며 우리는 이지역의 sub-regional group 형성이
           무역지유화나 APEC 발전과 상충될 가능성이 있다고 봄

0068

외무장관 : · 한국은 최근 ASEAN 과의 대화체제를 격상시켰으며 본인은
오는 7월 확대외상 회담 (PMC)에 참가할 예정인바, 동
회담에서 귀하를 만나게 되길 기대함

Burdon장관: ·· 아세안과의 대화체제 격상등 한국의 외교적 성과를 높이
평가함

외무장관 : ·· 장관일행의 방한을 다시 한번 환영하며 금번 방한이 좋은
성과를 거두기를 바람.   끝.

0069

관리 91
번호 -694

외 무 부

종 별 :

번 호 : SKW-0161   일 시 : 91 0312 1745

수 신 : 장관(아서,국연)

발 신 : 주 스리랑카 대사

제 목 : 대몰디브 교섭

대:EM-0007(91.3.8)

1. 지난 2.23-27 간 스리랑카를 공식 방문한바 있는 몰디브의 쟈밀외상및 당지주재 몰디브 대사는 주몰디브 겸임 아국대사의 신임장 제정문제에 언급 하면서 자국 대통령의 바쁜 일정을 고려 약 2 개월정도 사전에 일자를 제시하여 신청해줄것을 요망한바 있음.

2. 당관의 겸임국 몰디브와 관련, 아국의 유엔가입 교섭, 유네스코 집행위원 입후보, 금년도 무상원조 선정등 수개의 현안이 있음. 이와관련 주콜롬보 몰디브 대사관은 한. 몰디브 쌍무관계 업무에 관여하지 않고 있으며, 당관과 몰디브 외무부와의 우편으로 협의를 진행하고 있는실정임.

3. 주몰디브 겸임발령 관련 대체적인 예상시기를 알려주시면 당관업무에 도움이 되겠음. 몰디브측의 90.12.30 자 아그레망은 지난 1.8 파편 송부한바 있음.

(대자 장훈 국장)

검 토 필 (1991. 6. 30)

아주국   차관   1차보   국기국

| 관리 | 91 |
| 번호 | —741 |

분류번호	보존기간

발 신 전 보

번   호 :   WNZ-0074   910314 1930 FK   종별 :

수   신 :   주   뉴질랜드   대사. 송영식

발   신 :   장   관   (국연)

제   목 :   유연가입 추진

대 : NZW-0075

대호. 뉴질랜드-중국 정책협의회시 우리의 유엔가입문제가 거론되었는지

여부 및 거론시에 상세 언급내용 파악.보고바람.   끝.

중국측 반응등

19   예고문에   일반.
예기고 반드세 1991. 12. 31

                                        (국제기구조약국장   문동석)

검 토 필(1991 6. 30)

보 안 통 제	내

앙고재	91년 3월 14일	과	기안자 성명		과 장		국 장		차 관	장 관		외신과통제
			홍00우		내		점우천			내		

0071

관리	91
번호	~ ㄱㄹㄱ

외 무 부

종 별 :

번 호 : NZW-0075

수 신 : 장관(아동,정이,국연,정일)

발 신 : 주 뉴질랜드 대사

제 목 : 주재국의 대북한 정책동향(자료응신 제5호)

일 시 : 91 0314 1200

대:WNZ-0052

1. 당관 정참사관은 3.13 외무성 [J.WOOD] 북아시아국장을 오찬에 초청(당관 이서기관및 외무성 ARATHIMOS 한국담당관 동석), 주재국의 대북한 정책등 양국간상호 관심사에 관해 의견을 교환한바, 동 국장의 발언요지를 하기 보고함.

가. 주재국의 대북한 정책

-최근 주인니 북한대사(주재국및 호주등을 관할하고 있는것으로 추측)가 주재국과 관계개선을 목표로 동지 자국대사를 접촉해 왔음을 계기로 신 국민당 정부가 수립된 차제에 주재국의 대북한 정책을 재정립, MCKINNON 외상의 결재를 득하고 이를 주한대사를 통해 아측에 밝히게된 경위를 설명함.

-주재국의 대북한 기본정책에는 아무런 변화가 없음. 즉 대북한 관계개선에는 하기 3 가지 조건이 선행되어야하며, 현단계에서 관계개선은 시기상조이며, 따라서 이를 목적으로 하는 북한측의 대표단 파견은 명박히 이를 거부함.

(1) 북한의 국제테러 행위 포기선언

(2) 남북대화에의 성의있는 참여

(3) IAEA 와의 핵안정 협정체결

-주인니 북한대사의 주재국방문 허용방침은 관계개선을 위한 협상을 목표로한것이 아니라 상기 주재국의 입장을 밝혔음에도 북한대사가 방문을 희망한다면 이를 허용, 북한측으로부터 지역문제등에 대한 의견을 직접 청취하고 주재국의 입장을 전달하는 기회로 활용코자 하기 위해서임.다만 이러한 조건하에서 북한대사가 주재국을 방문하게 될지 여부및 방문한다면 그시기로 아직 미지수임.

-정참사관이 북한을 국제사회의 일원으로 끌어내기위한 우방국들의 노력은 고마우나, 북한의 기본태도에 아무런 변화가 없는 현 상황하에서 만약 주재국의

아주국	차관	1차보	국기국	정문국	정문국	청와대	안기부

PAGE 1

91.03.14   13:14

외신 2과 통제관 BW 0072

대북한 접촉자세가 변화될경우, 대호 4 항의 우려가 있음을 지적한데 대해 동국장은 북한측에 대해 주재국의 기본입장을 분명히 밝혔기때문에 그러한 오판의 소지는 전혀없다고 보며, 대북한 접촉에 있어서도 여타 서방국을 앞지르거나 독자적 행동을 취하지 않을것임으로 그러한 우려는 전혀 없음을 강조함. 그리고 <u>주재국의 제 5 대 교역국</u>으로서 차지하는 아국의 비중에대해 실질관계가 거의없는 북한과의 관계증진이 아무실익이 없음을 잘알고 있다고 부연함.

 -다만, 대북한 접촉에있어 보다 융통성을 가지려고 하며, 이는 북한을 고립에서 탈피 국제사회로 이끌어 내려는 노력과도 부합하는 것이라고봄. 그리고 북한과의 접촉내용은 한국에 충분히 알려줄것임을 확실히 하였음.

 나. 아국의 유엔가입 문제

 -주재은 남북한의 동시 유엔가입을 지지하며, 따라서 아국이 <u>유엔가입신청</u>을 할경우 이를 적극 지지할것임.

 -현시점에서 한국의 유엔가입에는 중국의 협조여부가 관건이 될것인바, 중국과의 긴밀한 협조관계에 있는 주재국이 동문제에대해 도움이 될수 있을것으로보며, 이런 취지에서 3.15 당지에서 개최되는 중국과의 정책협의회시 LIU HUA QIU 중국 외무차관에게 동문제를 제기토록 ANSELL 차관에게 건의해보겠다고 언급함.

 다. 한-뉴질랜드 정책협의회

 -ANSELL 차관은 금년 7.30 정년퇴직을 앞두고 서울에서 정책협의회에 참석한뒤 중국방문을 계획, 현재 중국측과 협의중에 있음. 금번 방문에는 동 차관부인및 자신(WOOD 국장)이 수행할 계획임.

 -ANSELL 차관은 정책협의회 참석에 앞서 4.28 가평에서 거행되는 가평전부 40 주년 기념식에 뉴질랜드 대표로 참석예정이며, 회의 참석후 부산소재 자국 명예영사관 방문을 계획하고 있다고 언급함.

 2. 평가

 -주재국은 대북한 관계개선 전제조건으로 북한의 테러리즘포기등 여타 우방국에 비해 더욱 엄격한 조건을 붙이는등 대북한 기본정책에는 변화가 없는것으로판단됨.

 -그러나 대북한 접촉에 있어 보다 융통성을 부여한것은 상기의 기본정책의 테두리를 벗어나지 않되, 주재국이 탈 냉전시대의 국제적 조류에 맞추어 한반도 문제등 지역및 국제문제 보다 능동적인 역할을 수행하고 남북한 문제에 있어서도보다 자유로운 위치에서 그입지를 강화하려는 의도의 일환인것으로 분석됨.

(대사 석경석-국장)

19
의거예고 1991 2 일반

검 토 필(1991. 6. 30.)

PRIME MINISTER

Islamabad
14 March 1991

Excellency,

I wish to acknowledge Your Excellency's message
dated 22 February 1991, received on the eve of my visit
to China.

During the visit, my delegation raised your
country's proposal to seek entry to the United Nations
as well as your desire to establish relations with the
People's Republic of China. In response, the Chinese
side expressed the hope that both the Koreas would settle
the question of the UN membership through mutual dialogue.
China, on its part, desired peace in the Korean peninsula
and welcomed recent trends towards dialogue between the two
Koreas. In their view, however, the move to seek unilateral
entry to the United Nations by one side, which was not
acceptable to the other, may not be conducive for peace.

Excellency, I wish to assure you that we
appreciate your Government's desire to establish official
relations with China and we would continue our efforts to
facilitate contacts between your country and China.

I also wish to take this opportunity to express
satisfaction over the steady and continued growth in our
bilateral relations in recent years. I am confident that
these friendly relations will be further strengthened to
the mutual benefit of our two countries.

... 2

0075

- 2 -

Please accept, Excellency, the assurances of my highest consideration.

(NAWAZ SHARIF)

His Excellency
Mr. Ro Jai-Bong,
Prime Minister of the
Republic of Korea,
Seoul

0076

관리	91
번호	-269

외 무 부

종   별 :

번   호 : BMW-0178   일   시 : 91 0321 1800

수   신 : 장관(아서,국련,경기)

발   신 : 주 미얀마 대사

제   목 : 미얀마 외무차관 면담

1. 본직은 금 3.21(목) ESCAP 서울총회에 주재국 수석대표로 참석하는 우웅조 외무차관과 면담, 금번 서울총회에 미얀마측이 종전과 달리, 고위급인사를 본부에서 수석대표로 파견키로 한데대해 사의를 표한되, 서울선언 요지를 설명한후동선언안에대한 주재국측의 협조를 요청하였음.(당관 신봉길 참사관및 미얀마 외무부의 우푼에 동.아태과장, 우쵸틴쉐 경제과장 배석)

2. 또한 본직은 아국은 금차 유엔 총회에서는 북한과의 유엔 동시가입을 최대목표로 노력중이나 북한이 끝까지 응하지 않을경우 단독가입으로라도 가입을 추진할 계획임을 설명하고, 주재국 정부의 적극적인 협조를 요청하였으며, 특히 중국과 가까운 관계인 주재국이 기회있는대로 한국의 유엔가입과 관련, 중국정부를 설득시키는데 일조해줄것을 부탁하였음. 이에대해 동차관은 미얀마는 이미 보편성원칙에 따라 한국의 유엔가입을 지지함을 지난 45차 총회연설에서 분명히 밝혔음을 상기시키고(동차관이 총회 수석대표로 연설) 현재도 여사한 입장에는 변함이 없음을 강조하였음. 특히 동 차관은 신규 회원국 가입문제는 안보리에서 통과되면, 총회에서는 보통 콘센서스로 처리됨으로 중국등의 지지를 얻는것이 관건일 것이라고 말하고 중국은 미얀마가 한국과 우호적인 관계를 유지하고 있음을잘알고 있으므로 도울수있는 기회가 있는대로 협조하겠다고 말하였음.

(대사 김항경-차관)

예고:91.12.31 까지

검 토 필(1991.6 30)

아주국   차관   1차보   2차보   국기국   경제국

외 무 부

관리 번호 91 -904

원 본

종 별 :

번 호 : BAW-0170

일 시 : 91 0321 2330

수 신 : 장관(국연,아서,참조: 국기국장, 아주국장)

발 신 : 주 방 대사

제 목 : 유엔가입문제

1. 본직은 금 3.21 오후 AHSAN 외무차관을 방문, 우리의 유엔가입문제와 관련, 그간의 경위와 회원국들의 전반적인 분위기, 북한의 동향, 중국의 입장등을 포괄적으로 설명하고 의견교환함.

2. 본직은 국제정치상의 냉전구조의 종식과 이에 따른 비동맹 노선의 방향 재정립 불가피성등 작금의 상황변화를 배경으로, 남북한문제에 있어 지나칠 정도로 신중했던 주재국의 이른바 비동맹 중립정책도 궤도 수정이 요망된다고 전제하고 특히 우리의 유엔가입문제는 남북한관계의 일환이 아니라 한국과 유엔의 관계로 유엔의 원칙에 따라 처리되어야 함을 강조한후, 주재국의 BNP 신정부 출범을 계기로 한국의 유엔가입을 명확한 형태로 지지해 줄것을 요망함.

3. 동 차관을 최근 국제정치 상황의 변화가 한국의 유엔가입에 바람직한 여건으로 작용하고 있고 특히 한쏘 수교로 쏘련의 거부권행사 가능성은 없지 않겠느냐고 반문하면서, 주재국으로서도 한국의 가입문제에 대하여는 분명한 형태로 지지할 것이라고 말함. 동 차관은 정식가입신청 시기가 언제쯤 될 것인지에 관심을 표명하고, 앞으로 긴밀히 협조하겠다고 하였음.

4. 동차관은 한국측에 의해 타진된 최근의 중국입장은 어떤 것인지 그리고 중국과는 구체적으로 어떤 채널을 통해 직접접촉이 이루어 지고 있는지 관심을 표한바무 본직은 중국과의 접촉은 유엔내에서의 직접접촉과 우방국을 통한 간접접촉등 다양한 채널로 이루어지고 있으며, 중국정부는 유엔회원국내의 전반적인 한국가입지지 분위기가 정착되어가고 있음에 유의하고 있으며 한국의 그간의 대북 설득실적을 일응 평가하고 있는 것으로 안다고 말한바, 동 차관은 중국도 많은 분야에서 정책을 변경, 수정하고 있음이 확실하다고 하면서 차관 자신이 중국측의 이문제에 관한 입장을 알아 보고 알려주겠다고 말함.

국기국	차관	1차보	아주국	아주국	국기국	정와대	안기부

(대사 이재춘-국장)

해공: 91. 12. 31에일반에
외귀 일반문서로 재분류됨

검 토 필 (1991. 6. 30)

외 무 부

관리번호 91 -966

원 본

종 별 :

번 호 : BAW-0183   일 시 : 91 0325 1630

수 신 : 장관(국연,아서)

발 신 : 주 방 대사

제 목 : 유엔가입문제

연: BAW-170

본직은 3.25 오후 외무성으로 REAZ RAHMAN 국제기구 담당 차관보를 방문, 우리의 유엔가입과 관련 면담한바 요지 아래 보고함.

1. 동 차관보는 작금의 국제정세 변화로 유엔 회원국들의 전반적인 분위기가 한국가입을 지지하는 방향으로 전개되고 있는 것이 사실이라고 전제하고 다만 상당수의 국가 특히 비동맹권 국가들이 상금 한국가입에 대한 공개적인 지지를 유보하고 있는 이유는 한국의 정식가입신청이 없는 상황에서 비동맹회원국인 북한이 극력 반대하고 있는 유엔가입문제에 대하여 사전에 정책결정을 해놓는것이 부적절한 것으로 판단하고 있기 때문인 것으로 안다고 말함.

2. 동 차관보는 따라서 한국이 일단 정식가입신청을 하면, 여사한 국가들도 가부간 정책결정을 하지 않을수 없으며, 그 경우 대세는 한국입장 지지로 선회할 것으로 본다고 말하고 그러한 관점에서 한국의 가입신청시기가 성숙된 것으로 판단된다고 말함.

3. 동 차관보는 주재국의 경우, 파키스탄으로부터 독립직후인 73 년 유엔가입을 신청했다가 중국의 거부권행사로 좌절된 일이 있었으나 이로인한 국제사회의 대중국 비판여론에 힘입어 이듬해인 74 년에 가입이 실현된 예를 들면서 한국의 경우에도 일단 정식신청을 하고 국제여론을 압력수단으로 활용하는 것이 중국의 태도변화를 촉진하는 방법이 될수 있을 것으로 본다고 부언함.

4. 동 차관보는 역대정부의 친북 내지 남북한 등거리 정책및 친 중국정책의 유산 때문에 한국측 논리의 정당성을 인정하면서도 정책결정을 유보한채 신중한 태도를 보여온 것이 사실이나, 국내상황도 한국입장에 동조하는 분위기로 바뀌고 있다고 말하고 다만 이문제는 궁극적으로 정치적 결단이 필요하므로 실무선에서 결론을

국기국   차관   1차보   아주국   청와대   안기부

예측하는 것은 부적절하나 가입신청이 이루어진 후에는 이를 지지하는 방향으로
정책결정이 이루어 질수 밖에 없을 것이라는 사견을 피력함.

5. 본건에 관하여 북한측은 단일의석 가입안 지지를 계속 주재국 정부에 요망하고
있으나 실무선에서는 남북한 동시가입이 보다 합리적인 해결이 아니겠느냐고 반문하는
정도로 대응하고 있다고 하며, 중국측으로부터는 공식, 비공식으로 아무런 입장표명이
없다고 함.

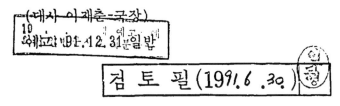

(대사 이재춘 국장)
외교과 191.12.31분일밤
검 토 필 (1991. 6. 30)

PAGE 2

0081

남북한 유엔가입, 1991.9.17. 전41권 (V.8 한국의 유엔가입 지지교섭 : 아주지역) 87

외 부

종 별 :

번 호 : BMW-0200   일 시 : 91 0329 1730

수 신 : 장관(아서,경이)

발 신 : 주 미얀마 대사

제 목 : 미얀마 외무차관 방한

대:WBM-0109

대호 ESCAP 총회 참석차 방한하는 주재국 우웅조 외무차관의 차관및 제 1 차관보 예방시, 아측에서 아래사항등을 거론, 의견을 교환할 것을 건의함.

1. UN 가입에 관한 우리 입장 지지에 사의 표시

-45 차 UN 총회 연설에서 '우웅조' 차관이 미얀마 수석대표로 참석, UN 의 보편성 원칙을 강조하면서 한국의 가입 희망을 지지한다고 발언

-91.3.21 소직이 동차관을 방문코 북한이 우리 정부의 남. 북한 동시 UN 가입을 위한 합리적인 노력을 계속 왜곡 비판하면서 거부하고 있으므로 우리는 금년중 단독 UN 가입을 추진 하고저 한다고 말하고 이에대한 계속 지지를 요청한바, 동 차관은 미얀마 정부는 이미 한국의 UN 가입 지지를 공표한바 있으므로 앞으로 우리 입장 지지에 별문제가 없다고 답하였음

2. 양국간 경제, 자원 협력 강화

-양국간 투자보장 협정, 이중과세 방지협정, 상용회수 비자행정체결 추진, 기진출중인 아국기업(대우, 선경, 삼성등 9 개 회사)의 활동 강화및 신규 진출 강화 도모(당관의 제의에 대하여 주재국은 현재 어느 나라와도 그와같은 협정을 맺지 않고 있으며, 신중히 검토하겠다고 답하고 있음)

-현재 추진중인 유공의 석유개발 사업 지원및 장래 기타 에너지 개발 계획에 관한 우리 업계의 관심 전달

-EDCF 공여 설명

EDCF 차관 공여가 긍정적으로 검토되고 있음을 설명하고 공여가 시행되는 경우 아국 기업이 동 차관 사업에 공평한 조건하에 참여할수 있도록 조치 요망

-한국 국제 협력단을 통한 대미얀마 기술협력및 우리의 발전 경험 전수 활동 강화

아주국	장관	차관	1차보	2차보	국기국	경제국	정문국	외연원
청와대	안기부							

PAGE 1   91.03.30   07:16

방침 시사

3. 미얀마 정세

-현 군사정부의 조속한 민주화 추진 희망표시및 금후 미얀마 정치 발전 일정에 대한 계획 청취

-미국, EC 등 서구국가들의 미얀마 인권문제 및 민주화 추진문제에 관한 강한 비판에 대한 미얀마 정부의 견해및 대책 문의

-특히 미국과의 관계 개선(미국은 아직도 주미얀마 대사 임명치 않고 있음)에 관한 의견 타진

4. 북한의 대미얀마 접근 노력 가능성

-83.10 아웅산 폭파사건에 관하여 북한이 사과는 물론 동 사건에대한 미얀마 정부의 조사 발표를 아직도 인정치 않고있는 현실 상기

-최근 BBC 보도등에서 미얀마의 북한산 무기및 탄약구입 검토설 보도에 유감 표명및 2.18 본직의 우웅조 차관 면담시 동 보도가 사실무근이며 앞으로는 그런일이 없을 것임을 공식 표명 사실 평가

(대사 김항경-차관)

예고:91.6.30 까지. 앱 예고문에 의거 일반문서로 재분류됨

PAGE 2

0083

(부탄외무장관 면담자료)

1. 유엔가입 추진

ㅇ 우리정부는 금년중 유엔가입을 실현키로 결정함. *(handwritten: 일하며 다각적 노력을 경주중임.)*

ㅇ 유엔가입문제에 대한 한국정부의 기본입장은 남북한이 국제사회의 축복속
   에서 다함께 유엔에 가입하여 책임있는 국제사회의 일원으로 정당한 역할을
   수행하는 것이 바람직하다는 것임.

ㅇ 이러한 견지에서 우리는 북한측에 대하여 작년 9월이래 남북한 고위급회담
   및 실무대표 접촉등 일련의 남북대화를 통하여 우리와 함께 유엔에 가입할
   것을 적극 설득하였으나 북측은 유감스럽게도 비현실적인 "단일의석가입안"을
   고집하면서 비타협적인 자세를 보이고 있음.

ㅇ 그간 귀국이 우리의 유엔가입문제에 대하여 유엔총회 기조연설등을 통하여
   적극적인 지지입장을 밝혀준데 대하여 깊이 감사드리며 귀국을 비롯한 유엔
   회원국의 압도적인 지지 분위기등에 힘입어 금년중 우리의 유엔가입이 꼭
   실현될 것으로 믿음. 우리가 유엔에 가입할 경우, 북한도 제반 대내외
   여건상 우리와 함께 또는 연이어 유엔에 가입하게 될 것이며, 이러한
   남북한의 유엔가입은 한반도 및 동북아시아 정세의 안정에 크게 기여하게
   될 것으로 봄.

ㅇ 유엔가입실현을 위한 상기 우리의 입장에 대하여 귀국이 계속 강력한
   지원과 협조를 제공하여 주기 바람.

참 고	부탄은 1986년이래 유엔총회 기조연설에서 유엔가입에 관한 우리의 입장에 대하여 지지발언 하여옴.

		담 당	과 장	국 장
양고재	91년 4월 1일	*(signature)*	*(signature)*	*(signature)*

0084

2. 대 비동맹운동 대책

   ○ 그간 비동맹운동내에서 귀국이 아국입장을 적극 지지해준 데 대해 감사함.

   ○ 비동맹운동이 최근 협력과 화해정신을 바탕으로 한 새로운 국제질서의
     도래에 부응하여 회원국들의 발전과 번영을 위한 실질적 협력을 추구해
     나가는 등 현실주의적 방향 전환을 하고 있음을 평가하며, 앞으로
     비동맹권내 이러한 노력이 더욱 강화되길 기대함.

   ○ 우리는 남북한간 소모적대결 외교를 지양한다는 7·7 대통령선언의 기본
     정신에 따라 한반도 문제는 남북한 당사자간의 진정한 대화를 통해 해결
     되어야 한다고 믿음. 따라서 비동맹운동무대에서 한국은 회원국이 아닌
     상태에서 북한의 일방적인 주도하에 한반도 문제가 다루어 지는것은
     적절치 않다고 봄.

   ○ 금년 9월 「가나」에서 개최되는 비동맹 외상회의시에도 한반도 문제가
     북한측의 주도하에 논의되지 않기를 희망하며, 귀국을 포함한 우방국들이
     이러한 우리의 입장을 적극 지원해 주기 바람.

   ┌──────┐
   │ 참 고 │
   └──────┘

     * 부탄의 대 아국지지 : 뉴델리 외상회의(83.3월), 제8차 정상회의
                          (86.9월, 짐바브웨), 싸이프러스 외상회의
                          (89.9월), 제9차 정상회의(89.9월, 유고)
                          등에서 아국입장 적극 대변

     * 제9차 정상회의(89.9월) 주요의제 : 남북 빈부격차해소, 경제·사회개발,
       외채문제, 환경문제등 비정치적 분야 중심

     * 북한의 대 비동맹관계 : 75년 가입, 부의장국(89.9-92)

     * 「가나」 비동맹외상회의(91.9.2-7 예정) : 제10차 정상회의(92년)
       개최지 결정예정

원 본

관리 번호	91 -2007

외 무 부

종 별 :

번 호 : UNW-0744   일 시 : 91 0401 1800

수 신 : 장관(국연,아서,기정)

발 신 : 주 유엔 대사

제 목 : 인도대사 면담

1. 본직은 금 4.1. GHAREKHAN 인도대사를 부임인사차 예방, 아국의 유엔가입 추진상황을 설명하고 비동맹 핵심국인 인도의 지지가 무엇보다도 중요하므로 인도의 적극적인 협조를 요청함.

2. 동 대사가 중국 입장을 문의한데 대해 본직은 중국의 최근 입장을 설명함.본직은 또한 현재의 분위기로 보아 안보리의 결정은 컨센서스가 될것으로 전망한다고 하고 투표까지 갈 가능성은 희박할 것으로 보이나 표결이 불가피한 상황에서도 중국은 여러 정황으로 보아 거부권을 행사하지 않을 것으로 보며 설사 거부권을 행사하는 경우에도 아국의 입장이 정당하며 계속 중국이 거부할수 없다는전제하에 년내 유엔가입 실현을 위해 확고히 가입을 추진할것이라고 설명함.

3. 이에대해 동 대사는 본건관련 인도의 공식입장을 아직 결정되지 않은것으로 안다고 하고 개인적으로는 아국의 입장을 충분히 납득하며 본직의 설명을 본국에 보고하겠다고함.

4. 노신영 전총리가 특사로 인도방문 계획임을 설명한바, 동 대사는 제네바대사 재직시(78-80) 노특사와 개인적으로 친분이 있었다고 하고 노특사가 뉴델리에도 친분관계가 많은만큼 좋은 성과를 기대한다고 함. 끝

(대자 도창화 국장)
예고:91.12.31 분 일반

검 토 필 (1991. 6. 30.)

국기국	차관	1차보	아주국	청와대	안기부

외   부

관리 91
번호 -2016

종   별 :

번   호 : BAW-0199   일   시 : 91 04021500

수   신 : 장관(아서,국연,경이)

발   신 : 주 방 대사

제   목 : 외상등 예방

1. 본직은 금일 1000 RAHMAN 외상, 1100 식량담당국무상 NAZMUL HUDA 를 각각 예방하고 ESCAP 개막연설에서의 대통령 연설(특히 유엔가입문제에 관한 아측입장), EDCF LOAN 문제등에 관하여 설명하고 주재국 정치정세 및 금후 동향등에 관하여 의견을 교환하였음.

2. 본직의 아국의 유엔가입문제에 관한 아국의 입장설명 및 지지요청에 대하여 외상은 아국입장 지지방향으로의 정책전환을 적극 검토하겠다고 하였음.

3. 상기 2 항 식량담당국무상 예방시에도 확인한바, BNP 당의 고위간부회의시 주재국의 경제발전을 위한 금후 아국과의 관계 강화책등 논의시 거론되었던 것으로 추정됨.

(대사 이재춘-국장)

18예고 : 91.12.31. 일반
외차 일반문서로 재분류

검 토 필 (1991.6.30)

아주국	차관	1차보	2차보	국기국	경제국	정와대	안기부

관리
번호 91
-2148
원 본

외 무 부

종 별 :

번 호 : UNW-0782 일 시 : 91 0403 1900

수 신 : 장관(국연,아동,기정)

발 신 : 주 유엔 대사

제 목 : PNG 대사면담

1. 본직은 금 4.3.LOHIA PNG 대사를 부임인사차 예방, 아국유엔가입
상황을설명한후 PNG 의 협조를 요청함.

2. 동 대사는 이에대해 PNG 외상 방한시 이미 밝힌바와같이 PNG 는 남북한
동시가입이 최선의 방안이라고 생각하나 만약 남북한이 합의에 도달하지 못해 아국만
우선 단독가입 신청하는 경우 이를 지지하는 입장이라고함.

3. 동 대사는 또한 PNG 는 약소국으로 전반적 국제문제에 모두 관심을 갖지는
못하지만 한국, 캄보디아 문제는 같은 지역국가로서 관심을 갖고 유엔 논의에적극
참여하고있다고 설명하면서 이러한 지역내 국제협력의 입장에서 개인적인의견임을
전제로 91.4.11-15 간 중국방문 예정인 자국의 RABBIE NAMALIU 수상이 중국지도층에게
남북한 동시가입 필요성을 강조하는것이 도움이 되지 않겠느냐고 본직의 의견을
문의함.

4. 이에대해 본직은 대단히 좋은 의견이며 PNG 주재 아국대사가 이를 정식
요청토록 본부에 건의하겠다고 하고, 다만, PNG 의 요청이 더욱 효과가 있기 위해서는
남북한 동시가입이 되지않을 경우 아국의 선가입 신청에 대해 PNG 가 지지하지 않을수
없다는 입장을 중국에 분명히 밝히는것이 중요할 것이라고 하였음.

5. 동 대사는 당연한 의견으로 생각한다면서 이를 본부에 건의하겠다고 한바,
본부에서도 상기 4 항 입장을 분명히 하여 주 PNG 대사에게 교섭 지시할것을건의함.
끝

(대사 노창희-국장)

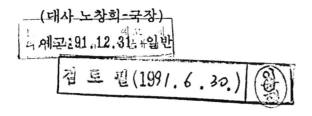

예고문:91.12.31.까지일반
접 수 필(1991. 6. 30.)

국기국	차관	1차보	2차보	아주국	청와대	안기부

원 본

외 무 부

종 별 :

번 호 : NDW-0556

일 시 : 91 0404 1110

수 신 : 장 관(국연,경기,아서)

발 신 : 주 인도 대사

제 목 : 아국 유엔가입 지지 언급관련 언론보도

1. 4.4 주재국 주요일간지 (INDIAN EXPRESS지 경제란, STATESMAN지 국내정치란, NATIONAL HERALD지 국제란등)는 '인도의 한국 유엔가입 지지' 제하 3-4단 크기로 ESCAP 총회 참석차 방한중인 SUBRAMANIAM SWAMY 상공장관이 이상옥 외무장관에게 인도의 한국 유엔가입 지지를 확인하였다고 보도함.

2. 또한 동 언론들은 SWAMY 장관이 '아.태지역산업구조 조정에 관한 서울선언'에대한 한국의 COSPONSORING 을 지지한다고 기자들에게 밝힌것으로 보도함.

3. 한편 동 기사들은 상기 인도 상공장관의 발언 이외에 아국 외무장관과 중국 외무차관 면담내용, 베트남 외무장관의 동국에 대한 경제제재 해제요청, 우루과이 라운드 관련 GREGG주한 미국대사의 발언내용등도 아울러 게재하였음을 참고로 보고함.

4. 관련기사 파편송부 예정임.

(대사 김태지-국장)

국기국   1차보   아주국   경제국   안기부   2차보 청와대

91.04.04   17:53 WG

외신 1과 통제관

0089

원 본

외 무 부

관리 91
번호 ~3/2

종 별 :

번 호 : NDW-0577   일 시 : 91 0406 1900

수 신 : 장관(국연,아서,정일,정이,기정)

발 신 : 주 인도 대사

제 목 : 주재국 상무장관의 한국유엔가입 지지에 대한 북한대사 반응

(자료응신 91-36)

연:NDW-0556

금 4.6 오전 본직의 주재국 외무부 SREENIVASAN 유엔국장 접촉시, 동국장은 당지 북한대사(유태섭)가 자신을 직접 찾아와서 최근 SWAMY 상무장관이 서울에서 아국 외무장관 면담시 언급한 내용(인도의 한국 유엔가입 지지)이 인도정부의 공식입장인지를 항의조로 물어왔다고 밝히고, 동국장은 북한대사에게 인도정부의 입장은 계속해서 남북한의 유엔가입을 지지하는 것이라고 말해 주었다고 알려줌.

(대사-김태지-국장)
예고: 91.12.31. 까지
검 토 필 (91.6.30.)

국기국   차관   1차보   2차보   아주국   정문국   정문국   청와대   안기부

PAGE 1   91.04.07   05:58
                                                         외신 2과 통제관 DO
                                                              0090

관리	8/
번호	-2104

분류번호	보존기간

발 신 전 보

번　호 : 　WPA-0264　　910407 1505　DU　　종별 : (사본: 주욱엔대사, 국미대사)
WUN -0783　　WUS -1398

수　신 : 　주　　파키스탄　　대사♣♣♣♣사

발　신 : 　장　관　　(국연)

제　목 : 　유엔가입추진

　　　　　연 : 　WPA-0139

　　　　　대 : 　PAW-0274, 0280

　　1.　인니의 Alatas 외무장관은 ESCAP 서울총회 참석중 91.4.2.
본직에게 아국의 유엔가입에 대한 자국의 종전입장을 수정, 아국가입을
전폭 지지키로 하였다고 하고, 북측에 대하여도 자국이 한국의 유엔가입을
지지키로 결정한 사실을 알리고 한국과 함께 유엔에 가입토록 설득해 갈
것임을 밝힌 바 있음.

　　2.　Alatas 장관은 상기내용을 4.3. 국내 TV 회견에서 재천명하였을
뿐만아니라 4.4. 귀국, 공항에서 자국언론과의 회견에서도 분명히 밝힌 바
있음.

　　3.　상기와 같이 인니가 아국의 유엔가입방침을 결정함에 따라 아주지역
주요국중 파키스탄만이 아국의 가입에 관한 지지입장을 밝히고 있지 않은 바,
귀직은 주재국 외무성 고위간부와의 접촉을 일층 강화하여, ~~하각 이측압장을~~
~~재강조하고~~, 파키스탄 정부가 우리의 유엔가입을 지지하여 줄 것을 적극
요청하고 수시 결과 보고바람.

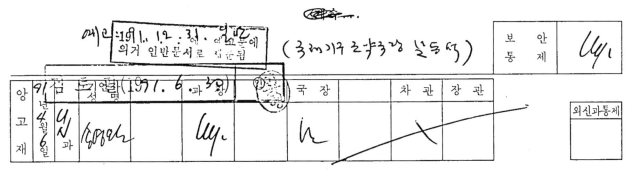

보안통제	Wi

앙고재	91년 4월 6일	검토기연필(1991. 6.3일)	성명	과장	국장	차관	장관	외신과통제

0091

원 본

외 무 부

종 별 : 지 급

번 호 : PAW-0417　　　　　　　　　　　일 시 : 91 0409 2030

수 신 : 장관(국연,아서) 사본:주 유엔대사

발 신 : 주 파 대사

제 목 : 아국유엔가입 지지요청

　　대 WPA-204,EM-11

　　연 PAW-260

　　1. 본직은 4.8(월)외무부 AKRAM ZAKI 수석차관, 4.9. KHAILD MOHAMMOD 유엔담당 차관보를 면담, 아국의 유엔가입문제에 대해 주재국의 지지를 요청하였음.

　　2. 본직은 대호 메모렌담의 의제에 따라 아국가입의 당위성을 설명, 북한의단일 의석가입안은 비현실적이며, UNWORKABLE 하다는것을 강조하고, 한국의 유엔가입은 북한으로 하여금 한반도의 현실및 국제정치의 현실을 인식케 함으로서 한반도의 평화정착과 봉일에 기여할것이므로 파키스탄 정부가 이를 지지하고 지지의사를 공식적으로 밝혀줄것을 요청하였음.

　　3. AKRAM ZAKI 수석차관은 한국의 입장을 이해하며, 그간의 남북회담상황을 잘안다고 말하고 한국이 북한과 계속대화하는 가운데 많은 국가의 지지를 얻게될것이라 하면서 많은국가의 지지속에서 한국이 유엔에 가입하기를 바란다고 말하였음.

　　4. 유엔차관보는 본직의 설명에 이어 중국과 소련의 태도에 대해 문의하였음로 중국은 불간섭주의를 내세우는것 같으며, 소련은 한국이 계속 북한과 대화할것을 바라고 있으나, 아국의 가입에 대해 반대하지 않을것으로 안다고 답변하고 최근 인도네시아는 지지하기로 공개표명하였다고 알려주었음. 불간섭주의는 VETO 를 아니한다는 뜻이냐, 중국이 또 어떤경로로 불간섭주의를 표시하겠느냐는 동 차관보의 질문에 대해 본직은 VETO 여부는 확실치 않으나 VETO 하지 아니할것으로 바란다고 말하고 그경로는 알지못한다고 답변하였음. 또한 동 차관보는언제가입 조치를 취할것이냐고 문의하였으므로 금년도 총회개최이전이 될것이며, 지난 1 년간 북한과 협의해보았으나, 북한이 단일석 가입안을 고집하므로 동시든 단독이든

국기국　　장관　　차관　　1차보　　2차보　　아주국　　청와대　　안기부

PAGE 1　　　　　　　　　　　　　　　　　　91.04.10　　05:09

　　　　　　　　　　　　　　　　　　　　　외신 2과 통제관 FI

　　　　　　　　　　　　　　　　　　　　　　　　0092

금년중에 가입하기로 결심하였음을 강조하였음.

5. 본직은 이어 사견임을 전제, 한반도 문제및 유엔가입문제 해결에 있어서가장 어려운 문제점은 북한이 남한을 인정하지 않고 평화공존을 수락하지 않은점이라고 지적하고 상호 인정과 평화공존을 바탕으로 하지않는 제안은 환상에 불과하며, 협상의 기초가 되지않는다고 강조하였음.

6. 동차관보는 현재 각종자료를 수집중이며, 주재국의 전체 대 한반도 정책차원에서 주재국의 입장을 정하겠다고 하면서, 한. 파 양국간의 관계가 더욱 증진되기를 바란다고 말하였음.

7. 나와즈 샤리프 수상(외상겸임 가능성이 큼)은 일본, 한국을 묶어서 방문하기를 바라는바, 현재 일본과는 7 월 첫째주 방일을 추진중이므로 이시기에 아국도 수상방한을 수락토록 조치하여 줄것을 건의함. 끝.

(대사 전순규-국장)

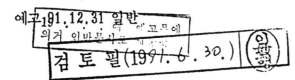

예고191.12.31 일반

검 토 필(1991. 6. 30.)

28

외 무 부

종 별 :

번 호 : NPW-0128
일 시 : 91 0410 1800

수 신 : 장관(국연,아서),사본:주유엔대사(중계필)

발 신 : 주 네팔 대사

제 목 : 유엔가입 추진(정부간서전달)

대:EM-0009 및 0011

1. 본직은 금 91.4.10(수)주재국외무성 N.B.SHAH 차관및 Y.K.SILWAL 차관보(국제기구및 아주지역담당)를 각각방문, 대호 정부각서를 수교하고 아국입장지지를 재차 당부하였음.

2. SHAH 차관은 현 네팔정부가 과도정부이기때문에 네팔정부의 공식입장표명은 5.12 총선이후라야 가능할것이라고 언급하였음.

3. 주재국에는 90.4.19 절대왕정 붕괴후 중도좌파 연립과도내각이 구성되었으며, 동과도내각은 오는 5 월 12 일 1959 년이래 처음으로 다당제에의한 총선거를 실시하여 정식정부를 출범시킬 예정임을 참고로 보고함. 끝.

(대사 김일건-국장)

예고:91.12.31 일반

검 토 필 (1991. 6. 3.)

1991.12.31. 에 예고문에 의거 일반문서로 재분류됨

국기국	장관	차관	1차보	2차보	아주국	정와대	안기부

91.04.10   23:49
외신 2과 통제관 DO
0094

외 무 부

종 별 :

번 호 : SKW-0246   일 시 : 91 0410 0950

수 신 : 장관(국연,아서)사본:주유엔 대사-중계필

발 신 : 주 스리랑카 대사

제 목 : 유엔가입 추진

대:EM-0009

1. 대호 메모란덤 내용을 담은 4.9. 자 당관 공한을 작성 동일 주재국 외무부 신임 아주국장 M.Y.L.M. ZAVAHIR(주 UAE 대사 역임후 최근 귀임) 을 방문, 동공한을 수교하면서 작년도 유엔 총회시 주재국 외상의 기조연설에서 적극적 입장을 표명 해준 사실과 그이후 주재국측이 공개적으로 지지할것이라는 언질을 받은바 있다고 상기 시키면서, 대호 훈령에 따른 주재국측의 적극적 배려를 요청함.

2. 이에 동국장은 아측의 요청을 충분히 유념하여 대처할것임을 약속 하면서 주재국측의 지지입장을 확인함. 아울러 주재국 외무부의 WICKREMASINGHE 유엔및 비동맹국 부국장에게도 동공한을 아울러 전달하고 설명한바, 동인은 RODRIGO 정무차관보(유엔및 비동맹국장 겸임) 에 보고키로 하였음. 동건관련, 당관에서는주재국 외무부등 고위층 접촉을 통해 계속 교섭하고 수시 보고 하겠음.

3. 한편, 당관 겸임국 몰디브에 대하여도 4.9. 자 공한을 작성, 우송 하였으며, 본직의 4 월하순 신임장 제정 기회에 현지에서 적극 교섭 하고 결과 보고 하겠음.

(대사 장훈 국장)

19 .   예고
의거 일예고:91 12 31 일반

검 토 필 (1991 6.30)

국기국   아주국

PAGE 1   III 급 비 밀   91.04.10   15:48
CONFIDENTIAL   외신 2과 통제관 BN
                                    0095

외 무 부

관리 번호 91 -2251

원 본

종 별 :

번 호 : BMW-0223

일 시 : 91 0410 1230

수 신 : 장관(국연,아서,사본:주유엔대사-중계필)

발 신 : 주 미얀마 대사

제 목 : 유엔가입 추진

대:EM-0009,0011,0013

1. 본직은 금 4.9(화) 주재국 외무부 "우바분" 국제기구 국장과 면담, 대호메모렌덤을 수교하고, 아국의 연내 유엔가입 의지 표명과 함께, 북한측이 동시가입을 계속 반대할 경우 우리만의 가입을 위한 필요조치를 취할 계획임을 설명하고, 주재국측의 아국입장 지지를 요청하였음.(신봉길 참사관 배석)

2. 이에대해 동국장은 미얀마 정부는 보편성원칙에 따라 한국의 유엔가입을지지함을 지난 45 차 UN 총회에서 대표연설을 통해 분명히 하였음을 밝히고, 금년에도 한국측 입장지지에 문제가 없을것이라고 언급하였음

3. 한편 본직은 아국의 가입에는 중국의 비토권 행사여부가 관건임으로, 북한의 태도변화및 중국의 대북한 설득 노력 촉진을 위해서는 우방국들의 아국 입장을 지지하는 공개적인 의사표시가 도움이 될것임을 설명하고, 주 유엔 미얀마 대표부가 뉴욕 주재 외신기자들과의 회견 기회등을 활용 공개적으로 아국입장 지지를 밝혀주는 것도 좋은 방법이 될것임을 제의하자, 동 국장은 유엔 대표부는 한국의 유엔 가입을 지지하는 정부 입장을 이미 잘알고 있으나, 현재 ESCAP 서울총회에 참석중인 우웅조 외무차관이 4.18 경 돌아오면 협의, 가급적 자국 UN 대표부에 UN 주재 특파원들의 문의가 있을경우(뉴욕주재 한국 특파원 포함) 한국입장을 지지함을 공개적으로 표명토록 지시하겠다고 대답함

4. 주재국은 엄격한 중립정책 고수로 외무부가 대외문제에 대해 직접 공개 논평치 않는것이 확고한 관례로 되어있으며(예:걸프사태, 뱅글라데쉬, 태국 정변등에 대해서도 일체 논평치 않음) 또한 현재 주재국은 비상계엄하의 군사정부 통치하에 있어, 내외신언론이 엄격히 봉제를 받고있고, 정부를 출입하는 기자단도 형성되어 있지않아, 불가피 상기와 같이 주유엔 미얀마 대표부를 통한 논평을 제의한것임

국기국   아주국

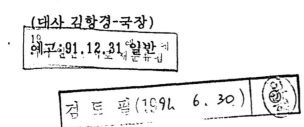

(대사 김항경-국장)

예고:91.12.31.일반

검 토 필 (1994. 6. 30)

원 본

관리 번호	91 -2284

외 무 부

종 별 :

번 호 : NPW-0128   일 시 : 91 0410 1800

수 신 : 장관(국연,아서),사본:주유엔대사(중계필)

발 신 : 주 네팔 대사

제 목 : 유엔가입 추진(정부간서전달)

대:EM-0009 및0011

　　1.　본직은　금　91.4.10(수)주재국외무성　N.B.SHAH　차관및　Y.K.SILWAL 차관보(국제기구및　아주지역담당)를　각각방문,　대호　정부각서를　수교하고 아국입장지지를 제차 당부하였음.

　　2.　SHAH 차관은　현　네팔정부가　과도정부이기때문에　네팔정부의　공식입장표명은 5.12 총선이후라야 가능할것이라고 언급하였음.

　　3.　주재국에는　90.4.19　절대왕정　붕괴후　중도좌파　연립과도내각이　구성되었으며, 동과도내각은 오는 5 월 12 일 1959 년이래 처음으로 다당제에의한 총선거를 실시하여 정식정부를 출범시킬 예정임을 참고로 보고함. 끝.

　　　　(대사 김일건-국장)

의예고:91.12.31.일반

검 토 필 (1991. 6 .30)

국기국	장관	차관	1차보	2차보	아주국	청와대	안기부

PAGE 1

91.04.10　　23:49
외신 2과　통제관 DO
0098

외 무 부

원 본

종 별 :

번 호 : UNW-0867

일 시 : 91 0410 1930

수 신 : 장관(국연,아서,기정)

발 신 : 주 유엔 대사

제 목 : 인도 차석대사면담

1. 신기복 대사는 금 4.10 MENON 인도 차석대사를 면담, 아국 가입방침을 설명하고 인도의 계속적인 적극적 지지와 협조를 당부함.

2. 동대사는 아국 메모랜덤 내용을 잘알고있으며 인도의 확고한 지지입장은반복할 필요가 없는것으로 생각한다며 중국의 입장을 문의함.

3. 신대사는 중국의 태도가 아직 분명하지는 않으나 아국입장의 명분, 국제정세의 흐름등 제반상황에 비추어 거부권을 행사하지는 않을것으로 보며, 중국이아국입장에 대한 국제적 지지의 강도를 더이상 무시할수 없을것이라 하였음. 신대사는 또한 중국설득에는 인도등 유력국가의 적극적인 협조가 긴요한바, 아국지지입장을 분명하고도 공개적으로 밝히고 이를 중국측에 알려주는것이 중국의 분명한 입장결정에 도움이 될것으로 생각한다고 하였음. 이에 대해 동대사는 당지 중국대표부와 접촉시 상기 내용을 유념, 이를 전달하겠다고함. 끝

19(대사 도장확 국장)
의거 일반문서로 재분류함
예고:91.12.31.일반

검 토 필 (1991. 6 .30.)

국기국   차관   1차보   2차보   아주국   안기부

외 무 부

관리 91
번호 —2326

원 본

종 별 :

번 호 : BAW-0221

일 시 : 91 0411 1100

수 신 : 장관(국연,아서)

발 신 : 주 방 대사

제 목 : 유엔가입문제

연: BAW-170, 183, 199

1. 본직은 4.10 저녁, AHSAN 외무차관을 자택으로 방문, 일시귀국 인사를 겸해, 표제건에 관해 장시간 의견 교환함.

2. 본건과 관련, 주재국 정부로서는 한반도의 통일문제와 유엔가입문제는 근본적으로 취급이 달라야 한다는 견제하에 전자에 관하여는 남북 어느편에도 편파적인 입장을 취할수 없으나, 후자에 관하여는 유엔과 가입신청국간의 문제로서만 처리되어야 한다는 판단에 따라 가입을 적극 지지한다는 방침으로 대처코자한다고 말함. 본직 귀임후 수시 접촉, 협의키로 함.

3. 동 차관은 중국이 안보리 상임이사국으로서 그동안 제반 국제정치문제에대처해온 동향을 면밀히 관찰해 보면 가급적 거부권행사는 자제해 왔고, 국제정치상 중요한 문제에 관하여 기권을 하는 경우도 객관적으로 명분이 있고 상당수의 국가로부터 지지를 받는 경우에 국한시켜 왔다고 말함.

4. 또한 동 차관은 오늘날의 새로운 국제정치질서에 비추어 보거나 중국이89.6 이래의 국제적인 고립에서 조속히 탈피하려고 노력하고 있는 상황으로 볼때, 북한의 입장을 지지해야 한다는 편협된 논리만으로 거부권을 행사함으로서 자국의 국제적 위상을 실추시키는 선택은 하기 어려울 것으로 본다는 사견을 피력함.

(대사 이재춘-국장)

19 예고: 91.12.31 일반
의거 일반문서로 재분류

검 토 필 (1991 6.30)

국기국	장관	차관	1차보	2차보	아주국	정와대	안기부

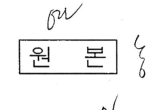

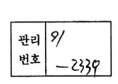

외 무 부

종 별 :

번 호 : UNW-0882

일 시 : 91 0411 1830

수 신 : 장관(국연,아서,기정)

발 신 : 주 유엔대사

제 목 : 파키스탄 대사면담

1. 본직은 4.11 MARKER 파키스탄 대사를 면담, 아국가입 추진 현황을 설명한후 파키스탄의 지지를 요청한데 대해 동대사는 파키스탄은 아국입장을 잘이해하고 공감하며 보편성원칙을 존중한다고 하면서 북한의 단일의석가입안은 실현가능성이 없고 유엔헌장에도 위배되므로 남.북한이 동시에 유엔에 가입하는것이 최선의 방안으로 생각한다고 말하였음.

2. 본직은 중국을 제외한 주요 아시아국가들이 모두 아국가입을 지지하는 입장을 표명하였다고 설명하고 한-파 양국 우호관계와 파-중국간 긴밀한 관계에 비추어 파키스탄이 아국 선단독 가입을 지지하고 나아가서 중국이 아국가입에 반대하지 않도록 설득해 줄것을 요망한데 대해 동 대사는 그러한 한국의 요청을 자신의 건의와함께 본국정부에 보고하겠다고 함.

3. 금일 면담에서도 동대사는 아국 선단독 가입에 선뜻 지지한다는 답변을 하지 않고 있는점을 보아 앞으로 이스라마바드에서 계속적인 지지확보 교섭이 필요한것으로 사료됨. 끝

(대사 노창희-국장)

예고: 91.12.31. 일반
의거 일반문서로
검 토 필 (91. 6. 30)

국기국   아주국   안기부

외 무 부

관리
번호 91-2328

원 본 ✓

종 별 : 지급

번 호 : PNW-0078   일 시 : 91 0411 1900

수 신 : 장관(국연,아동, 사본:주UN대사-본부중계필)

발 신 : 주 파뉴 대사

제 목 : 유엔 가입 추진

대:EM-9,11,13

1. 본직은 금 4.11 GABUT 외무차관보와 면담, 대호 각서를 수교하고 동 훈령에
따라 아국의 UN 가입에 관한 주재국 정부의 적극적인 지지를 요청하였던바,동
차관보는 이미 89 년 및 90 년도 유엔총회 기조연설에서 표명한 바와 같이,아국
유엔가입 지지가 주재국 정부의 일관된 정책으로 이에 아무런 변화가 없으며, 특히
금년도에는 아국이 유엔 가입을 신청할 계획이라 하므로 어느때보다 중요한 시기가 될
것이므로 주재국 정부가 아국의 입장을 전폭 지지하는데 문제가 없다고 하면서,
금명간이라도 주유엔 대사에게 훈령하여 필요한 경우 아국의 유엔 가입을 지지하는
주재국 정부의 입장을 공개적으 로 밝히도록 하겠다고 하였음. 또한 동 차관보는
중국이 대다수 회원국의 의사에 반하는 입장을 취하기는 어려울 것으로 본다는 견해를
표명했음.

2. 특히 주재국 정부는 SOMARE 외무장관이 금년 46 차 유엔총회 의장에 입후보하고
있으므로 만일 동 장관이 의장에 당선되면 아국의 유엔가입을 위해서 일익을 해줄
용의가 있다고 하였음.SOMARE 외무장관은 의장 당선 지지교섭을 위해 총회 전에
뉴욕에 출장할 것으로 생각되며, 특히 동 지지 교섭을 강화하기 위해 NAMALIU 수상이
직접 PNG 대표단을 이끌고 금년 유엔총회에 참석하는 것을 계획하고 있다함. 끝.

(대사 최남준-차관)

예고:91. 12. 31.고일반
의 거 일반 문서 로 재분류됨

검토필(1991. 6. 30.)

국기국	장관	차관	1차보	2차보	아주국	청와대	안기부

PAGE 1   91.04.11   18:42

외신 2과 통제관 BA
0102

관리 91
번호 -233ㅊ

원 본

외 무 부

종 별 :

번 호 : UNW-0884   일 시 : 91 0411 1930

수 신 : 장관(국연,아서,기정)

발 신 : 주 유엔 대사

제 목 : 유엔가입

　　당관 오윤경공사는 4.9-11 간 하기 대표부 관계관을 접촉(오찬등), 아국의
유엔가입 추진현황등을 설명, 지지를 요청하였는바, 동인들의 반응을 요지
아래보고함.

　　1. 방글라데쉬 대표부 차석 DR.IFTEKHAR A. CHOWDHURY

　　0. 이미 본국정부로 부터 동국 주재 한국대사가 외무부에 한국입장 지지 요청을
한바 있다고 들었음.

　　0. 남북한이 통일되어 유엔에 가입하는것이 이상적이나, 현재로서는
남북한동시가입 또는 한국의 선가입을 지지함.

　　0. 동인은 특히 고르바쵸프 대통령이곧 방한할 것이라는 소식에 놀라움을 표시하며
, 중국으로서도 현 국제정세에 비추어 더이상 한국의 유엔가입에 반대할 명분이 없을
것으로 본다고함.

　　0. 동인은 7 월초 본국 외무부 국장으로 내정, 귀환예정이며, 현재 공석중인
유엔담당 국장을 희망중이라함.

　　2. 몽골 대표부 차석 LUVSANGIIN ERDERECHULNUN

　　0. 최근 한. 몽골 관계가 급속도로 진전되고 있음에 비추어 한국의 유엔가입을
지지하는데 문제없음.(NO PROBLEM)

　　0. 다만, 동국으로서는 북한과도 외교관계를 갖고 있으므로 북한의 입장을
고려하지 않을수 없는바, 남북한이 합의하여 유엔에 가입하는것을 가장 이상적으로
봄.

　　다. 뉴질랜드 대표부 WILLBERG 공사

　　0. 동국으로서는 한국의 유엔가입을 당연한 것으로 봄.

　　0. 최근 중국의 유 외무차관이 동국을 방문하였을때 한국의

국기국　　장관　　차관　　1차보　　2차보　　아주국　　청와대　　안기부

PAGE 1

91.04.12　　09:09

외신 2과 통제관 FE

0103

유엔가입문제에관하여도 거론하였으나, 동차관은 종전입장을 되풀이 한것으로 듣고있는데, 중국입장의 추이에관하여 참고로 알려주면 고맙겠음. 끝

(대사 노창희=국장)

의거 예고:'91. 12. 31 일반

검 토 필(1991. 6 . 30.)

관리	기
번호	-2355

외 무 부

종 별 :

번 호 : PNW-0079   일 시 : 91 0412 1150

수 신 : 장관(아동,국연,정일)

발 신 : 주 파뉴 대사

제 목 : PNG 수상 중국방문 결과(자료응신 91-5호)

1. 중국 공식 방문차 4.11 북경에 도착한 NAMALIU 수상은 LI PENG 수상과 회담을 갖고 아래와 같은 사항에 합의하였다고 함.

가. 중국은 PNG 에 약 1 천만불 상당의 경제사회 개발을 위한 장기 저리 차관 공여.

나. PNG 는 중국만을 국가로 승인하는 ONE-CHINA POLICY 재확인.

다. SOMARE 외무장관의 차기 유엔총회 의장 후보에 대한 중국의 지지 확보.

라. 금년 9 월 PNG 에서 개최되는 남태평양 경기대회에 중국의 고위 대표단파견.

마. 중국 수상의 PNG 방문 초청.

2. NAMALIU 수상은 4.12 YANG SHANGKUN 대통령과 회담 예정임.끝.

(대사 최남준-차관)

예고:91.6.30 일반

예고 ?
위거 일반문서고 재분류

아주국	차관	1차보	2차보	국기국	정문국	청와대	안기부

관리 91
번호 -2354

원 본

외 무 부

종 별 :

번 호 : FJW-0086

일 시 : 91 0412 1620

수 신 : 장관(국연,아동,사본:UN대사)(중계필)

발 신 : 주 휘지 대사

제 목 : UN 가입관련 정부각서배포

대:EM-0009,11

1. 대호 표제관련 소직은 4.12 주재국 NAND 외무성정무국장과 면담, 아측각서를 수교함과 동시에 우리의입장을 설명하면서 예년과 다름없이 적극 지지하여줄것을 요청하였는바, 동인은 아국의 UN 가입에대한 휘지 정부의 입장은 변함이 없음을 표명하고 장. 차관과 협의 선처하겠다고 언급하였음.

2. 당관겸임국인 솔로몬 아일랜드, 바누아투는 원거리 관계상 4.11 자로 공한을 발송하였는바(속달), 계속교섭추보 위계임.끝

(대사대리 서인석-국장)

19
의거 일예고 91.12.31 일반.

검 토 필(1991. 6. 30.)

국기국	장관	차관	1차보	2차보	아주국	청와대	안기부

PAGE 1

91.04.12   15:00

외신 2과 통제관 DO

0106

분류번호 | 보존기간

발 신 전 보

번 호 : WUS-1496   910412 1515 FL   종별 :

수 신 : 주   수신처 참조 대사·총영사

WUN -0902   WUK -0696
WFR -0756   WJA -1695
WHK -0579

발 신 : 장 관
          (국연)

제 목 : 유엔가입문제 관련 홍보활동

연 : WUN-0741, WUS-1340, EM-0011

1. 4.19. 고르바쵸프 대통령 방한, 이붕 중국총리의 방북설,
남북한간 최초의 대규모 직교역 합의, 북한의 최고인민회의 개최 및
IPU 평양총회 개최등 일련의 한반도 주변정세 발전은 귀지 언론의 큰
관심사로 부각될 것으로 보며, 한반도문제에 관한 사설 또는 해설
기사가 게재될 가능성이 크다고 봄.

2. 상기에 따라, 귀지 언론에서 사설등을 통하여 한반도문제를
다룸에 있어 우리의 금년 유엔가입추진 결정 사실도 포함하여 이에
대한 언론의 입장이 표명될 가능성이 있다고 사료되는 바, 주재국
언론의 여사한 보도(특히 일간지 사설 게재)에서 유엔가입문제에
있어서 연호 정부각서 내용이 충분히 반영될 수 있도록 주요언론인에
대한 입장설명등 사전 홍보활동을 시행하기 바람.   끝.

예 고 : 91. 12. 31. 류 일반

(장   관) 이상묵

검 토 필(1991. 6. 30.)

수신처 : 주미, 유엔, 영국, 불란서, 일본대사, 주홍콩총영사

정보문화국장 :

보 안
통 제

앙고재	91년 4월 11일	유엔과	기안자 성명	김성제	과 장		국 장	1차보	차 관	장 관

외신과통제

0107

관리
번호 91 -2450

외 무 부

종 별 : 지 급

번 호 : SKW-0261   일 시 : 91 0416 1600

수 신 : 장관(아서,국연,국기,총인)

발 신 : 주 스리랑카 대사

제 목 : 몰디브 출장

대:의전 20110-13815(91.4.10)

연:SKW-0241(91.4.9)

1. 연호 4.21-23 간 신임장 제정차 몰디브 출장 기회에 그간 공한으로 교섭해오던 아국의 유엔가입에 관한 지지, 금년도 대몰디브 무상원조및 연수생 방한, 아국의 유네스코 집행위원 입후보, IMO 및 FAO 이사국 입후보등 국제기구에서의 지지확보등 현안에 관하여 보다 구체적으로 교섭 할예정임.

2. 금번 몰디브 출장과 관련 본부 지시사항 있으면 회시 바람.

(대사 장훈-국장)

예고:91.6.30 일반

아주국	장관	차관	1차보	2차보	종무과	국기국	국기국

PAGE 1   91.04.16   21:16
                                            외신 2과 통제관 DO
                                                         0108

원 본

외 무 부

관리번호 91 -2437

종 별 :

번 호 : NZW-0120

일 시 : 91 0416 1800

수 신 : 장관(국연, 아동, 사본:주유엔대사-본부중계망)

발 신 : 주 뉴질랜드대사

제 목 : 유엔가입 추진

대:EM-0009,0011

1. 당관 정참사관은 금 4.16 SMALL 외무성 유엔국장을 면담, 대호 메모랜덤을 수교하면서 아국의 입장과 주재국이 아국입장에 대한 단순한 지지에서 한걸음나가 공개적인 지지입장을 적절한 계기에 표명해 주는것이 필요함을 설명하고 이를위한 적극적인 협조를 요청하였음.

2. 동국장은 현재 유엔관련 주재국의 최대 현안문제는 안보리 비상임이사국입후보 교섭이라고 전제하고 그러나 유엔가입과 관련한 아국입장 지지에는 별문제가 없다고 말하고 공개적 지지표명 문제를 적극 검토할것을 약속하였음. 이에 정참사관이 5 월 아국특사의 당지 방문등이 공개적 지지입장 표명을 위한 좋은 계기가 될수있을것이라고 SUGGEST 한바 동국장은 이를 유념하겠다고 말하였음을 참고로 보고함.

3. 동건 계속 교섭위계임.

(대사 서경석-차관)

19 일반문서로 재분류(91.12.31.)

검 토 필(1991. 6. 30.)

국기국	장관	차관	1차보	2차보	아주국	청와대	안기부

분류번호	보존기간

발 신 전 보

번 호 : WPA-0296   910416 2042 FO   종별 : 지급

수 신 : 주 파키스탄   대사. 총영사// 대리

발 신 : 장   관   (국연)

제 목 : 유연가입 추진

대 : PAW-0447

연 : WPA-0264, 국연 2031-2891 (90. 12. 15)

대호. 아국의 유연가입 문제에 관한   소련 및 주요 아시아국가들의
최근 입장은 하기와 같음. (유연총회 기조연설시 각국 입장은 기조연설중 한반도
관계 언급분석 책자 참조)

1. 소 련

   o 4.4. 로가쵸프 외무차관, 본직과의 면담시 유연의 보편성원칙에
     따라 아국의 가입에 대한 이해표명. 단, 현 단계에서 남북한간 협의를 통한 문제
     해결 희망 입장 언급   같은

2. 인 도 (안보리 비상임이사국)

   o 4.2. 「스와즈」 재무장관, 본직과의 면담시 한국 유연가입에 대한
     지지입장 확인

   o 인도외상 중국방문시(91.2.1-2.8) 인도외상 주최 만찬에서 Saran
     인도 동아국장이 전기침 중국외상에게 한국의 유연가입문제 제기

   o 89-90년 유엔 총회 기조연설에서 보편성원칙에 따라 한국가입 지지입장표명.

/ 계속 /

아주국장 :

보안통제	쌔

앙고재	91년 4월 16일 과	기안자 성명	과 장	국 장	차 관	장 관	외신과통제
		(서명)		20정			

0110

3. 이 란

ㅇ 주이란대사의 Arborzi 외무성 국제기구국장에 대한 협조요청(91.1.21)에
   대하여 91.2.3.자 외무성 공한으로 이란이 아국의 유엔가입을 긍정적
   으로 검토중임을 아측에 통보

ㅇ 3.18. Mattaki 외무성 국제담당차관, 아국의 유엔가입 방안의 논리를
   인정, 아국의 유엔가입을 지지하는 것이 이란의 기본 인식임을 전제
   하면서 유엔의 보편성원칙에서 아국가입지지 문제를 긍정적으로 검토할
   것임을 언급

4. 네 팔

ㅇ 4.10. Shah 외무차관, 현 정부가 과도정부이므로 네팔의 공식입장
   표명은 5.12. 총선이후에나 가능할 것임.

5. 스리랑카

ㅇ 4.9. Zavahir 아주국장, 아국입장에 대한 스리랑카의 ~~아국의~~ 지지입장 언급.

6. 방글라데시

ㅇ 4.2. Rahman 외상, 유엔가입문제에 관한 한국입장지지 방향으로
   정책전환을 적극 검토할 것임.

ㅇ 4.10. Ahsan 외무차관, 자국은 한반도의 통일문제와 유엔가입문제는
   근본적으로 취급이 달라야 하며 통일문제에 대하여는 남북 어느편에
   편파적인 입장을 취할 수 없으나, 유엔가입문제에 대하여는 유엔과
   가입신청국간의 문제로서만 처리되어야 한다는 판단하에 한국의
   가입을 적극 지지한다는 방침으로 대처할 것임.

/ 계속 /

7. 인 니 (WPA-0264 참조)
   ○ 쏜북한 동시가입, 아주기 년가임 공의 지거

8. 말 련
   ○ 4.11. Badawi 외무장관, 말련은 한국의 유연가입을 계속 지지할
     것임.

9. 태 국
   ○ 4.2. 카셈스리 수상실 장관, 아국의 유연가입에 대한 태도의 지지
     확약
   ○ 4.11. Birath 국기국장, 주유연 태국대표부에 한국의 유연가입을
     지지하라는 훈령 뿐만 아니라 한국의 유연가입에 대한 국제적 지지
     규합 노력에 참가하라는 훈령을 이미 하달하였음.

10. 싱가폴
   ○ 4.1. Kishore 외무차관보, 싱가폴은 한국의 유연가입을 지지할 것임.
   ○ 4.10. Kesavapany 국기국장, 싱가폴은 한국의 유연가입을 지지할
     것임.

11. P N G
   ○ 4.11. Gabut 외무성 차관보, 아국유연가입에 대한 확고한 지지입장
     재확인 및 필요시 공개적 지지입장 표명 용의 언급
     (Somare 외상이 46차 유연총회 의장에 당설될 경우 아국 유연가입
     지원할 것임).   끝.

예 고 :
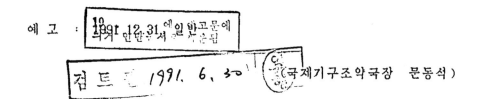

검 토 1991. 6. 30 (국제기구조약국장 문동석)

0112

원 본

관리
번호 91

외 무 부

종 별 :

번 호 : NZW-0121   일   시 : 91 0417 1800

수 신 : 장관(국연,아동,사본:주유엔대사-본부중계망)

발 신 : 주 뉴질랜드대사

제 목 : 유엔가입 추진

대:EM-0009,0011
연:NZW-0120

1. 당관 정참사관은 4.17 당지주재 AUMUA IOANE 서사모아(당관 겸임국)
고등판무관을 면담, 대호 메모랜덤을 수교하고 본국정부에 이를 전달, 서사모아
정부가 아국입장 지지는 물론 적절한 계기에 공개적으로 지지표명을 해주도록 동인의
적극적인 협조를 요청하였음.

2. 동 고등판무관은 제 45 차 유엔총회시 ALESANA 수상이 기조연설에서 아국입장에
대한 적극적 지지발언을 했음을 상기하면서 본국정부가 아측요청에 대해 적절한
조치를 취하도록 수상에게 직접 건의하겠다고 약속하였음.

(대사 서경석-차관)

19 예고:91.12.31 일반

검 토 필(1991. 6. 30.)

국기국   장관   차관   1차보   2차보   아주국   청와대   안기부

PAGE 1   91.04.17   15:36
                                                           외신 2과 통제관 BA

                                                           0113

원 본 ✓

관리 번호	91 -2591

외 무 부

종 별 :

번 호 : UNW-0982

일 시 : 91 0419 1930

수 신 : 장관(국연,아동,기정)

발 신 : 주 유엔 대사

제 목 : 유엔가입교섭

1. 당관 오윤경 공사는 4.19 솔로몬 아일랜드 대표부 BERAKI JINO 1 등서기관을 접촉, 아국의 유엔가입 추진현황등을 설명하고, 협조를 요청함.(아국정부 각서 및 코스타리카 대표부의 안보리문서 수교)

2. 이에 동인은 작년 유엔총회 기조연설시에는 남북한 유엔가입 문제에 언급하지 않았으나, 동국은 한국의 유엔가입을 지지한다고 밝히고, 공개적으로 지지 표명하는 문제를 검토, 본국정부에 건의하겠다고 말함. 끝

의거(대산 노창희 국장)

예고:91.12.31. 일반

검 토 필(1991. 6 30.)

국기국	장관	차관	1차보	2차보	아주국	청와대	안기부

91.04.20   08:39
외신 2과 통제관 FE
0114

관리
번호 91
-2600

외 무 부

종 별 : 지 급

번 호 : PAW-0459   일 시 : 91 0420 1100

수 신 : 장관(아서,중동일)사본전순규 대사

발 신 : 주 파 대사대리

제 목 : 특사일정

대 WPA-297

1. 대호, 특사일정 아래와 같이추진코저 하니 본부의견 조속 하시바람.

가. 주요인사 예방은 대통령, 수상, 쵸드리 슈자트 내무및 공업성장관, ZAKI외무성 수석차관을 추진코저함.

나. 오.만찬일정

5.13(월)

만찬대사관저(특사일행및 공관직원, 주재국 정세및 일정 브리핑)

5.14(화)

오찬 ZAKI 수석차관 주최(소규모)

만찬치마 한. 파 친선협회 회장 주최(가능하면 슈자트 장관, 의회및 정부요인등 초청)

다. 기타 일정은 이스라마바드 일원, 탁실라 유적지 탐방

라. 특사부인 별도일정수상부인 예방(특사의 수상예방시)사회복지 단체방문

2. 상기 일정안은 예방을 제외, 아직 주재국측과 협의하지 않았는바, 본부 이의가없을때는 즉시 주재국측과 협의 예정임.현재까지 아국 요인 당지 방문시 경험에비추어, 대통령 부인은 공적인 활동을 하지 않아서 특사부인의 대통령 부인예방은주선치 않을 계획이며, 수상부인도 동 예방을 접수할지 여부는 불확실하나, 일단 주재국측에 요청함이 좋을것으로 보임.상, 하원 의장중 1 인 예방은, 수상예방이 불가능할시에 최종순간에 신청코저함. 끝.

(대사대리 성정경-국장)

예고91.12.31 일반고문에 의거 인반문서로 재분류

검토필(1991. 6. 30)

아주국   아주국   중아국   국기국

외 무 부

관리
 번호 : 91
-2597

원 본

종   별 :

번   호 : PAW-0463

일   시 : 91 0421 1500

수   신 : 장관(국연,아서)사본전순규 대사

발   신 : 주 파 대사대리

제   목 : 유엔가입 추진

대 WPA-297

연 PAW-447

대호, 아국 유엔가입에 대한 주요아시아국가들의 최근 입장에 관한 자료내용을 금
4.21(일)MASOOD KHALID 주재국 외무성 북동아과장에게 적의통보함.

동과장은 동자료가 주재국 입장결정에 참고가될것이라고 언급함. 끝.

(대사대리 성정경-국장)

예고 99.12.31.일반 예고문에
의거 일반문서로 재분류

검토필(1991.6.30.)

국기국   아주국   아주국

| 관리
번호 | 91
-2646 |

분류번호	보존기간

발 신 전 보

번 호 : WPA-0317   910423 1746 DU   종별 :

WUN-1055

수 신 : 주 파키스탄   대사. 총영사 (사본 : 주유엔대사)

발 신 : 장 관   (국연)

제 목 : 유엔가입문제

대 : PAW-0417

연 : WPA-0296

대호관련, 주재국 외무성 관계관과 접촉 하기입장을 재강조하고 결과
보고바람.

ㅇ 5.3-7간 북한 방문예정인 이붕 총리는 금번 방북시 북측에 대해
남북한 동시가입을 설득할 것으로 알려지고 있는 바, 파키스탄측이
우리의 가입문제에 대한 지지입장을 좀더 분명히 밝혀준다면 중국의
전향적 태도 확보에 큰 도움이 될 것임.   끝.

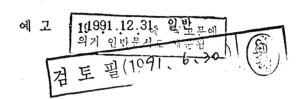

예 고 1991.12.31 일반문서에
의거 일반문서로 재분류

검토필(1991. 6. 30)

(국제기구조약국장 문동석)

보 안 통 제	(서명)

앙 고 재	91 년4 월23 일	유엔 과	기안자 성 명	과 장	국 장	차 관	장 관	외신과통제
				(서명)	(서명)		(서명)	

0117

관리 91
번호 ─2680

외 무 부

종   별 :

번   호 : SKW-0269   일   시 : 91 0423 1740

수   신 : 장관(아서,의전,국연)

발   신 : 주 스리랑카 대사

제   목 : 몰디브 신임장 제정(1)

연:SKW-0261

1. 본직은 4.21-23 간 당관 겸임국 [몰디브]에 출장, 예정대로, 4.22(월) 대통령실에서 가윰대통령에게 신임장을 제정함(몰측 쟈밀 외상및 후세인 대통령실 장관, 아측 정참사관 배석)

2. 신임장 제정후 가진 환담에서 가윰 대통령은 지난 84 년 공식 방한시 아국의 발전상에 깊은 감명을 받고 그 계기로 양국관계가 발전되고 있는데 만족한다고 언급함. 아국으로 부터의 계속적인 원조에 감사하면서 노대통령에 대한 자신의 안부를 당부 하였음.

이에 본직은 가윰 대통령의 방한이래 양국관계 원만한 발전에 주목하며 최근 아국내 정치 경제 사회등 각방면에서의 발전상을 소개함.

3. 가윰 대통령은 최근 고르바쵸프 쏘련 대통령의 방한에 관심을 표한바, 본직은 아국의 북방정책, 한반도 주변상황변화및 남북 대화 현황을 설명함. 아울러 작년도 유엔총회 연설시 가윰 대통령이 아국의 유엔 가입문제에 관하여 적극 지지표명해 준데 심심한 사의를 표하면서 금년에도 적절한 기회에 적극 지지표명해줄것을 요청한바, 동 대통령은 한국이 국제기구에서 적극적인 역할을 해야한다고 말하면서 <u>아측입장을 적극 지지할것임을</u> 천명함.

4. 본직은 금번 몰디브 출장기회에 AHMED ZAKI 국회의장, JAMEEL 외무장관, AHMED ZAHIR 교통해운장관, A.KAMALUDEEN 공공사업및 노동장관, A.HAMEED 문교장관, A.SATTAR MOOSA DIDI 보건후생장관, 외무부의 I.H. ZAKI 부장관 등 간부들을 각각 예방하고 양국간 관계증진방안등에 관해 협의함.

(대사 장훈-국장)

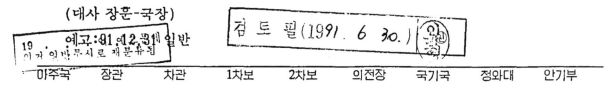

예고:91.12.31 일반
이거 일반 문서 로 재분류됨

검 토 필(1991. 6 30.)

아주국	장관	차관	1차보	2차보	의전장	국기국	정와대	안기부

PAGE 1   91.04.23   21:41
                                      외신 2과 통제관 CH

0118

관리
번호 기
－2691

외 무 부

종   별 :

번   호 : SKW-0270　　　　　　　　　　　일   시 : 91 0423 1740

수   신 : 장관(아서,경이,국연,국기)

발   신 : 주 스리랑카 대사

제   목 : 몰디브 출장(2)

연:SKW-0261

1. 본직의 4.21-23 간 몰디브 출장중 4.22. 몰디브 외무부의 쟈밀 장관및 쟈키 부장관과 양국간 현안등에 관해 협의한바 요지 아래 보고함.

가. 쟈밀장관(SALAH SHIHAB 정무차관보, A.GHAFOOR 다자관계 정무과장, 정참사관 배석)

1)아국의 유엔가입 입장 지지문제: 가윰 대통령이 표명한 대로 적극 지지를약속하고, 유엔대표부에 동 지지입장을 훈령하여 아국 유엔대표부와 상호 긴밀히 협의토록 하겠다고함. 금차 유엔총회에는 자신이 참석예정으로 작년도 가윰 대통령의 아엔 총회시 표명한대로 아국의 유엔가입지지입장을 밝힐 것을 다짐함.

2)양국 외무장관의 상호 방문:양국간 기존우호 협력관계에 비추어 아국 외무장관의 방몰을 고대한다고 하고, 자신도 양국간 관계강화를 위해 가까운 장래에 방한키를 희망함.

3)무상원조및 기술연수:금년도 아국의 대몰디브 무상원조및 기술연수생(어로분야 1 명) 방한연수 관련 아측입장을 전달한바, 아측 원조에 감사 하면서 연수분야로서 MARINE ENGINE, 소규모 보트제작, 어류식품 가공등 몰디브의 발전에 기여할수 있는 분야를 제시함.

4)아국 국제기구 진출 협력: 아국의 금년중 IMO 이사국 진출, FAO 이사국 재선출, UNESCO 집행위원 입후보, 지지요청에 관한 아측 공한을 접수한바 있으며, 관계부처(교통부, 농수산부, 문교부) 와 협의 중으로 경쟁국 관련 특별한 사유가 없는한 아측 요청을 반영키로 약속하고 상호 계속 협의키로함.

나. 쟈키 부장관

양국간 현안에 관해 재검토한바, 그중 가윰 대통령이 본직에게 특별히 전달하라고

아주국 안기부	장관	차관	1차보	2차보	국기국	국기국	경제국	정와대

PAGE 1

지시를 했다면서 아국의 무상원조(매년 계속 10 만불)의 증액을 요청함. 몰측은 각국의 원조액이 매년 조금이라도 증액되고 있음(일본의 경우 1 천 2 백만불에 이름)을 상기시키고, 아국의 경제발전 규모에 걸맞게 다소라도 증액해주는 성의를 표함이 양국 관계애 긴밀한 발전에 필요하다고 강조함.

　2. 금번 몰디브 외무부 고위층과의 접촉 교섭결과, 양국간 기존 우호 협력관계를 확인하면서 아국의 유엔가입 입장및 국제기구 진출에 관한 몰정부의 적극적 지지를 확보함. 한편, 상기 몰측 요청과 관련, 아국 외무장관의 금년중 방몰및 쟈밀외상 또는 쟈키 부장관의 방한을 추진함이 바람직 할것으로 사료됨. 대몰무상원조의 증액문제에 관하여 아측의 제반사정을 설명한바 있으나 가용 대통령의 특별 관심 사항인점을 감안, 우선 금년도 아국 무상원조 집행시 다소라도 금액 상향 조치가 바람직 할것으로 판단되니 적극 검토해 주시기 바람.

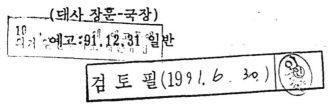

(대사 장훈-국장)

예고:91.12.31 일반

검 토 필(1991. 6. 30)

아주지역 대상국 (##국)

4.25 현재.

	44	45차	대표부 접촉	현지접촉	비고
아프카니스탄					
방글라데쉬	△	△	4.11 (공사)	3.5 ?기자??	아국지지 쪽가? 예상
부 탄	◎	◎	4.10 (화)		지지입장. ?락??
브루나이	—	◉	4.10 (화)	4.9, 4.10	아국입장 적극지지 —
캄보디아	—	×	—		
중 국	—	×	×		
휘 지	◎	◎		4.12	지지 입장 변함없음
인 도	◉	◎	4.1(대), 4.10(차)		지지입장 확인
인도네시아	△	△			O.K
일 본	◎	◎			O.K
라오스	×	×			
말레이지아	◎	◎	4.18(대), 4.9(화)	4.11	가입 적극약
몰디브	△	◎	4.10 (화)		지지 입장
몽 고	△	△	4.11(R), 4.18(L)		입장지지. 이해 (동시가입이상적)
미얀마	◎	◎	4.9(화)	4.10	지지 다짐
네 팔	◎	△	4.10(대)	4.10	지지입장 ?????? 중의 입장
파키스탄	—	—	4.?(대),	4.9	(남북한가입지지)
PNG	◉	◎	4.3(대)	4.11	지지 다짐
필리핀	—	—	4.10(대)	4.17, 4.24	지지다짐
사모아		◎		4.17	지지거의
싱가폴		◎	4.16(L)	4.1, 4.10	지지 ?? ?한입장
솔로몬아일랜드	◎	△	4.19(L)		지지
스리랑카		◎		4.10	지지확인
태 국	◎	◉	4.3(대)	4.11	한국지지통보
바누아투	—	—	4.10(대)		지지당연
베트남	×	—			
호 주	—	◎	4.9(화), 4.17(대)	4.18, 4.16	지지입장확고
뉴질랜드	—	—	4.9(화), 4.10(R)	4.16	지지당연

0121

외 무 부

종 별 :

번 호 : BAW-0247

수 신 : 장관(국연,아서)

발 신 : 주 방 대사

제 목 : UN 문제

일 시 : 91 0428 1510

관리 91
번호 ―2781

    4.28 12:00 외무성 극동과장 및 12:30 UN 과장을 방문, 아국의 UN 가입문제에 관한 아측입장을 설명하고 아국의 UN 가입지지에 대한 외무성의 기본입장을 타진하는 동시 실무선에서 주재국의 UN 대책에 관하여 아국입장을 적극 지지토록하는 정책수립이 가능하도록 협조하여 줄 것을 요청한 바 본건은 아국과 UN 간에 처리되어야 하는 문제로 아국가입을 지지하는 방향으로 호의적인 검토를 하겠다고 하였음.

    (대사대리-국장)

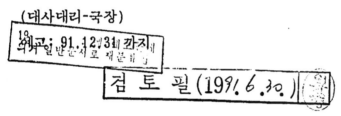

검 토 필 (1991. 6. 30.)

국기국   차관   1차보   2차보   아주국   청와대   안기부

PAGE 1   91.04.28   19:18
                                                          외신 2과 통제관 CE

                                                              0122

관리	9/
번호	~28/7

외 무 부

UN

종 별 : 지 급

번 호 : PAW-0503   일 시 : 91 0429 1510

수 신 : 장관(아서,정이,기정)

발 신 : 주 파 대사대리

제 목 : 이종옥 방문

  대 WPA-322

  연 PAW-474

  연호, 주재국 외무성에서 확인한바에의하면, 이종옥은 인도방문후 TRANSIT 으로
5.11(토)-13(월)간 주재국 카라치 체류예정이며, 현재까지 동인의 일정은 유동적이나,
이스라마바드는 방문치 않을것으로 예상된다함. 끝.

  (대사대리 성정경-국장)

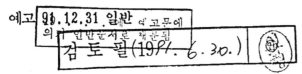

예고 99.12.31. 일반 대고문에
  의거 일반문서로 재분됨

검 토 필(1991. 6. 30.)

아주국   차관   1차보   국기국   정문국   안기부

PAGE 1   91.04.29   21:05

원 본

외 무 부

관리 91
번호 -2805

종 별 :

번 호 : NDW-0734

일 시 : 91 0429 1530

수 신 : 장관(국연,아서)

발 신 : 주 인도 대사

제 목 : 유엔가입문제

1. 본직은 금 4.27(토) 주재국 외무부 NIRUPAMA RAO 신임 동아국장(여, SYAM SARAN 전국장 후임)과 면담(이석조 참사관및 SHARMA 한국담당과장 배석), 아국의 금년중 유엔가입 추진방침이 확고함을 다시한번 강조하는 동시에 이와 관련한 중국태도 변화경향등 공관장회의시 본부에서 설명되었던 점들을 적절히 설명하고, 인도가 국제적으로 점하는 위치로 보아 단순히 남북한의 유엔가입 지지표명에 그치는 것이 아니라 남북한의 유엔가입 내지 북한이 가입을 거부하는 경우 한국의 가입이 실제로 실현될수 있도록 적극적으로 사태유도에 앞장서 줄것을 요망하면서 그러한 견지에서 이번 북한의 부주석 이종옥이 왔을 때는 남북한 유엔가입 지지가 최선의 방안임을 강하게 표시하여 주기 바란다고 함.

2. 이에대하여 RAO 국장은 남북한의 유엔가입문제에 관한 인도의 기본적인 입장은 이미 표명되어 있는 바와 같으며, 자신으로서는 한국문제를 현재 열심히 익히고 있는데 본직의 설명이 매우 도움이 되었다고 말함.

(대사 김태지-국장)

예고:91.12.31. 일반

검 토 필 (1991. 6. 30.)

국기국   장관   차관   1차보   2차보   아주국   청와대   안기부

91.04.29   23:18
외신 2과   통제관 CH

0124

원 본

K/UN
HK UN

관리 번호	91 ~2838

외 무 부

종   별 :

번   호 : NDW-0748   일   시 : 91 0430 1810

수   신 : 장관(국연, 아서)

발   신 : 주 인도 대사

제   목 : 유엔가입

연:NDW-0734

1. 본직은 금 4.30 주재국 외무부 SREENIVASAN 유엔국장과 면담, 유엔가입문제 관련 연호와 같은 취지로 우리입장을 상세히 설명하면서 금년도에는 우리가 여러가지 정황이라든지 그동안 노력해 온 것을 바탕으로 반드시 유엔가입을 실현시키겠다는 결의가 굳음을 지적하고 인도의 적극적 지지가 필요함(북한이 동시 가입을 원하지 않는 경우 아국의 단독가입 포함)을 강조함.

2. 이에 대하여 동국장은 다음과 같이 의견을 피력함.

1)유엔가입문제에 대한 한국의 논리나 지금까지 행하여 온 노력이 모두 타당 하다고 생각되므로 한국이 금년도에 가입을 실현시키 보겠다는 것은 당연한 흐름으로 봄.

2)이번 남북한으로부터 잇달아 고위인사가 방문하여 오게 되었으므로 그 기회에 인도로서는 남북한이 유엔에 동시에 가입함이 바람직하다는 입장에서 양측이 설명하는 각각의 입장을 잘 경청하는 동시에 가능한 한 남북한이 다같이 가입할수 있는 방향으로 나름대로의 이야기를 하여 볼 것임.

3)인도로서는 남북한의 동시가입이 바람직하고 그러한 방향으로 가입문제가 해결이 되었으면 하는 생각이 강하지만 부득이 여러가지 노력에도 불구하고 한국의 단독가입문제가 제기될 때는 인도로서 한국의 가입을 지지할 수밖에 없다고 보며, 그러한 인도측 생각을 공개적으로 말할 수는 없지만 북한측 인사에게 PRESSURE 를 가하는 한 방법으로서 언급하고자 함.

(대사 김태지=국장)

의기 예고:91.12.31. 일반

검 토 필(1991. 6. 30)

국기국	장관	차관	1차보	2차보	아주국	정와대	안기부

원 본

외 무 부

관리 91
번호 ―2859

종 별 :

번 호 : UNW-1093   일 시 : 91 0430 2000

수 신 : 장관대리(국연,아동,기정)(사본:주뉴질랜드대사:중계필)

발 신 : 주 유엔 대사

제 목 : 뉴질랜드 대사면담

대:WUN-1141

1. 본직은 금 4.30 O'BRIEN 뉴질랜드 대사를 면담, 대호 ANSELL 차관이 아국입장을 적극 지지한데 대해 사의를 표함. 동대사는 중국의 최근 태도등에 관심을 표하고 여러상황으로 보아 중국이 대세에 역행하는 행동은 하지 않을것으로 본다고언급함.

2. 본직은 이러한점을 확실히 하기위해서는 호주,뉴질랜드 주도로 SOUTH PACIFIC 지역국가의 공동입장표명이 도움이 되겠다고 제의한데 대해 동대사는 그 필요성을 수긍하고 조만간 정무협의차 귀국하는 기회에 본문제를 협의하겠다고 함. 끝

(대자 노창희-국장대리)

예고:91.12.31. 일반

검 토 필(1991. 6. 30.)

국기국   차관   1차보   2차보   아주국   청와대   안기부

PAGE 1   91.05.01   09:45

외신 2과 통제관 BW

0126

관리 번호	9/ ~2841

원 본

외 무 부

UN

종 별 :

번 호 : FJW-0100

일 시 : 91 0430 1600

수 신 : 장관(국연,아동)

발 신 : 주 휘지 대사

제 목 : 유엔 가입추진

대:EM-0009,11

연:FJW-0086

1. 아국의 유엔가입문제와 관련, 관계 메모랜덤송부에 이어 아국의 솔로몬아일랜드 대외원조 결정과 관련한 교섭과정에서연호 아국의 유엔가입에대한 솔 로몬 정부의 입장을 독촉하였던바, 하기와같이 타전하여 왔음을 보고함.

29/4/91

TO:AMBASSADOR

KOREAN EMBASSY, SUVA, FIJI

FROM:CHIEF ASIAN DIV., MOFA, SOLOMON ISLANDS

COMPLIMENTS.

RE:REPUBLIC OF KOREA - ADMISSION TO MEMBERSHIP IN UN.

RE ABOVE WISH TO OFFICIALLY INFORM YOUR GOODSELF THAT

SOLOMON ISLANDS GOVT. CONTINUES TO SUPPORT YR GOVT'S

DESIRE TO BE ADMITTED TO UN.

OUR PERMANENT REP IN NEW YORK HAS BEEN DUELY INFORMED

ON 15/4/91. LAST YEARS NON-MENTION OF OUR SUPPORT IN

OUR STEATEMENT WAS AN OVERSIGHT, BUT OUR POLICY DOES

NOT CHANGE.

HIGHEST COSIDERATION.

2. 지난해의 경우 국내 정치정세의 급격한 변화와 내각의 전면교체에 따라 아국의 입장을 지지키로 COMMITMENT 한 외상이 참여하지 못하고 현지 UN 대사 가 참석함으로서 차질이 발생 하였는바, 태평양 도서국의 지휘및 통신의 후진

국기국	장관	차관	1차보	2차보	아주국	정와대	안기부

PAGE 1

성등으로 본국정부와 현지대사간의 긴밀한 협조의 결여내지 부재현상이 없지않음을 감안하고 또한 상기전문이 아주국장의 명의로 발송되었음을 고려, 솔로몬과 바누아투에 관하여는 적당한 시기에 본직이 직접 현지에 출장, 고위 당국자의 어질을 확보코자 계획중임을 보고하오니 참고바람. 끝

(대사 백영기-국장)

예고:91. 12. 31. 일반

검토필(1991. 6. 30.)

관리 91
번호 -2963

주 스 리 랑 카 대 사 관

주스리(정)720-146   1991. 4. 30.

수신 : 외무부 장관

참조 : 국제기구조약국장, 아주국장

제목 : 유엔가입 추진

            대 : EM - 0016 (91. 4. 26.)

            연 : SKW- 0246 (91. 4. 10.)

1. 연호로 기보고한 당관의 지난 4.8 자 주재국 외무부 앞 아국의
    유엔 가입관련 메모란덤을 담은 공한에 대하여, 주재국 외무부는
    4.10 자 당관 앞 회한을 별첨과 같이 송부하여 왔읍니다.

2. 동 주재국 측의 회한에 의하면, 주재국 정부는 아측 요청을 최대한
    배려할 것이며 당관과 계속 긴밀하게 협의할 것임을 밝혔습니다.

첨부 : 주재국 외무부 공한 (NO. UN/GA/2) 사본

주 스 리 랑 카 대

No.UN/GA/2.

The Ministry of Foreign Affairs of the Democratic Socialist Republic of Sri Lanka presents its compliments to the Embassy of the Republic of Korea and has the honour to thankfully acknowledge receipt of the latter's Note No.KSR/43/91 of April 8, 1991, and the Memorandum of the Government of the Republic of Korea attached thereto and to state that the request contained therein is receiving most careful consideration of the Government of Sri Lanka.

The Ministry will revert to the Embassy with a further communication in due course.

The Ministry of Foreign Affairs of the Democratic Socialist Republic of Sri Lanka avails itself of this opportunity to renew to the Embassy of the Republic of Korea the assurances of its highest consideration.

April

විදේශ කටයුතු අමාත්‍යාංශය
ප්‍රජාතාන්ත්‍රික සමාජවාදී
ශ්‍රී ලංකා ජන රජය.

Embassy of the Republic of Korea,
98, Dharmapala Mawatha,
Colombo 7.

0130

No.UN/GA/2.

    The Ministry of Foreign Affairs of the Democratic Socialist Republic of Sri Lanka presents its compliments to the Embassy of the Republic of Korea and has the honour to thankfully acknowledge receipt of the latter's Note No.KSR/43/91 of April 8, 1991, and the Memorandum of the Government of the Republic of Korea attached thereto and to state that the request contained therein is receiving most careful consideration of the Government of Sri Lanka.

    The Ministry will revert to the Embassy with a further communication in due course.

    The Ministry of Foreign Affairs of the Democratic Socialist Republic of Sri Lanka avails itself of this opportunity to renew to the Embassy of the Republic of Korea the assurances of its highest consideration.

April 10, 1991.

Embassy of the Republic of Korea,
98, Dharmapala Mawatha,
Colombo 7.

0131

공 란

원 본

외 무 부

종 별 :

번 호 : FJW-0101

일 시 : 91 0501 1600

수 신 : 장관(국연,아동)

발 신 : 주 휘지 대사

제 목 : 유엔가입추진

대:EM-0009,11

연:FJW-0086

1. 주재국 외무성은 아국의 유엔가입 메모램덤에대한 답신으로 다음과같은
내용의 지지를 표명하여 왔음을 보고함

0 구상서 요지

" THE MINISTRY OF FOREIGN AFFAIRS OF THE REPUBLIC OF
FIJI HAS THE FURTHER HONOUR TO ADVISE THE EMBASSY OF
THE REPUBLIC OF KOREA THAT THE KOREAN GOVERNMENT'S
REQUEST FOR FIJI'S SUPPORT FOR THE REPUBLIC OF KOREA'S
ADMISSION TO THE UNITED NATIONS DURING THE COURSE OF
THIS YEAR IS BEING GIVEN SYMPATHETIC CONSIDERATION
BY THE GOVERNMENT OF THE REPUBLIC OF FIJI"

2. 본직및 서참사관은 즉시 동공한의 작성자이며 유엔및 국제기구 담당인
NADO 정무국장을 오찬에 초대, 감사의뜻을 우선전하고 아국의 유엔가입에 관한
입장과 북한의 태도에 대해 되풀이 설명하였던바, 휘지정부로서는 전적으로
아측의 입장과 견해에 동조하며 이를 휘지국 대표연설에 보다 강력한 TONE 으로
반영하여 주겠다고 언급하였음.

3. 이와관련 주재국 유엔총회 대표가 확정되는 대로 별도 접촉위계임.끝
(대사 백영기-국장)

예고:91.12.31 일반

검 토 필(1991. 6. 30.)

국기국	장관	차관	1차보	2차보	아주국	청와대	안기부

원 본

관리 번호	91 -2880

외 무 부

종 별 :

번 호 : BMW-0256 　　　　　　　일 시 : 91 0502 1500

수 신 : 장관(국연, 아서, 사본:주유엔대사)

발 신 : 주 미얀마대사

제 목 : 유엔가입 추진

연 : BMW-0223

1. 주재국 외무부 국제기구 조약국장은 금 5.2(목), 본직에게 연호와 같이 유엔 주재 외신기자들이 주 UN 미얀마 대표부에 한국의 UN 가입문제에 관한 문의가 있을경우, 한국정부의 입장을 지지함을 공개적으로 표명하도록 주유엔 자국대표부에 기 지시하였음을 알려왔음

2. 상기를 감안, 필요시 UN 주재 특파원(한국특파원 포함)으로 하여금, 미얀마 대표부측과 접촉토록하고 동 결과를 보도토록 하는것이 좋을것으로 사료됨

(대사 김항경-장관)

예고:91.12.31 일반

검 토 필(1091. 6. 30)

국기국	장관	차관	1차보	2차보	아주국	청와대	안기부

원 본

외 무 부

종 별 :

번 호 : BMW-0268

일 시 : 91 0507 1810

수 신 : 장관(국연,아서,사본:주유엔대사)

발 신 : 주 미얀마 대사

제 목 : 유엔가입 추진

대:EM-0017

연:BMW-0256

1. 본직은 금 5.7(화) 주재국 우웅조 외무차관과 면담, 최근 아국 외무장관이 께야르 유엔사무총장과 만나 북한이 끝까지 동시가입을 원치 않을경우 아측은금차 총회개최 이전에 단독 가입신청을 제기할 계획임을 밝혔음을 설명하고 특히 중국도 북한측의 단일의석 가입안이 실현 불가능하며, 동시 가입이 가장 바람직한것으로 평가하고 있는것으로 알려지고 있음을 강조하고 주재국의 계속적이고공개적인 아측 입장 지지 표명이 중국이 북한을 설득하는데도 도움이 될것임을설명하였음.(신봉길 참사관및 주재국 한국담당 과장 배석)

2. 이에대해 우웅조 차관은 연호와 같이 외신기자들의 문의가 있을경우, 한국입장을 지지함을 공개적으로 표명하도록 주유엔 자국 대표부에 기지시 하였음을상기시키고, 금차 총회에도 자신이 미얀마측 수석대표로 참석할 가능성이 큼으로 본직의 설명을 충분히 유념 유엔에서 한국입장을 지지해 나가겠다고 대답하였음

(대사 김항경-장관)

19 예고:91.12.31. 일반
의거 일반문서로 재분류

검 토 필(1991. 6 .30.)

국기국   장관   차관   1차보   2차보   아주국   정와대   안기부

외 무 부

종 별 :

번 호 : UNW-1174   일 시 : 91 0507 2030

수 신 : 장관(국연,아서) 사본:주인도대사(중계필)

발 신 : 주 유엔 대사

제 목 : 부탄대사 면담

　1. 본직은 금 5.7. TSHERING 부탄대사를 면담, 아국가입관련 최근상황을 설명하고 종전과같이 부탄의 계속적인 협조를요청함.

　2. 동대사는 양국간 긴밀한 우호관계에 비추어 아국지지 입장은 <u>전연 변함이 없으며</u> 특히 회원가입문제는 양자관계와는 별도로 보편성원칙에 따라 처리될 문제로 아국은 당연히 유엔에 가입되어야 한다고 하고 관련 참고사항있으면 수시로 아측에 연락하여 주기로 하였음. 끝

　(대사 노창희-국장)

예고문 91.12.31. 일반

검 토 필(1991. 6. 30.)

국기국　　장관　　차관　　1차보　　2차보　　아주국　　청와대　　안기부

국 명	주 재 국	유 엔

솔로몬
아일랜드
(겸임국)
	ㅇ 외무차관 면담(2.7)
	 - 주재국 장관에 아국지지
	   요청 보고
	   * 각서발송(4.11)
	ㅇ 아국지지입장 거상서 답부 (4.29)
		ㅇ 주유엔 1등서기관 접촉
		(4.19) * 각서수교
		 - 가입지지
		 - 공개적 지지표명 검토,
		   본국정부에 건의하겠음.

바누아투
(겸임국)
	ㅇ 외무차관 면담(2.7)
	 - 비동맹 중립노선상 한국
	   입장 적극 지지 못하나
	   반대 않음.
	   * 각서발송(4.11)	

휘 지	ㅇ 외무차관 면담(3.7) - 계속 지지 ㅇ 정무국장 면담(4.12) *각서수교 - 지지입장 불변 ㅇ 아국지지입장의 거상서 답부	
뉴질랜드	ㅇ 북아시아국장 면담(3.13) - 가입신청시 적극지지 ㅇ 유엔국장 면담(4.16) *각서수교 - 공개적 지지표명 적극검토 ㅇ 북경주재 대사 면담	ㅇ 주유엔공사(4.9-11) - 한국가입은 당연 ㅇ 주유엔대사 (4.30) - 중국이 대세에 역행하는 행동은 하지 않을것임. - South Pacific 광장망회영과 논의, 본국에 건의 하겠음.
미 얀 마	ㅇ 외무차관 면담(3.21및 5.7) - 보편성원칙에 따라 가입지지 불변 ㅇ 국제기구국장 면담(4.9및5.2) *각서수교 - 아국지지에 문제없음.	ㅇ 주유엔 1등서기관(4.9) - 아국입장 항상 지지

P N G	ㅇ 외무차관보 면담(4.11) *각서
	                           수교
	 - 가입지지가 일관된 정책
	 - 필요한 경우 정부의 지지
	   입장 공개표명
	 - Somare 장관이 총회의장
	   당선되면 아국가입 협조
	   약속
		ㅇ 주유엔대사 면담(4.3)
		 - 동시가입이 최선,
		   불합의시 단독가입지지

방글라데시	ㅇ 외무차관 면담(3.21)
	 - 분명한 형태로 지지
	
	ㅇ 국기담당 차관보 면담(3.25)
	 - 지지 방향으로 정책결정이
	   이루어질 것
	
	ㅇ 외무장관 면담(4.2)
	 - 지지방향으로의 정책전환
	   적극 검토
		ㅇ 주유엔 차석 면담(4.9-11)
		 - 통일후 유엔가입이
		   이상적, 현재로선 동시
		   가입, 한국의 선가입
		   지지

0137

국 명	주 재 국	유 엔
	○ 외무차관 면담(4.10) - 유엔가입은 유엔과 가입 신청국간의 문제로 가입 적극 지지	
몽 골		○ 주유엔 차석 면담(4.9-11) - 가입 지지에 문제없음. 단, 남북이 합의, 가입이 이상적 ○ 주유엔대사면담 (5.10) - 동시가입이 최선의 방안이나 아국의 신가입 희망시 지지예정
서사모아 (겸임국)	○ 주뉴질랜드 고등판무관 면담 (4.17) * 각서수교 - 공개적 지지표명 요청 수상에게 건의 * 각서우송(4.10)	
몰 디 브 (겸임국)	○ 대통령 면담(4.21-23) - 적극지지 ○ 외무장관 면담(4.21-23) - 금년 유엔총회시 지지입장 밝힐 것	
인 도	○ 동아국장 면담(2.11) - (주재국 외상의 방중수행시) 보편성원칙에 따라 한국의 가입을 긍정적으로 생각한다고 언급함. ○ 유엔국장 면담(4.6) - (인도 상무장관의 아국가입 지지에 대한 북한대사의 항의에) 인도정부의 입장은 남북의 유엔가입 지지라고 언급	○ 주유엔대사 면담(4.1) - 공식입장은 아직 미정, 개인적으로는 아국입장 이해, 본국에 보고 ○ 주유엔 차석대사 면담 (4.10) - 지지확고
스리랑카	○ 대통령 면담(1.31) - 지난번 총회시 지지사실 상기 ○ 아주국장 면담(4.10) *각서수교 - 지지입장 확인	○ 주유엔대사면담 (5.13) - 북안이므로 상세파악 못하고 있으나 본부에 보고후 아국지지입장 채택인예정.
네 팔	○ 외무차관 면담(4.10) *각서수교 - 공식입장 표명은 5.12. 총선 이후 가능	

국 명	주 재 국	유 엔
말 련	ㅇ 동아과장 면담(1.18) - 수상 방한시와 45차 유엔 총회시 지지사실 언급 ㅇ 아주국장(1.25) - 연총리 방마시 한국입장 납득시키도록 노력 ㅇ 동아과장 면담(2.5) - 연총리 방마시 주재국 총리는 말련의 한국지지입장이 분명 하여 아무 언급 안함. ㅇ 외무장관 면담(4.11) - 가입지지 확인 ㅇ 유엔과장 면담(4.23) - ASEAN은 직접적인 관련문제 외는 공동입장 표명 않음.	ㅇ 주제네바 아국대사와 주유엔 말련대사간 접촉 (3.28) - 아국유엔대사와의 적극협조 약속 ㅇ 주유엔 참사관 접촉(4.9) - 아국입장지지 ㅇ 주유엔대사 면담(4.18) - 가입 적극지지, 협조 다짐. - ASEAN 공동 지지요청에 공감
태 국	ㅇ 외무장관 면담(1.15, 1.16) - 한국 가입지지 - 연총리 방태시 한국측 입장 북측에 종용하겠음. ㅇ 수상 면담(1.26) - 연총리 방태시 협조요청 잘 이해, 외무부등에 지시 하겠음. ㅇ 정무국장 면담(2.1) - 연총리 방태시 외무차관은 보편성원칙에 따른 남북의 유엔가입 희망 언급 ㅇ 국기국장 면담(2.18) - 한국의 가입 논리 타당, 계속 협조 ㅇ 신임외상 상견례(3.12) - 동 상견례에서 외무사무 차관은 아국가입에 계속 협조 언급 ㅇ 외무장관 예방(3.14) - 확고한 지지 약속 ㅇ 신임수상 예방(3.14) - 지지입장 계속	ㅇ 주유엔대사 면담(4.3) - 여하한 형태로든 아국 가입지지

0133

국 명	주 재 국	유 엔

	○ 국기국장 면담(4.1)
	      * 각서수교
	  - 아국가입에 대한 국제적
	    지지규합에 노력하라는
	    훈령을 이미 하달
	
	 ○ 태국 외무성 공한 접수(4.22)
	  - 보편성원칙에 따라 지지	

인 니	○ 정무차관보 면담(1.24)
	  - 한국의 입장 이해,북한의
	    주장은 설득력이 약화됨.
	
	 ○ 아태국장 면담(1.31)
	  - 연총리 방인시 면담자료에
	    아국가입 입장을 포함키로
	    함.
	
	 ○ 외상면담(2.16)
	  - 아국입장 수용 방향으로
	    입장 재검토
	
	 ○ 아태국장 면담(2.26)
	  - 한국입장 수용 방향으로
	    노력
	
	 ○ 정치.안보조정장관 면담(3.8)
	  - 외상을 도와 한국의 가입
	    지지에 노력
	
	 ○ 국회부의장 면담(3.12)
	  - 가입논지 이해, 외상도
	    충분히 이해, 공감
	
	 ○ 신임 아태국장 면담(3.8)
	  - 충분히 이해
	
	 ○ 국방상 예방(3.16)
	  - 외상을 비롯한 관계관이
	    아국입장 수용토록 노력
	    약속
	
	 ○ 외상접촉(4.4)
	  - 보편성원칙에 따라 남북한
	    가입 지지
	  - 한국단독가입은 Serious 하고
	    Sympathic 하게 고려
	
	 ○ 외무성 관계관 접촉(4.8)
	  - 4.6. 외상의 지시에 따라
	    지지 결정
		○ 주유엔 대사대리 면담
		              (3.6)
		  - 아국의 지지요청 본국
		    정부에 보고
		
		 ○ 주유엔대사 면담(4.2)
		  - 보편성원칙에 따라
		    가입지지

0140

국 명	주 재 국	유 엔

	○ 국기국장 면담(4.9) *각서수교
	- 중국 외무차관 방인시 중국
	  설득
	
	○ 아태국장 면담(4.22)
	- 4.18. 서돈신 중국차관
	  예방시 외상은 아국가입
	  지지입장 설명함.	

브루나이	○ 외무사무차관(1.28)
	- 금차 총회에서도 지지
	
	○ 외무차관, 사무차관, 정무국장
	예방(3.26-27)
	- 향후에도 유엔에서 지속적
	  협력
	
	○ 정무국장 면담(4.9) *각서수교
	- 아국입장 지지
	- PMC를 통한 지지의사 천명은
	  효과적
	
	○ 사무차관 면담(4.10)
	- 적극지지 약속
	
	○ 사무차관 면담(4.20)
	- 4.11. 중국 서돈신 부부장
	  면담시 아국가입 지지입장
	  역설	

싱가폴	○ 정무 2국장 면담(3.21)
	- 가입지지 확인
	
	○ 외무차관 면담(4.1)
	- 가입지지 확인
	
	○ 국기국장 면담 * 각서수교
	- 가입지지
		○ 주유엔 대사대리 면담
		(4.16)
		- 한국의 공식요청시 본국
		  정부에 코스타리카와
		  유사한 조치 건의
		- ASEAN의 한국가입지지
		  공동표명에 협조용의

필리핀	○ 국기국장대리 면담(4.24)
	- ASEAN 공동입장 표명 유도에
	  협조
		○ 주유엔대사 면담(4.10)
		* 각서수교
		- 아국입장지지
		- ASEAN의 공동 지지
		  표명을 시도할 것이나
		  사전에 본국과 협의할
		  것임.

부 탄		○ 주유엔대사 면담(5.7) - 아국입장 지지 표명 - 북한의 입장여하에 따라 남북한 당연히 유엔에 가입되어야 함.

* 중국, 일본, 호주, 파키스탄은 제외

0141

관리 9/
번호 -451

외 무 부

종 별 :

번 호 : NDW-0791   일   시 : 91 0509 1650

수 신 : 주유엔 대사-중계필, 사본:장관(문동석 국기국장)

발 신 : 주 인도 대사 (WUN-1288)

제 목 : 인도 외무부 국제기구담당국장 뉴욕 출장

　　　주재국 SREENIVASAN 국장이 내주초부터 약 2 주간 유엔에 출장하는바(유엔헌장 개정문제등 협의목적), 동방문중 귀대표부 관계관으로 하여금 접촉케 함이 좋을 것으로 사료되어 연락드립니다.(동국장은 79-83 년간 유엔대표부 근무, 최근까지는 주취지 대사를 역임함)

예고:91.12.31. 까지

검 토 필 (1991. 6. 30.)

국기국

관리	91
번호	—3103

외 무 부

종 별 :

번 호 : NDW-0792　　　　　　　　　일 시 : 91 0509 1700

수 신 : 장관(아서,국연,정일,정이,기정)사본:주루마니아경유 노신영특사-필

발 신 : 주 인도 대사

제 목 : 북한 이종옥 인도방문(자료응신 91-51)

연:NDW-0790

1. 본직은 금 5.9 외무부 SREENIVASAN 국제기구담당국장과 오찬을 같이 하였는바(동인은 북한측과의 면담시 배석하지 않았으나 면담내용을 청취하였다고 함), 유엔가입문제와 관련, 북한이 종래입장에 아무런 변화없이 남북한 단일의석가입입장을 설명, 인도측의 지지를 요망한데 대하여 인도측은 단순히 "남북한이 논의, 합의를 도출해 주기 바란다"고 대답, 북한입장을 지지할수 없음을 간접적으로 밝혔다고 함. 동국장은 또한 북한이 오는 9 월 아크라 비동맹회의에서 자측입장을 강화하는 내용의 것을 최종성명등에 포함시키려고 꾀할 것이 예상되나,유엔에서 표시된 각국의 입장, 과거 비동맹회의에서의 토의과정으로 미루어 보아, 한국입장 동조국이 많기 때문에 목적달성이 어려울 것으로 본다고 말함.

2. 본직은 명 5.10 오후 RAO 동아국장과 면담위계임.

(대사 김태지-국장)

19예고:91.12.31 일반
외거 일반문서로 재분류됨

검 토 필 (1991. 6. 30)

아주국 안기부	장관	차관	1차보	2차보	국기국	정문국	정문국	청와대

PAGE 1　　　　　　　　　　　　　　　　91.05.09　22:27

외신 2과 통제관 CE

0143

외 무 부

관리 9/
번호 -3089

원 본

종   별 :

번   호 : NDW-0793

일   시 : 91 0509 1720

수   신 : 장관(국연,아서) 사본:주유엔대사-중계필

발   신 : 주 인도 대사

제   목 : 아국의 유엔가입문제에 관한 인도의 입장

지금까지의 인도측과의 접촉등을 봉하여 표기에 관한 인도의 입장은 다음과같이 요약될수 있다고 보므로 보고함.

1. 기본입장은 89 년,90 년 유엔총회시 인도 외상의 연설에서 언급한 것처럼 보편성원칙에 따라 유엔에 있어서의 KOREAN REPRESENTATION 을 지지한다는 것임.

2. 한국이 유엔가입을 열망하고 있는 것(남북한이 같이 가입하거나 단독가입)을 잘 알고 있으며, 북한도 단일의석으로의 가입을 주장하고 있으므로 남북한모두 실제의 봉일이전이라도 유엔에 가입하는데는 반대가 없다고 생각함.

3. 한국의 유엔가입과 관련, 한국측의 논리(유엔가입과 봉일과는 무관할 뿐더러 한국의 유엔가입문제는 유엔과 한국간의 문제이기 때문에 남북한이 같이 논의하여야 할 대상이 아니라는 것)는 충분히 이해가 가나, 남북한 동시가입이나 단독가입을 주장하는 한국측의 입장을 북한이 맹렬히 반대하고 있고 남북한간의 화해분위기를 조성한다는 점에서도 동문제에 관하여는 남북한이 논의해서 양측이합의하는 방안을 도출해 주는 것이 가장 바람직하다고 봄.

4. 양측간의 합의도출을 위하여 그동안 한국이 상당한 노력을 기울여 왔다는 것을 잘 알고 있으나, 한국측이 이번 유엔총회전에 가입신청을 제출 내지 확인한다는 계획이라면, 아직 다소의 시간이 있으므로 계속 노력해 보아 주었으면 함.

5. 한국측이 앞으로 더 노력을 기울여 보았는데도 합의가 이루어지지 않아 부득이 단독가입을 신청하는 경우에는 지금 당장에 확인하기는 어려우나, 인도의기본입장, 즉 보편성원칙에 따라 한국의 가입을 지지할 수밖에 없다고 봄.

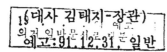

(대사 김태지-장관)
의거 일반문서로
예고:91.12.31. 일반

검 토 필(1991.6.30)

국기국	장관	차관	1차보	2차보	아주국	청와대	안기부

관리 번호	키 -455

분류번호	보존기간

발 신 전 보

번 호 : WUN-1294   910510 1441 FN 종별 : _____

수 신 : 주유엔   대사 . ~~총영사~~

발 신 : 장 관 (국연)

제 목 : 인도 국제기구담당국장 뉴욕출발

연 : WUN-1288 ∨?

연호. 주인도대사 요청과 같이 귀지 방문중인 Sreenivasan 국장을 접촉
~~하여 우리측 입장을 설명하되,~~ 금파편 송부예정인 결과보고서를 참고한후 추진
바랍. 끝.

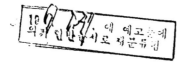

(국제기구조약국장 문동석)

앙고재	91년 5월 10일 나과	기안자	과 장	국 장	차 관	장 관	보안통제	외신과통제
		성영화						

0145

관리 91
번호 ― 3/33

외 무 부

원 본

종 별 :

번 호 : CPW-0795   일   시 : 91 0510 1930

수 신 : 장관(국연, 아이, 아서), 사본:주인도,불란서대사-필

발 신 : 주 북경 대표

제 목 : 주중 인도대사 면담

1. 당지 RENGANADHEN 인도 대사는 5.8 본직 접촉시 자국 정부가 아국의 유엔가입 방안을 지지키로 지난주 결정했다고 알려주었음.

2. 또한 동인은 5 월말 출국전(주불대사로 전임함) 고위층 이임 예방시 아국 유엔 가입 당위성을 설명하고 중국측의 협조를 요청해 주겠다 함.

3. 동인은 한국담당국장을 역임하여 한반도 상황을 잘 이해하고 있으며 주인도 김태지 대사와도 잘안다고 하였음.

(대사 노재원-국장)

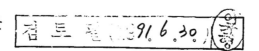

검 토 필 (91. 6. 30)

국기국   차관   1차보   2차보   아주국   아주국   청와대   안기부

PAGE 1   91.05.10   23:29
                                                    외신 2과 통제관 CF
                                                         0146

152   남북한 유엔 가입 지지 교섭 2: 아주, 중남미

외 무 부

종 별 :

번 호 : UNW-1217　　　　　　　　　　　일 시 : 91 0510 2000

수 신 : 장관(국연,아이,기정)

발 신 : 주 유엔 대사

제 목 : 몽고대사면담

　　본직은 금 5.10 DUGERSUREN 몽고대사를 면담, 아국가입 추진상황을 설명하고
계속적인 협조를 요청한데 대해 동대사는 곰보스텐 몽고외상이 지난 3 월 방한시
밝힌바와같이 몽고로서는 남. 북한 동시가입이 최선의 방안이라고 생각하나아국이
선단독 가입 신청을 할경우 그에대하여 아무런 반대 이유가 없다고 함. 끝

10 (대사 노창희 국장)
외거 일반문서로 재분류
예고: 91.12.31. 일반

검 토 필(1991. 6 30.)

국기국	장관	차관	1차보	2차보	아주국	청와대	안기부

PAGE 1

원 본

```
┌─────────┐
│ 관리  9/ │
│ 번호 ─3243│
└─────────┘
```

외 무 부

종   별 :

번   호 : UNW-1223   일   시 : 91 0513 1830

수   신 : 장 관(국연, 아서, 기정)(사본:주파키스탄대사-중계필)

발   신 : 주 유엔 대사

제   목 : 유엔가입 지지교섭(파키스탄)

1. 신 차석대사는 5.13. 파키스탄 대표부 차석 UMER 공사를 오찬에 초청(오윤경공사및 A.BABAR 1 등서기관 동석), 특히 아국의 유엔가입 추진과 관련 중국의 최근 태도등을 설명하고, 파키스탄이 아국의 유엔가입에 대한 확고한 지지를 표명하는경우, 이는 중국태도에 큰 영향을 끼칠 것이라고 강조, 파키스탄의 적극적인 협조를 요청하였음.

2. 이에 동인은 현재까지 양국 수도 및 북경등에서 한국의 유엔가입 문제에대하여 협의한바 있으며, 개인적으로는 한국의 유엔가입을 지지하며, 본국정부에 그렇게 건의하겠다고 약속하였음. 동인이 그동안 이곳 중국대표부측과 접촉해본바는 , 중국은 아직 한국의 유엔가입 문제에 확고한 입장을 결정하지 않고 남북대화를 통한 합의도달을 희망하는 종전입장을 견지하고있는 것으로 보이는바, 태도변화등이 포착되면 다시 접촉하자고 하였음.끝.

(대사 노창희-국장)

예고:1991.12.31.일반 예고문에 따라 일반문서로 재분류

검 토 필(1991. 6. 30.)

국기국	장관	차관	1차보	2차보	아주국	청와대	안기부	안기부

PAGE 1   91.05.14   07:52
                                          외신 2과 통제관 BS
                                              0148

공   란

외 무 부

종 별 :

번 호 : UNW-1227   일   시 : 91 0513 1945

수 신 : 장관(국연,아서)

발 신 : 주 유엔 대사

제 목 : 스리랑카 대사면담

    1. 본직은 금 5.13. KALPAGE 스리랑카 대사를 면담, 가입관련 최근 상황을
설명하고 스리랑카 정부가 아국입장을 지지하고 있는데 대해 사의를 표함.

    2. 동대사는 부임초여서(91.3.14 부임) 본건관련 자세한 내용은 파악을
못하고있는바, 본부에 상세 내용을 보고후 아국지지입장을 재확인 하겠다고 하고
본직이 개발국가외에 지역그룹의 공개지지 표명교섭을 설명한데 대해 동대사는 SAARC
에 대해서는 지지요청이 없느냐고 문의한바, 본직은 적절한 기회에 아국지지 의사
표명이 되었으면 좋겠다고 일단 본부에 건의하여 검토하겠다고 하였음.끝

19 (대사 노창희-국장)
의거 일반문서로 재분류
예고:91.12.31. 일반

검 토 필(1991. 6. 30.)

──
국기국   장관   차관   1차보   2차보   아주국   청와대   안기부

외 무 부

관리 번호 91 -325?

종 별 :

번 호 : NDW-0826   일 시 : 91 0514 1730

수 신 : 장관(국연,아서,정일,정이,기정)

발 신 : 주 인도 대사

제 목 : 이종옥 방인(자료응신 91-57)

연:NDW-0806

1. 당관 이석조 참사관이 금 5.14 주재국 외무부 SHARMA 한국담당과장으로부터 북한 부주석 이종옥 방인시 주재국 외무부 MEH50TRA 차관과 북한 외교부 부부장 조규일간에 이루어진 면담관련 파악한 사항 아래 보고함.(SHARMA 과장은 동면담에 RAO 동아국장및 KIPGEN 주북한 인도대사와 함께 배석했으며 북한측에서는 주인도 북한대사, 북한 외교부소속 ADVISER(여자)및 외교부소속 봉역 1 명이 배석함. 면담은 약 1 시간 40 분간 지속되었으며 봉역은 영어와 힌디를 섞어 사용하였으나 힌디를 더 많이 사용하였다 함)

가. 유엔가입문제

북한측은 유엔가입문제가 국내문제라 하고 남한측이 동문제를 국제화하려고노력하고 있다 하면서, 북한측 입장의 정당성을 설명하였으며 인도측은 이문제에 관하여는 남북한이 마주보고 앉아서 상호 받아들일수 있는 방안을 찾아내는 것이 최선의 방법이라 하면서 현실존중의 정신하에서(IN A SPRIT OF REALISM) KOREAN PEOPLE 이 유엔에 대표되는 것은 KOREAN PEOPLE 의 권리라고 설명했다 함.

나. 비동맹 관련사항

북한측은 구체적 언급없이 가나 비동맹회의에서 비동맹활동의 강화를 위해 인도와 북한이 함께 노력하자--------------------임계 초강대국중의 하나인 미국과 동맹을 맺고 있는 한국이 어떻게 비동맹권과 연계를 가질수 있겠는가 라는 식으로 한국의 비동맹권 접근에 간접적인 우려를 표명했다 함.(북한측은 상기와 같이 간접적인 표현으로 간단히 언급하였을 뿐이며, 인도측은 별반응을 표시하지않았다고 함)

다. 한반도 봉일문제

고려연방제 수용이 최선의 방안이라 하고 종래 북한의 봉일방안을 되풀이하면서

국기국   아주국   정문국   정문국   안기부

한국측의 비타협적 태도를 비난했다 함

라. 주변정세 설명및 양자관계 협의

0 MEHROTRA 차관은 많은 시간을 할애하여 인도 주변정세를 설명했으며, 특히 인.파관계에 관하여 상세히 설명한바, 조규일 부부장은 카 미르분쟁 관련, SIMLA 협정 정신에 따라 인.파 양국간 우호적으로 문제가 해결되길 희망하였다 함.

0 양자관계에 관하여는 주로 양국간 현안문제 검토와 무역및 경제협력 증진방안, 문화교류및 고위인사교류 활성화방안등에 관하여 논의하였으나 구체적 합의사항은 없었다 함.

2. SHARMA 과장에 의하면 이종옥의 인도 외무담당부장관(DIGVIJAY SINGH) 면담은 약 25 분간에 걸쳐 통역 대동하에 이루어졌으며 상호 인사후 이종옥은 한반도 통일에 대한 북한측 입장설명과 함께 팀스피리트훈련과 콘크리트장벽등을 예로 들면서 한국측이 비타협적이고 비통일적이라고 비난하였다 함. SHARMA 과장은 이종옥의 인도 외무담당부장관 면담이 형식적이고 의례적인데 비해 조규일의 MEHROTRA 차관 면담은 좀더 실질적이고 사무적인 것으로 볼수 있을 것이라고 말함.

3. 한편 SHARMA 과장은 최근 이붕 중국수상의 북한방문에 관한 자국대사관의 보고를 기다리고 있다 하면서 지금까지 BROAD 하게 느낀 인상으로는 이붕 수상은 북한측에게 좀더 현실적인 태도를 가지도록 북한측을 달랜 것이 아닌가 보고 있다 함. (SHARMA 과장은 김정일의 중국 공식방문에 관하여는 아는바 없다 함)

(대사 김태지-국장)

19
의거 연계군:91. 12. 31. 일반

검 토 필 (1991. 6. 30

관리 번호 91-3280

외 무 부

종 별 :

번 호 : BMW-0285　　　　　　　　　　일 시 : 91 0515 1200

수 신 : 장관(아이,국연,아서) 사본:주인도대사(중계필)

발 신 : 주 미얀마 대사

제 목 : 중국대사 접촉

　　1. 본직은 5.13(월) 당지 이집트대사 주최 CHENG RUISHENG 중국대사 내외를 위한 환송 오찬에 참석, 중국대사와 아국의 유엔가입 문제등에 관해 의견을 교환함

　　2. 본직의 유엔가입 문제에 대한 아국정부 입장설명에 대해, 동 대사는 ESCAP 서울총회에 참석한 자국 외무차관의 언급이 현재 이문제에 관한 중국정부의 입장이 될것이라고 말하고 개인적으로는 동시 가입이 실현되어 문제가 해결되면 좋겠으나 북한이 끝까지 응하지 않을경우, 자국정부가 어떻게 대응할지는 모르겠다고 말함. 또한 사견임을 전제로 이문제가 안보리에서 논의될 경우, 자신은 자국정부가 과거 걸프만 사태때 안보리에서 취한 대처방식이 적절할 것으로(대이란 무력사용결의안에 대한 기권을 의미) 생각한다고 말함.(구체적 언급 회피)

　　3. 한편 일본 교또봉신 보도의 김정일 북경 방문설(5.9)에 대해서는 동 대사는 근거 없는 이야기라는 반응을 보이고 이붕 수상이 5 월초 평양을 이미 방문했는데 김이 그직후에 다시 중국을 방문할 특별한 사유가 없을것으로 생각한다고 피력함

　　4. 본직은 동 대사를 위한 환송회 주최를 5 월초에 제의하였던바 5.16(목) 오찬이 합의되어 본직 주최로 관저에서 환송 오찬을 가질 예정임.(영국, 필리핀, 유고, 이집트 대사등 함께 참석)

　　5. 동대사는 당지에서 3 년 8 개월간 근무하였으며, 주인도 대사로 내정되어 5 월말 일단 북경으로 귀임하였다가 2,3 개월후 부임예정으로 알려지고 있음.(동인은 중국 외교부 동남아과장, 아주국 부국장과 외교부 산하 CHINESE PEOPLE'S INSTITUTE 의 부원장을 역임하였으며, 당지 근무중 외교단장인 서독대사가 주재국정부와의 소원한 관계로 원활한 업무협조가 어려웠을때, 외교단장대리로서 적극 활동, 외교단내에서도 상당한 신망을 얻은바 있음). 끝.

　　(대사 김항경-장관)

아주국	장관	차관	1차보	2차보	아주국	국기국	정와대	안기부

PAGE 1

19
외 채공 91.12.31 일반

검 토 필(19 91. 6 30.)

관리	91
번호	-893

원 본

외 무 부

종 별 :

번 호 : UNW-1251   일 시 : 91 0515 1830

수 신 : 장 관(국연,아동,기정) 사본:주휘지대사-중계필

발 신 : 주 유엔 대사

제 목 : 휘지대사 면담

　　1. 본직은 금 5.15. THOMPSON 휘지대사를 면담, 가입관련 최근상황을 설명하고 휘지의 적극적인 지지에 사의를 표함.

　　2. 본직이 휘지가 SOUTH PACIFIC FORUM 내에서 중심역할을 수행하고 있음에비추어 동 FORUM 이 아국 입장을 공개지지할수 있도록 협조를 요망한데 대해 동대사는 7월말 마이크로네시아에서 개최되는 FORUM 정상회의가 동 지지입장 표명을 위한 적절한 계기가 될것으로 본다고하고 이를 본부에 보고, 건의하겠다고 한바, 휘지주재 아국대사가 주재국 정부를 접촉할것을 건의함.

　　3. THOMPSON 대사는 현재 45차 총회 부의장으로 활동중이며 당지 근무기간이 6년으로 46 차 총회 이전 본부 귀임예정이라고 함. 끝

(대사 노창희=국장)

19   예고   에
예고 :91. 12. 31 일반

검 토 필(1991. 6 . 30.)

국기국	장관	차관	1차보	2차보	아주국	미주국	청와대	안기부

PAGE 1

91.05.16   08:10

외신 2과 통제관 BS

0155

공   란

관리
번호 ⑨
-3322

외 무 부

종 별 :

번 호 : SKW-0317 　　　　　　　　일 시 : 91 0516 1100

수 신 : 장관(아서,국련)

발 신 : 주 스리랑카 대사

제 목 : 유엔가입 추진

연:SKW-0246(91.4.10)

대:EM-0017(91.5.4)

1. 당관 정참사관이 금 5.15. 주재국 외무부 ZAVAHIR 아주국장과 접촉, 주재국측의 아국유엔가입 문제에 관한 지지입장을 적절한 기회에 공개적으로 표명해줄것을 요청한바(ARIYARATHE 유엔 국장 동석), 동 국장은 아측의 요청을 적극 검토 하기로 하였음.

2. 동국장은 아직 미확정이나 주재국 HERAT 외무장관의 6 월중 중국 방문을상부에서 검토중이라고 한데 대하여, 정참사관은 작년 7 월 HERAT 외무장관의 비공식 방한이 있었음을 상기시키면서 금번기회에 한국을 방문할 계획도 포함되어 있는지, 문의한바, 동국장은 다각도로 검토중이라고 답변함.

3. 상기 관련, 주재국 외무장관이 6 월중 방중경우 방한 추진문제에 관한 본부 지침 회시 바람.

(대사 장훈-국장)

19
예규관:91. 12. 31 일반
검 토 필(1991. 6. 30.)

아주국　　장관　　차관　　1차보　　2차보　　국기국　　청와대　　안기부

PAGE 1 　　　　　　　　　　　　　　　　　91.05.16　　15:12
　　　　　　　　　　　　　　　　　　　외신 2과 통제관 BA
　　　　　　　　　　　　　　　　　　　　0157

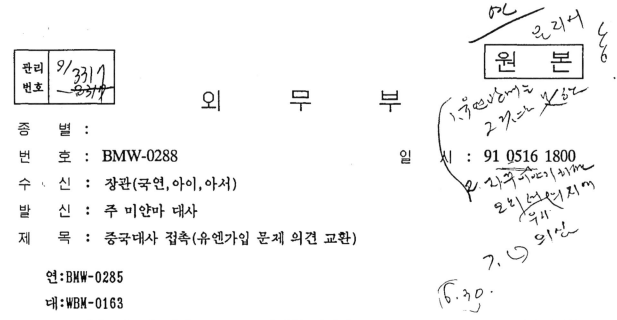

관리
번호 91/3311

외　무　부

종　별 :

번　호 : BMW-0288

일　시 : 91 0516 1800

수　신 : 장관(국연,아이,아서)

발　신 : 주 미얀마 대사

제　목 : 중국대사 접촉(유엔가입 문제 의견 교환)

연:BMW-0285

대:WBM-0163

1. 본직은 연호와 같이 5.16(목) 당지를 이임하는 CHENG RUISHENG 중국대사내외를 위한 환송 오찬을 개최함(영국, 필리핀, 이집트, 유고, 이스라엘대사, 신봉길 참사관 참석). 본직은 환송사를 통하여 이곳에서 중국대사 내외가 한국대사관저에 처음온것을 환영하며 양국관계가 급속히 발전되고 있고 특히 UN 가입문제에 관한 우리정부의 입장을 설명하고 동 대사의 이해와 지원을 촉구한바, CHENG 대사는 답사를 통해 자신이 한국대사관저 파티에 참석케 된것은 이번이 처음이라고 의미를 부여한뒤, 양국관계가 근래들어 급속히 발전하고 있으며, 머지않은 장래에 양국이 공식외교관계를 수립하게 될것으로 확신한다는 요지의 발언을 함

2. 한편 오찬이 끝난후 본직이 동 대사와의 개별 대화에서 대호 유엔가입 관련 우리 입장을 다시 한번 설명하고, 동 대사가 북경에 체제하는 동안, 한국정부 입장을 호의적으로 검토할수 있는 분위기 조성에 협조해 줄것을 당부한바, 동인은 기본적으로 남북한의 합의에 의한 문제해결이 최선이라고 생각하나, 북한이끝까지 반대할 경우 전통적 관계로 보아, 북한이 계속 중국정부에 협조를 부탁할경우(PUSH) 중국이 한국의 입장을 SUPPORT 할수는 없을 것으로 본다고말함. 다만 동 대사는 걸프사태 관련 유엔 안보리 결의시의 중국이 취한 태도를 다시 언급하며 사견임을 전제로 그와 동일한 POSITION 을 생각해 볼수 있다는 반응을 보임. 본직이 이문제에 관하여 최종적으로 중국 정부내에서 어떻게 결정을 하게될것으로 생각하느냐는 물음에 대하여 동 대사는 동건이 중요한 문제로서 등소평등이 참여하는 원로회의에까지 회부될 가능성이 클것으로 본다고 말하고, 한국이 꼭 이번에 실제가입 신청서를 낼것인가에 관심을 표명한바, 본직은 대호와 같이 북한과의 동시가입을 위하여 최선의 노력을

국기국	장관	차관	1차보	2차보	아주국	아주국	청와대	안기부

PAGE 1

91.05.16　22:43

외신 2과 통제관 BW

0158

경주할것이나 북한이 계속 거부할 경우에는 금년중 선가입을 추진한다는것이 한국정부의 확고한 입장이라고 답변함. 본직이 이어 남북한이 유엔에 동시가입할 경우, 북한의 대미, 대일본 관계 개선에도 도움이 될것으로 본다고 말하자, 동 대사도 동의를 표하며 동인은 미국, 일본이 북한과의 관계개선에 좀더 관심을 보이면, 그것이 유엔가입문제에도 긍정적영향을 미치지 않겠느냐고 말함

　　3.CHENG 대사는 오는 5.29. 당지 출발 예정이라고 하며 본직의 오찬에 대한답례 오찬을 5.22(수) 중국대사관저에서 개최하겠다고 하여 5.22 다시 만나 동유엔가입 문제에 관해 계속 의견을 나눌 계획인바, 특별지시가 있으면 하시바람

　　4. 동대사는 약 5 년전 외무성 아주국 부국장 당시 뉴욕및 동경에서 개최된아시아. 태평양 협력관게 세미나에 중국정부 대표로 참석하여 고려대 한승주 교수와 알게되어, 그후 여러차례 서신을 교환하는등 친밀한 관계를 유지하여 왔으나 근래 연락 중단되었다고 함

　　　(대사 김항경-장관)

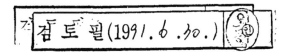

관리 번호	91 -3399

종　별 :

번　호 : BMW-0288

수　신 : 장관(국연, 아이, 아서)

발　신 : 주 미얀마 대사

제　목 : 중국대사 접촉(유엔가입 문제 의견 교환)

일　시 : 91 0516 1800

　　연:BMW-0285

　　대:WBM-0163

　　1. 본직은 연호와 같이 5.16(목) 당지를 이임하는 [CHENG RUISHENG 중국대사내외]를 위한 환송 오찬을 개최함(영국, 필리핀, 이집트, 유고, 이스라엘대사, 신봉길 참사관 참석). 본직은 환송사를 통하여 이곳에서 중국대사 내외가 한국대사관저에 처음온것을 환영하며 양국관계가 급속히 발전되고 있고 특히 UN 가입문제에 관한 우리정부의 입장을 설명하고 동 대사의 이해와 지원을 촉구한바, CHENG 대사는 답사를 통해 자신이 한국대사관저 파티에 참석케 된것은 이번이 처음이라고 의미를 부여한뒤, 양국관계가 근래들어 급속히 발전하고 있으며, 머지않은 장래에 양국이 공식외교관계를 수립하게 될것으로 확신한다는 요지의 발언을 함

　　2. 한편 오찬이 끝난후 본직이 동 대사와의 개별 대화에서 대호 유엔가입 관련 우리 입장을 다시 한번 설명하고, 동 대사가 북경에 체제하는 동안, 한국정부 입장을 호의적으로 검토할수 있는 분위기 조성에 협조해 줄것을 당부한바, 동인은 기본적으로 남북한의 합의에 의한 문제해결이 최선이라고 생각하나, 북한이끝까지 반대할 경우 전통적 관계로 보아, 북한이 계속 중국정부에 협조를 부탁할경우(PUSH) 중국이 한국의 입장을 SUPPORT 할수는 없을 것으로 본다고말함. 다만 동 대사는 걸프사태 관련 유엔 안보리 결의시의 중국의 최화 태도를 다시 언급하며 사견임을 전제로 그와 동일한 POSITION 을 생각해 볼수 있다는 반응을 보임. 본직이 이문제에 관하여 최종적으로 중국 정부내에서 어떻게 결정을 하게될것으로 생각하느냐는 물음에 대하여 동 대사는 동건이 중요한 문제로서 등소평등이 참여하는 원로회의에까지 회부될 가능성이 클것으로 본다고 말하고, 한국이 꼭 이번에 실제가입 신청서를 낼것인가에 관심을 표명한바, 본직은 대호와 같이 북한과의 동시가입을 위하여 최선의 노력을

국기국	장관	차관	1차보	2차보	아주국	아주국	청와대	안기부

PAGE 1

경주할것이나 북한이 계속 거부할 경우에는 금년중 선가입을 추진한다는것이 한국정부의 확고한 입장이라고 답변함. 본직이 이어 남북한이 유엔에 동시가입할 경우, 북한의 대미, 대일본 관계 개선에도 도움이 될것으로 본다고 말하자, 동 대사도 동의를 표하며 동인은 미국, 일본이 북한과의 관계개선에 좀더 관심을 보이면, 그것이 유엔가입문제에도 긍정적영향을 미치지 않겠느냐고 말함

    3. CHENG 대사는 오는 5.29. 당지 출발 예정이라고 하며 본직의 오찬에 대한답례 오찬을 5.22(수) 중국대사관저에서 개최하겠다고 하여 5.22 다시 만나 동유엔가입 문제에 관해 계속 의견을 나눌 계획인바, 특별지시가 있으면 하시바람

    4. 동대사는 약 5 년전 외무성 아주국 부국장 당시 뉴욕및 동경에서 개최된아시아. 태평양 협력관계 세미나에 중국정부 대표로 참석하여 고려대 한승주 교수와 알게되어, 그후 여러차례 서신을 교환하는등 친밀한 관계를 유지하여 왔으나 근래 연락 중단되었다고 함

————(대사 김항경-장관)

19 의거 옌고: 91. 12. 31 일반

검 토 필(1991. 6 30.)

외　　무　　부

관리
번호 ：71
　　　-33B

종　별 ：

번　호 ： BMW-0290　　　　　　　　　　일　시 ： 91 0516 1820

수　신 ： 장관(아서,국연,아이)

발　신 ： 주 미얀마 대사

제　목 ： 미얀마 외무차관,중국 이붕 수상면담

연:BMW-0178,0268

　　1. 주재국 우웅조 외무차관은 마약문제및 미얀마-중국 국경지역 교량 건설 관계
협의차 현재 중국을 방문중(5.9-25 예정)인바, 최근 이붕 중국수상과 면담한 것으로
알려지고 있음

　　2. 본직은 연호와 같이 5.7 주재국 우웅조 외무차관과 면담시 유엔 가입문제에
관한 아국입장을 상세히 설명하고, 특히 중국과 가까운 관계인 주재국이 기회있는대로
한국의 유엔가입과 관련 중국 정부를 설득시키는데 협조해 줄것을 부탁, 동인의
긍정적 반응을 얻은바 있었음. 동인의 중국방문 사항및 중국정부 인사들과의 한국의
유엔 가입문제 언급 여부등은 5.25 동인이 귀국하는대로 파악 보고하겠음
　　　　(대사 김항경=차관)

의거 일반문서로 재분류 되었음
의거 일반문서로 재분류:91.12.31 일반

검 토 필(1991. 6. 30.)

아주국　　장관　　차관　　1차보　　2차보　　아주국　　국기국　　청와대　　안기부

외 무 부

관리번호 91 -3381

종 별 :

번 호 : MGW-0260

일 시 : 91 0519 0900

수 신 : 장관(국연,아이)

발 신 : 주 몽고 대사

제 목 : 유엔가입

　　당관 최참사관이.18 외무성 JUMJAV 국제기구국장과 면담, 주재국 입장을 타진한바, 동인은 61 년 주재국 유엔가입시 중국이 기권(중국대표 퇴장)한바 있다고 언급하고 아국입장을 전폭 지지하는 것이 주재국정부의 입장이라고 언급했음.

　　한편 북한은 금년 2 월 유엔가입에 각서를 보내왔다고 하는바, 동 각서 파편송부예정임.

(대자=국장)
19 의거 인 예고문에 예고:91.12.31일반

검 토 필(1991. 6 30.)

국기국　　장관　　차관　　1차보　　2차보　　아주국　　청와대　　안기부

원 본

관리 번호	91 -3403

외 무 부

종 별 : 지 급

번 호 : PAW-0569

일 시 : 91 0520 0930

수 신 : 장관(국연,아서)

발 신 : 주 파 대사

제 목 : 유엔가입 추진

연 PAW-561

연호, 최광수 특사의 칸 외무차관과의 면담시, 칸 차관은 북한측이 그간 수차례에 걸쳐 유엔가입을 시도한바있다는 최특사의 설명에 큰 관심을 가지고 아측이 상세한 자료를 제공하여 줄것을 요청한바, 북한측의 유엔가입 신청사례에 관한 자료(가능하면 유엔 문서 포함)를 송부하여 주시기 바람. 끝.

(대사 전순규-국장)

예고:1991.12.31 일반 문고문에
의거 일반문서로 재분됨
검 토 필(1991. 6. 30.)

국기국   아주국

PAGE 1

91.05.20   14:57

외신 2과 통제관 BA

0164

관리
번호 9/
-3429

외 무 부

원 본

종 별 :

번 호 : UNW-1295

일 시 : 91 0520 1930

수 신 : 장관(국연,아동,기정)

발 신 : 주 유엔 대사

제 목 : 유엔가입교섭(서사모아)

대:WUN-1358

오윤경공사는 5.20 사모아 대사대리 MRS. ROBIN MAUALA (대사는 워싱톤상주)를 오찬에 초대, 아국의 유엔가입을 위한 협조를 요청한바, 동인의 반응요지 아래보고함.

1. 유엔의 보편성원칙및 양국관계에 비추어 한국의 선가입을 지지하는데 아무런 문제없음.

2. 당지에서도 SOUTH PACIFIC FORUM 회원국들이 수시 회합하므로 차기회의시 한국을 지지한다는 입장을 밝히고 공동지지 표명을 선도해 보겠음. FIJI 및 PNG 등의 발언권이 크므로 동국들에게도 협조를 요청하는것이 바람직함.

3. 코스타리카등의 예와같이 안보리 의장에게 한국을 지지한다는 서한을 송부하는 문제에 대하여도 본국정부에 이를 건의하겠음. 끝

(대사 노창희-국장)

19 에고 91.12.31.
의거 일반 원곡보제관규 일반

검 토 필 (1991. 6. 30)

국기국	장관	차관	1차보	2차보	아주국	청와대	안기부

PAGE 1

91.05.21   09:37

외신 2과 통제관 BW

0165

공   란

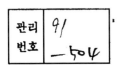

외 무 부

종   별 :

번   호 : FJW-0124   일   시 : 91 0521 1100

수   신 : 장관(국연,국기,아동)

발   신 : 주 휘지 대사

제   목 : 겸임국출장

대:EM-0009,11

연:FJW-0100

대호 아국 유엔가입, 국제기구 이사국 입후보지지요청및 겸임국정세파악을

위해 솔로몬아일랜드및 바누아부공화국을아래와 같이 출장코저하오니

허가하여 주시기바람.

1. 출장사유

0 솔로몬 아일랜드

동국은 유엔회원국이며 FAO, IMO 가입국인바, 아국의 유엔가입관련 연호로

기히 보고한바와 같이 동국은 5.1 자로 TLX 를 통해서 아국입장 지지를 타전해

왔으나

동발신명의가 아주국장으로 되어있고 작년가을 정국혼란으로 동국정부와

유엔대사간의 연락차질에의한 중립발언을 한점을감안, 본직이 신임 외무장,차관과

직접 접촉 아국입장 지지를 거듭 다지코저함.

- FAO, IMO 이사국 입후보지지요청

- 정세파악

0 바누아부

- 동국은 전통적으로 남북한 유엔가입에대해 중립노선을 견지하고있으나

최근 동구공산권의 붕괴와 동서화해 분위기 등의 조류에 편승, 남북동시가입

및 아국입장에대한 지지표명의 가능성의 일면도 엿보이므로 관계 장, 차관과

접촉 아국입장을 적극설명, 지지를 유도코저함.

-FAO, IMO 이사국 입후보 지지요청

-정세파악

국기국   장관   차관   1차보   2차보   아주국   국기국

PAGE 1   91.05.21   09:49

2. 일정및예산

0 기간

-6.24(월)29(토)

0 항공료

-2 등 왕복:U$1,474(휘지-솔로몬아일랜드-바누아투-휘지)

0 정보비(선물및 만찬료)

-U$1,500 2 개국 U$3,000. 끝

(대사 백영기-국장)

예곤:91.12.31

검 토 필(1991. 6 30.)

PAGE 2

0168

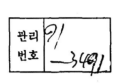

외 무 부

종 별 :

번 호 : UNW-1311   일 시 : 91 0521 1800

수 신 : 장관(국연,아서)사본:주네팔대사:중계필

발 신 : 주 유엔 대사

제 목 : 네팔대사 면담

1. 본직은 5.21 RANA 네팔대사를 면담, 아국가입관련 최근 상황을 설명하고협조를 요청한데 대해 동대사는 남북한 동시가입 또는 이것이 여의치 않을 경우 아국의 선가입을 환영하며 이를 지지할것이라고 함.

2. 본직은 동 지지의사를 적절한 기회에 공개적으로 표명하여 줄것을 요청한바, 동대사는 금주말경 신내각이 발족하는대로 이문제를 적극 검토토록 본국에건의하겠다고 하고 동대사의 의견으로는 SAARC 공동명의든 또는 네팔 단독으로든 지지표명이 가능하다고 보며 6월중 예정된 국회개원식에서의 국왕치사중 대외관계 부분의 일부로 이를 언급할수도 있을것이라고함. 끝

(대자 노창희 국장)
예고:91.12.31.류일반

검 토 필 (1991. 6. 30.)

국기국   장관   차관   1차보   2차보   아주국   미주국   청와대   안기부

외　무　부

관리
번호 91
-502

종　별 :

번　호 : FJW-0127　　　　　　　　　　일　시 : 91 0521 1830

수　신 : 장관(아동,국연,사본:정일)

발　신 : 주 휘지 대사

제　목 : 바누아투 정세보고(자료응신 제9호)

1. 바누아투 LINI 수상은 최근 심장병및기존 반신불수 신병치료차 시드니에 여행중에 있는것으로 알려지고 있으며 당분간 요양이 필요하다는 진단하에수상직에서 잠시 물러난것으로 보도되고있음. 이로인해 수상직은 현 재무장관SETHY REGENBANU 가 겸하고 리니 수상이 겸했던 외무장관직은 전 외무장관이며현 교육및 법무장관인 KALPOKAS 가 재차 임명되어 겸직하게 되었음.

2. 리니 수상은 금년 11 월 총선을 앞두고 그의 장기집권 정당인 VANUA'AKA PATI 당대회(4.21-26 개최)에서 당수로 재임명받아야 했으나 당집행부의 임기가종료 되지않아 금년 중반기로 연기됨으로서 동인의 위치가 불확실해져가는데다재야세력(MPP UMP TAN UNION)들이 동인의 장기집권에 종지부를 찍으려고 선거전략을 은밀히 펴나가고 있는것으로 알려지고있음.

3. 일부여론은 바누아투 국가건립에 주된역할을하고 공이많은 현 리니수상이신병이 회복되는한 당분간더 계속집권할것으로 보는 견해도 있으나 지난해그의 측근이며 당내 세력자인 전 재무장관 SELA MOLISA 와 그의 보좌관 GRACE를 해임함으로 당내분규및 와해의 소지가 트기시작하면서 리니수상의 위치가동요되고 있는것으로 알려지고있음.

4. 리니수상은 남태평양국가로서는 특이하게도 중립노선을 표방하고 동노선을견지하려는 노력이 짙게 나타나고 있으며 대한관계에서도 남북간 중립적인 입장에서 아국의 유엔가입 지지에 "NO COMMENT"적인 태도를 취하고있음. 한편 현재 임시로 외무직을 맡고있는 KALPOKAS 장관은 보다 온건하고 친한적인 면모를보이고있는바

현재로서는 동인이 리니수상 퇴진 내지 실각시 가장 유력한 후보로 지목되고있으며 동인이 집권하면 바누아투의 대한관계도 개선될 가능성이 있는것으로 전망되고 있음. 끝

아주국	장관	차관	1차보	2차보	국기국	정문국	정와대	안기부

PAGE 1　　　　　　　　　　　　　　　　　　　　91.05.21　17:00

(대사 백영기-국장)
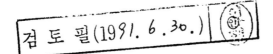
19
의거 예균:91.12.31 일반

검 토 필(1991. 6 .30.)

원 본

관리
번호 91
-3482

외 무 부

종 별 :

번 호 : BMW-0308

일 시 : 91 0522 1710

수 신 : 장관(국연,아서)

발 신 : 주 미얀마 대사

제 목 : 중국대사 접촉

대:WBM-0170
BMW-0288

1. 본직은 금 5.22(수) 연호 중국대사가 관저에서 주최한 오찬에 참석함(전주중 미얀마대사, 이집트대사, 이스라엘 대사등 참석). 동 대사는 금번 오찬이 자신의 이임에 대해 환송연을 해준분들에 대한 답례로 마련한것이라고 말함

2. 동 대사는 오찬사 말미에 본직내외의 참석에 특별히 감사한다고 말하고, 한국대사가 자기 관저에 온것은 이번이 처음으로 한. 중 양국은 공식외교관계는 아직 없지만 최근 경제, 체육등 분야에서 활발한 교류가 이루워지고 있으며 얼마전 까지도 한국대사 내외를 관저에 초청하는것을 주저했던것이 사실이었으나 이제 이렇게 융통성을 갖고 상호 초청하며 우의를 표시하게되어 기쁘다고 언급함 3. 동 오찬에서는 인도의 '라지브 간디' 전수상 암살 사건이 주 화제였으며, 대호 지시에 따라 본직은 중국대사에게 우리의 유엔 가입문제에 관해 일체 거론치 않고 다만 언제쯤 새 임지로 부임하게 될것 같으냐고 물은바, 오는 5.29 예정대로 당지를 이임한후 당초 2 개월이내 7 월말 이전에 인도에 부임할 예정이었으나 간디 암살사건으로 부임이 다소 늦어질것으로 전망하며, 북경에 돌아간뒤에도 혹시 한국의 유엔가입문제와 관련 본직에게 알려줄 사항이 있으면 당지 중국 대사관 참사관을 통해 연락하겠다고 말함

19 (대사 김항경, 참관)
의 건 일반문서로 재분류
예고:1991.12.31 일반

검 토 필(1991. 6. 30.)

국기국	차관	1차보	2차보	아주국	정문국	청와대	안기부

PAGE 1

91.05.22   21:24

외신 2과 통제관 CF

0172

발 신 전 보

분류번호	보존기간

번 호 : WPA-0372   910522 1928 FN 종별 : _____

수 신 : 주   파키스탄   대사ㆍ총영사

발 신 : 장 관   (국연)

제 목 : 유엔가입추진

　　　　　대 : PAw-0569

1. 대호, 북한은 과거 2회(1949및 1952년) 직접 유엔가입을 신청한 바
   있고, 1957및 1958년에는 소련이 북한의 유엔가입을 안보리에
   회부하였는 바, 동 처리내용 하기와 같음.

   가. 북한의 유엔 가입신청

   ○ 1949.2.9. 북한의 박헌영 외교부장은 유엔 사무총장 앞
      전문으로 유엔가입을 신청하고, 2.16. 소련이 안보리에서
      북한의 동 가입신청을 신회원국 가입심사위원회에 회부
      하자는 결의안을 제출하였으나, 부결(2:8:1)됨.

   ○ 1952.1.2. 박헌영 외교부장은 유엔 사무총장 앞 전문으로
      가입을 재신청하였으나, 이는 안보리에서 처리되지 않음.

   나. 소련에 의한 북한 가입권고 결의안 제출

   ○ 1957.9.9. 쏘련은 57.9.6자 미국등 8개국의 아국 유엔
      가입 권고 안보리 결의안에 북한가입 권고도 포함하는
      수정안을 제출하였으나, 부결(1:9:1)됨.

   　　　　　　/계속...

보안통제	(서명)

앙고재	91년 5월 22일 YN과	기안자 성명	과 장	국 장	차 관	장 관	외신과통제
		(서명)	(서명)	(서명)		(서명)	

0173

o   1958.12.9. 소련은 동일자 미국등 4개국의 아국 유엔가입

　　권고 안보리 결의안에 북한가입 권고도 포함하는 수정안을

　　제출하였으나, 부결(1:8:2)됨.

2.　상기 북한의 가입신청서등 관련자료 금파편 송부예정임.　끝.

검 토 필(1991. 6. 30.)

（국제기구조약국장　문동석）

1991.12.31에 예고문에
의거 일반문서로 재분류

0174

외　무　부

원　본

종　별 :

번　호 : NDW-0874　　　　　　　　　일　시 : 91 0523 1730

수　신 : 장관(국연,아서,아이,정일,기정) 사본:주북경,유엔-중계필

발　신 : 주 인도 대사

제　목 : 인도,중국간 아국의 유엔가입문제 협의(자료응신 91-61)

　본직은 금 5.23 주재국 외무부 RAO 동아국장(5.12 북경개최 제 3 차 인.중국경문제 실무회담 참석후 5.21 귀임)과 면담을 가진 기회에 아국의 유엔가입문제에 대한 중국측 입장과 인.중간 회담결과에 대해 타진하였는바, 동국장의 언급요지는 다음과 같음.

　1. 한국의 유엔가입문제

　가. 동문제는 금번 인.중간 회담의 공식의제로서 다루어지지는 않았으나 본인이 중국 외교부의 담당국장과 비공식적으로 논의하는 기회가 있었는바, 동기회에 우선 본인은 한국측 입장을 중국측에 설명해 준후 중국측의 태도를 타진해 보았음.

　나. 중국측은 이붕 수상이 북한방문시에도 남북한이 협의를 해서 양측이 받아들일수 있는 방안을 모색하기 위해 최선의 노력을 하도록 적극 설득한바 있다고 하고, 그러나 한국이 단독가입을 신청하는 경우에 중국이 어떠한 입장을 취할지에 대해서는 명확한 답변을 회피하였음.

　다. 다만 이문제를 논의하는 과정에서 본인이 받은 인상에 의하면, 중국이 한국의 단독가입신청에 대하여 여타 대부분의 국가들이 생각하고 있는 방향과 어긋나는 입장을 취하는 것은 가급적 피하려는 자세를 갖고 있는 것으로 감지 하였음.

　2. 인.중간 회담결과

　가. 양국관계에 있어서 가시적인 구체성과는 없었으나 양국간 상호대립은 피하고 협조하는 방향으로 양국관계가 진전되어야 한다는 인식을 양국이 공유하고 있음을 확인할수 있었으며, 따라서 회담은 매우 건설적인 분위기에서 진행되었음.

　나. 금번회담에서 협의된 양국관계의 구체내용은 다음과 같음.

　1)국경문제

　0 국경문제관련 현안협의에서 구체적인 진전은 없었으나, 무력충돌 예방및

| 국기국 | 장관 | 차관 | 1차보 | 2차보 | 아주국 | 아주국 | 정문국 | 정와대 |
| 안기부 | 안기부 | | | | | | | |

PAGE 1　　　　　　　　　　　　　　　　　　91.05.23　21:56
　　　　　　　　　　　　　　　　　　　외신 2과 통제관 CH
　　　　　　　　　　　　　　　　　　　　　0175

남북한 유엔가입, 1991.9.17. 전41권 (V.8 한국의 유엔가입 지지교섭 : 아주지역) 181

긴장완화의 필요성에 인식을 같이 함.

  0 이를 위해 상호 병력감축도 생각해 볼수 있는 방안으로 제시되었으며, 앞으로 국경문제 실무회담 논의를 더욱 지속시키기로 합의함.

  2) 티벳문제

  0 티벳문제에 대한 양측의 입장은 이미 상호 잘 알고 있으나, 양국간 여사한 협의가 있을 때마다 중국측은 이문제를 거론하고 있으며 이번에도 거론하였음.

  0 달라이 라마의 위치에 대해서 인도는 종교지도자로 보고 있는 반면 중국측은 중국의 INTEGRITY 에 반대하는 정치지도자로 보고 있는 것이 티벳문제에 대한 양측입장의 기본적인 차이점임.

  - 인도는 티벳이 중국의 일부분임을 인정하고 있으며 달라이 라마에 대해서도 정치적 활동을 금지하면서 종교적 활동에만 국한하도록 계소하고 있으나, 인도가 자유국가이기 때문에 엄격한 통제가 어려운 경우가 왕왕 발생하고 있음.

  3) 총영사관 개설문제

  0 양국간 상해와 봄베이에 총영사관을 개설키로 합의하고 합의문서를 교섭하였으나 일부 문안을 아직도 조정중에 있음.

  0 문안에 대한 협의가 완료되는대로 조만간 서명될수 있을 것으로 예상됨.

  (대사 김태지-국장)

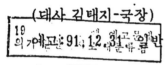

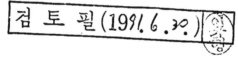

PAGE 2

원 본

관리 번호	91 ~3580

외 무 부

종 별 :

번 호 : UNW-1362

수 신 : 장 관(국연)

발 신 : 주 유엔 대사

제 목 : 유엔가입 교섭 중간평가

일 시 : 91 0524 1920

당관이 그동안 당지 각국대표부를 접촉, 확인한 각국반응(5.24. 현재)을 아래 중간 종합보고함.

1. 지역별 평가

가. 아주지역(26 국-중국제외)

1)아국입장 지지표명(20): 방글라데쉬, 부탄, 브루나이 , 휘지, 인도 , 인니 , 일본, 말련, 몽고, 미얀마, 네팔, PNG, 필리핀, 사모아, 싱가폴, 솔로몬아일랜드, 스리랑카, 태국, 호주, 뉴질랜드.

2)입장표명 보류(1): 파키스탄

3)접촉추진중(4): 몰디브, 바누아투, 베트남, 라오스

4)불접촉(1): 캄보디아

나. 미주지역(35 국)

1)아국입장 지지표명(27): 안티과바부다, 알젠틴, 바베이도스, 볼리비아, 브라질, 칠레, 코스타리카, 콜롬비아, 도미니카(공), 도미니카, 에쿠아돌, 엘살바돌, 그레나다, 과테말라, 가이아나, 온두라스, 자마이카, 멕시코, 파나마, 파라과이, 세인트킷츠, 세인트빈센트, 세인트루시아, 우루과이, 베네주엘라, 미국,카나다.

2)입장표명 보류(7): 바하마, 벨리즈, 하이티, 니카라과, 페루, 수리남, T AND T (모두 본국지침 대기중)

3)접촉추진중:(0)

4)불접촉(1): 쿠바

다. 구주지역(31 국)

1)아국입장 지지표명(26): 오스트리아, 벨기에, 덴마크, 핀랜드, 프랑스, 독일, 그리스, 아이슬랜드, 아일랜드, 이태리, 룩셈브르크, 몰타, 화란, 놀웨이,폴투갈,

국기국	장관	차관	1차보	2차보	미주국	정와대	안기부

스페인, 스웨덴, 터키, 영국, 불가리아, 체코, 헝가리, 폴랜드, 루마니아, 소련, 유고

　　2)입장 표명 보류(1): 사이프러스

　　3)접촉 추진중(2): 알바니아, 리히텐슈타인

　　4)불접촉(2): 백러시아, 우크라이나

　라. 중동지역 (21)

　　1)아국입장 지지표명(10): 바레인 , 요르단, 쿠웨이트, 모리타니아, 모로코,오만, 카탈, 사우디, 뮤니시아, UAE

　　2)입장표명 보류(8): 알제리(특사에게는 지지표명-대표부는 본국입장 미접), 이란, 예멘, 레바논(지침대기중), 수단(지침대기중), 시리아, 이집트(특사에게는 입장 유보, 외상으로 귀국한 MUSSA 대사는 지지약속), 리비아,(대표부는 지지, 수도접촉결과 당관 미접)

　　3)접촉추진중(0)

　　4)불접촉(3): 아프카니스탄, 이라크, 이스라엘.

　마. 아프리카 지역(45 국)

　　1)아국입장 지지표명(28): 베냉, 브르기나파소, 카메룬, 까브베르데, 중앙아, 챠드, 콩고, 지부티, 가봉, 감비아, 가나, 기네비사오, 아이보리코스트, 케냐, 레소토, 라이베리아, 말라위, 니제르, 시에라레온, 소말리아, 스와질랜드, 토고, 우간다, 자이르, 나이제리아, 루완다, 쌍토메프린시페, 세네갈

　　2)입장표명 보류(8): 보츠와나, 부룬디, 마다가스칼, 말리, 모잠빅, 세이쉘르, 잠비아(본국지침 미정), 모리셔스 (대표부는 지지약속, 본국입장 불확실)

　　3)접촉추진중(8): 코모로, 적도기네, 앙골라, 기네, 나미비아, 탄자니아, 짐바베, 에디오피아

　　4)불접촉(1): 남아공

　2. 중간평가 및 건의

　상기 반응(회원국 159 개국중 5.24. 현재 136 개국 접촉, 아국입장 지지표명(111 개국등)은 아국이 정식으로 가입신청서를 제출하지 않은 상태에서 해당국들의 반응을 종합한 것으로서 "입장표명 보류"로 분류된 국가의 경우 당지와 각국 수도에서의 반응이 반드시 일치하는 것은 아님.

　따라서 당대표부로서는 상기 입장 표명 보류 국가에 대한 교섭을 강화할 예정인바, 해당 재외공관에 대하여도 주재국 정부와의 접촉 강화를 지시해 주시기 바람. 끝

PAGE 2

(대사 노창희-국장)

예고:91.12.31. 일반
의거 일반문시로 재분유

검 토 필 (1991. 6. 30)

	분류번호	보존기간

발 신 전 보

번 호 : UFJ-0085   910523 1842   ED   종별 :

수 신 : 주   휘지   대사 ♣ ♣♣♣♣♣ 사

발 신 : 장 관   (국연)

제 목 : 겸임국 출장

대 : FJW-0124

　　　대호, 솔로몬 아일랜드 및 바누아투 공화국에 대한 아국의 유엔가입

지지 교섭은 주유엔대표부를 통하여 우선 시행중인 바, 귀직의 겸임국

출장은 필요시 별도 지시 예정임. 끝.

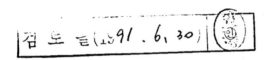

접 도 통 (1591 . 6, 30)

(국제기구조약국장   문동석)

1991. 12. 31. 대 예고문에
의거 일반문서로 재분류됨

아주국장 :

앙고재	91년 5월 23일 과	기안자 성명 홍영욱	과 장	국 장	차 관	장 관	보 안 통 제
							외신과통제

0180

관리 번호	9/ -52

외 무 부

종 별 :

번 호 : FJW-0133

일 시 : 91 0525 0830

수 신 : 장관(국연,국기,아동)

발 신 : 주 휘지 대사

제 목 : 유엔가입및국제기구(FAO,IMO)이사국입후보

대:EM-0009,11. 국기:20331-480,20334-720

연:FJW-0100,0113

1. 표제관련,5.24 일 당관은 솔로몬아일랜드 아주국장과접촉, 아국유엔가입문제에 대한 연호 아국지지 전문에 감사를 표함과동시에 정식으로 구상서를 발송하여 줄것을 요청하였고 표제국제기구건에 관해서도 지지공한을 부탁하였는바, 동국장은 이를 긍정적으로 검토, 발송하겠다고 언급하였음.

2. 또한 동일 주재국 일차산업성 차관보인 TABUNAKAWAI 와 접촉, FAO 이사국 입후보

관련 아국입장을 지지하여줄것을 요청한바, 외무성과 협의 선처하겠다고 언급하였음

IMO 건과관련 주재국 공공사업성장관은 아국입장을 적극 지지할뜻을 표명하였으니 양지바람. 끝

(대사 백영기-국장)

예고:91.12.31 일반

검 토 필(1991. 6. 30.)

국기국 　 아주국 　 국기국

관리번호 91 ~3602

외 무 부

원 본

종 별 :

번 호 : PAW-0587

일 시 : 91 0527 0900

수 신 : 장관(국연,아서,아이)

발 신 : 주 파 대사

제 목 : 이붕수상 방북결과

대 EM-19, WPA-317

연 PAW-532

1. 대호관련, MASOOD KHALID 외무성 북동아과장이 주평양대사관의 관찰보고를 인용, 전언한바에 의하면, 이붕수상은 방북시 유엔문제관련 북한측에 '남. 북한이 계속 협의, 상호 수락 가능한 방안을 모색'토록 권유하였느느바, 이는 북한측의 기대에 못미치는것으로서 북한측은 매우 실망하고있다고함.

2. 한편, 본직이 지난 5.10.KHALID MAFMOOD 유엔 차관보 면담시, 동차관보는 이붕의 방북 결과에 대한 중국 외교부 대변인 브리핑 내용(5.9 자)을 전해 주었으며, 동 브리핑시 한국의 유엔가입 신청시 거부권 사용여부에 대한 기자 질문에 대해서는 언급을 회피하였다고 알려준바있음. 끝.

(대사 전순규-국장)

예고 91.12.31 일반

검 토 필(1991. 6. 20)

국기국	장관	차관	1차보	2차보	아주국	아주국	청와대	안기부

PAGE 1

91.05.27   14:47

외신 2과 통제관 BA

0182

관리	9/
번호	~ 526

외 무 부

종   별 :

번   호 : FJW-0135   일   시 : 91 0527 1700

수   신 : 장관(아동,국연,국기)

발   신 : 주 휘지 대사

제   목 : 겸임국출장

　　　대:WFJ-0085

　　　연:FJW-0124

1. 지난해 본직 신임장제정후 솔로몬아일랜드는 전면개각으로 외무부 장차관 이 경질되고, 양국관계 주요 현안문제 해결을 위한 상호교신하는 과정에서 본직이 6월말경 동국을 방문, 상호인사겸 의견교환키로 약속했을뿐 아니라 현지 실무레벨에서는 UN 을 비롯 FAO,IMO 이사국 진출에 대해 상당히 호의적인바

이에대한 상부의 이해와 보다 EXPLICIT 한 지지표명이 요구되고있음. 또한 지

난해 처럼 외무장관의 아국지지 확약과는 달리 유엔대표의 중립적인 발언사태가 재발하지 않도록 다짐할 필요성이 있음은 물론, 금년선거를 앞두고 MAMALONI 정권이 퇴진할 가능성도 있음을 일부보도를 봉하여 알려지고 있는바주재국 현지정세를 파악하기 위하여서도 현지출장이 매우 필요하다고 사료됨.

2. 바누아푸도 임시로나마 새로 외무장관이 취임하고 LINI 수상의 와병으로 인한 요양설과 수상직을 일시 VACATE 한것관련 정세변화의 조짐을 보이고있는바 아국의 대 유엔가입및 동국의 중립정책에대한 방향전환 가능성 타진을비롯 금년 중반기 VANUAAKU 정당대회및 금년말 국민총선거를 앞두고 동국정세 파악을 위한 현지출장이 필요하다고 사료됨.

3. 연호 본직출장제의는 유엔및 국제기구이 사국 진출교섭 차원을 넘어서 현지 정세파악은 물론, 단순한 문서상의 교류보다 현지 정책결정자와의 직접적인 의견 교환은 물론 이해촉구및 상호친밀관계를 도모함으로서 보다 효율적인 외교의 기반이 조성되고 결실이 있을것으로 사료되어 신청하였던 것인바, 이에대 한 본부의 지침이 어려운 예산사정에 기인한것이라면 당관 예산에서 염출, 출장코져하오니 재고하여 주시기 바람.끝.

아주국	장관	차관	1차보	2차보	국기국	국기국

(대사백영기-국장)

19   예고교체

예고 : 91. 12. 31 일반

검 토 필 (1991. 6. 30.)

관리 9/
번호 -3847

원 본

외 무 부

종 별 :

번 호 : FJW-0151

일 시 : 91 0612 1130

수 신 : 장 관(국연,아동)

발 신 : 주 휘지 대사

제 목 : FORUM 회의에서의 아국유엔가입지지

대:WFJ-0080

연:FJW-0138

1. 연호표제관련 본부입장 조속회시바람.

2. 상기 FORUM 회의는 각국 수뇌가 대표로 참석하게 되어있으며 현재 휘지정부는 농민들의 사탕수수 수확거부, 일반 노동자들의 신규노동활동규제 포고령에대한 전면 항의.쟁의결의, 일반 기업인의 부가가치세제 도입에대한 반발등에이어 최근 군부의 현내각 불신 및 사태압력에 직면, 현재로서 표제건을 추진하기에는 시기상으로 어려운점이 있는바, 북한의 유엔가입이 확실시되는 상황에서도 동건필요하 다면 이를 당공관에 협조적인 TONGA 국 또는 여타 FORUM 회원국과 협의,방도를 탐구코자하오니 이에대한 의견회시바람. 끝

(대사 백영기-국장)

의거 옌공개 91.12.31 일반

검 토 필(1991. 6 30)

국기국   장관   차관   1차보   아주국   정와대   안기부

분류번호	보존기간

발 신 전 보

번 호 : WFJ-0098   910612 1839 FN 종별 : _____

(사본 : ~~주유엔대사~~)

수 신 : 주   휘지   대사. ~~총영사~~   (국연)

발 신 : 장 관

제 목 : FORUM 회의에서의 아국유엔가입 지지

대 : FJW-0151, 0138   최낮아 불 것

연 : WFJ-0080

금추 유엔총회에서 남북한의 유엔가입이 확실시되는 현상황에서
대호 FORUM 회의에서의 아국 유엔가입 지지결의는 불필요한 바, 동건
추진치 말기바람.   끝.

19 . . 에 예고문에
예 왔거 일반 1991. 12. 31. 일반

검토필(1991. 6. 30.)   (국제기구조약국장 문동석)

아주국장 :

앙고재	91년 6월 12일	기안자 성명 UN과 송○○	과 장	국 장	차 관	장 관	보안통제	외신과통제

REGIONAL VOTING SHEET

91. 5. 14. 총회.

O 지지, X 반대
VOTE: △ 중도, △+ : 중도지지)

QUESTION:	MEETING:		DATE:		VOTE:	
	주제국	유엔		주제국	유엔	

ASIA (28)	주제국	유엔		Africa (cont.)	주제국	유엔
AFGHANISTAN				SENEGAL	o	o
BANGLADESH	△+	△+		SEYCHELLES		
BHUTAN		o		SIERRA LEONE	o	o
BRUNEI	o	o		SWAZILAND	o	o
BURMA	o	o		TANZANIA	△+	
CHINA				TOGO		
✓CYPRUS				UGANDA	△+	
DEM. KAMPUCHEA				ZAIRE	o	o
FIJI	o	o		ZAMBIA	△	△
INDIA	o	o		ZIMBABWE		△

LATIN AMERICA (33)

	주제국	유엔
ANTIGUA		o
ARGENTINA	o	o
BAHAMAS		△+
BARBADOS		
BELIZE	o	△+
BOLIVIA		△+
BRAZIL	o	o
CHILE	o	o
COLOMBIA	o	o
COSTA RICA	o	o
CUBA ✓		
DOMINICA		△+
DOMINICAN REP.	o	o
ECUADOR	o	o
EL SALVADOR	o	o
GRENADA		△+
GUATEMALA		△+
GUYANA		△+
HAITI	o	△+
HONDURAS	o	o
JAMAICA	△	△+
MEXICO	o	o
NICARAGUA	o	△
PANAMA		o
PARAGUAY	o	△+
PERU	o	△+
ST. CHRISTOPHER		o
ST. LUCIA	△+	△+
ST. VINCENT		o
SURINAME	o	△+
T & T	o	△+
URUGUAY	o	△+
VENEZUELA	o	△+

ASIA (cont.)	주제국	유엔
INDONESIA	o	o
IRAN	o	o
JAPAN	o	o
LAO P.D.R.		
MALAYSIA	o	o
MALDIVES	o	o
✓MONGOLIA		△
NEPAL	△+	△+
PAKISTAN	△	△
P.N.G.	o	o
PHILIPPINES	o	o
SAMOA	o	o
SINGAPORE	o	o
SOLOMON ISLANDS	o	o
SRI LANKA	o	o
THAILAND	o	o
VANUATU	△+	o
VIET NAM		

ARAB (21)

	주제국	유엔
ALGERIA	△	
BAHRAIN	o	o
DEM. YEMEN		
DJIBOUTI		o
EGYPT	o	o
IRAQ		
JORDAN	o	o
KUWAIT	o	o
LEBANON		o
✓LIBYA		o
MAURITANIA	o	o
MOROCCO	o	o
OMAN	o	o
QATAR	o	o
SAUDI ARABIA	o	o
SOMALIA		o
SUDAN	o	o
SYRIA		
✓TUNISIA		o
U.A.E.	o	o
YEMEN	△+	

WESTERN EUROPE AND OTHERS (25)

	주제국	유엔
AUSTRALIA	o	o
AUSTRIA	o	o
BELGIUM	o	o
CANADA	o	o
DENMARK	o	△+
FINLAND	o	△+
FRANCE	o	o
GERMANY, F.R.	o	o
GREECE	o	△+
ICELAND		△+
IRELAND	o	o
ITALY	o	o
LUXEMBOURG		△+
MALTA	o	△+
NETHERLANDS	o	o
NEW ZEALAND	o	o
NORWAY	△+	△+
PORTUGAL	o	
SPAIN	o	
SWEDEN	o	△+
TURKEY	o	o
UNITED KINGDOM	o	o
ISRAEL	o	o
SOUTH AFRICA		
UNITED STATES	o	o
Lichtenstein		

AFRICA (41)

	주제국	유엔
ANGOLA		
BENIN		
✻BOTSWANA		
BURKINA FASO		o
BURUNDI		△
CAMEROON	△+	
CAPE VERDE	o	o
C.A.R.		o
CHAD	o	o
COMOROS		
CONGO	△+	
CÔTE d'IVOIRE	o	o
EQ. GUINEA		
ETHIOPIA	△	△
GABON	o	o
GAMBIA	o	o
GHANA	o	o
GUINEA		
GUINEA-BISSAU		
KENYA	o	o
✻LESOTHO		o
LIBERIA		
MADAGASCAR	△	△
MALAWI	o	o
MALI		△
MAURITIUS	o	o
MOZAMBIQUE		
✻NIGER		o
NIGERIA	o	o
RWANDA	o	o
SAO TOME	o	o

EASTERN EUROPE (11)

	주제국	유엔
ALBANIA		
BULGARIA	o	△+
BYELORUSSIAN S.S.R.		
CZECHOSLOVAKIA	o	△+
GERMAN D.R.		
HUNGARY	o	o
POLAND	o	o
ROMANIA	o	△+
UKRAINIAN S.S.R.		
U.S.S.R.	△+	
YUGOSLAVIA	o	△+
TOTAL (159)	o 88	82

△+ 11   32
△ 7   6
53   39

✓ Namibia

0187

정 리 보 존 문 서 목 록					
기록물종류	일반공문서철	등록번호	2020080039	등록일자	2020-08-20
분류번호	731.12	국가코드		보존기간	영구
명 칭	남북한 유엔가입, 1991.9.17. 전41권				
생 산 과	국제연합1과	생산년도	1990~1991	담당그룹	
권 차 명	V.11 한국의 유엔가입 지지교섭 : 중남미지역				
내용목차					

0001

원 본

관리 91
번호 -98

외 무 부

종 별 :

번 호 : MXW-0102

일 시 : 91 0125 1710

수 신 : 장관(국연,미중,기정)

발 신 : 주 멕시코 대사

제 목 : 신임 국제기구국장 면담보고

대:EM-0001

연:MXW-1467

본직은 금 1.25. 오전 외무성 신임국제기구국장 OLGA PELLICER 대사(여)를 방문, 인사를 겸하여 전임 BUJ 국장시 주재국이 유엔등 국제기구에서 아국 입장을 지지해준데 만족을 표명하고, 남북한 간의 유엔정책 및 한-멕 양국간 진행중인 제반 분야에서의 긴밀한 협력 관계를 설명하는 동시에 주재국의 계속적인 협조와 지지를 요망한바, 동 국장은 양국관계 증진을 위한 노력과 유엔등 국제기구에서의 긴밀한 협조를 약속함. 끝.

(대사 이복형-국장)

예고:1991.12.31.

국기국   미주국   안기부

PAGE 1

91.01.26   09:03
외신 2과 통제관 BT
0002

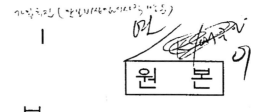

원 본

관 리 번 호	91 -175

외 무 부

종 별 :

번 호 : UNW-0200 　　　　　　　　　　　일 시 : 91 0125 1930

수 신 : 장관(국연,미남)

발 신 : 주 유엔 대사

제 목 : 유엔가입문제 (에쿠아돌 접촉)

　　1.25. 본직은 J.AYALA 에쿠아돌 대사와 접촉한바, 동 결과를 아래보고함.

　　1. 유엔가입문제

　　가. 본직은 에쿠아돌의 안보리 이사국 취임을 축하하면서 아국 유엔가입문제는 동국 이사국 재임중 처리될 주요 안건의 하나가 될것이라고 언급한 다음 유엔가입문제에 관한 아국입장을 설명하였음. 특히, 아국으로서는 남북한의 동시가입 실현을 희망하나 이를 위한 아국의 노력이 결실되지 않는경우 금년도 일정한 시점에 가서는 단독으로라도 가입신청을 할것임을 시사하면서 에쿠아돌의 계속적인 지지와 협조를 당부하였음.

　　나. 이에대해 AYALA 대사는 에쿠아돌 정부는 보편성원칙에 입각, 아국가입을 적극지지함을 재천명하고, 남북한 동시가입이 가장좋은 방안이나, 아국이 단독가입을 신청하는경우 이를 지지할것임을 분명히 하였음. 또한 동 대사는 자국 외무성 관계자들이 모두 아국가입에 관심이 크며 외상이 특히 지대한 관심을 갖고있다고 언급함.

　　2. 걸프사태

　　동 대사는 에쿠아돌은 걸프사태의 조기종결을 희망하며 이를위해 나름의 기여를 하기 원하는 입장이라고 말함. 끝

　　(대사 현홍주-국장)

　　예고: 91.12.31.. 일반 (2고문에
　　　　의거 일반문서로 재분됨

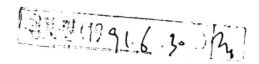

국기국　　　차관　　　1차보　　　2차보　　　미주국

외 무 부

종 별 :

번 호 : COW-0050   일   시 : 91 0204 1710

수 신 : 장관(미중,국연)

발 신 : 주 코스타리카 대사

제 목 : 외무차관 면담

대:1)WCO-0005,2)WCO-0010,3)국연 2031-104(91.1.26)

연:COW-0041,0029

금 2.4 일 본직을 초청한 CASTRO 외무차관 집무실 조찬시, 아래 요지 언급하였음.

1. 대호 1,2 지진구호금 3 만 5 백불(업체모금 1 만 5 백불포함)에 사의표명

2. 대호 3 아국 유엔가입 방침 적극 지지할 것을 표명

3. 자기딸 결혼식(5.16)후 5 월중 차관부부동반으로 대만, 일본방문시 3 박4
일정도 일정으로 한국방문 고려중임.끝.

(대사 김 창근-국장)

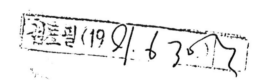

예규:91.12.31 일반문에
의거 일반문서로 재분류됨

미주국   차관   2차보   국기국

관리 번호	91. ~~282~~

외 무 부

종 별 :

번   호 : PGW-0036   일   시 : 91 0205 1230

수   신 : 장관(미남,국연,경이)

발   신 : 주 파라과이 대사

제   목 : 주재국 외무차관 면담

1. 본직은 주재국과의 현안문제(부자보장협정, 제 2 차 한. 파라과이 공동위 서울개최, 범죄인 인도조약, EDCF, 무상원조등)에 대한 의견교환과 협의를 위하여 주재국 외무부 OSCAR CABELLO 차관(유럽, 아세아, 아중동지역 담당)과 HUGO SAGUIER 수석차관을 각각 2.1. 및 2.4. 면담한바 있음.

2. 양차관은 특히 아국의 90 년도 무상원조에 대하여 사의를 표명하고 이와같은 아국의 대 파라과이 무상원조가 양국간의 실질적인 경제협력사업의 실천으로 간주하고 있다고 강조 하였음.

3. 또한 본직이 한반도 현황과 아국의 유엔가입입장에 대하여 언급한바, 파라과이는 90 년 유엔총회에서 한국을 지지한 입장에 변함이 없을것이라고 언급하였음.

4. 동면담시 CABELLO 차관과 SAGUIER 수석차관은 FRUTOS VAESKEN 외무장관(부처)과 OSCAR CABELLO 차관(부처)이 대만 정부의 초청을 받은바 있어 금년 5 월 하순경 대만을 방문할 계획으로 있으며, 그기회에 VAESKEN 외무장관의 한국방문도 가능하기를 희망한다고 하였음. 대만 정부는 이들 인사들에 대하여 왕복 항공요금을 포함한 일체의 초청경비를 부담하는것으로 되어 있다함. 이외에 각부처 장관등 정부 고위인사 및 군부 고위인사들이 각각 이상과 같은 대만정부의 초청을 받고 있는 것으로 안다고 하였음.

5. FRUTOS VAESKEN 외무장관은 유엔의 인권위원회의 특별초청으로 근간 유엔본부를 방문, 파라과이의 인권보장문제에 관하여 연설할 계획이 있다고 함. 끝

(대사 김흥수-차관)

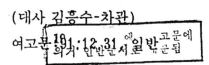

미주국	장관	차관	1차보	2차보	국기국	경제국	청와대	안기부

PAGE 1   91.02.06   01:14

외신 2과 통제관 DO

0005

외 무 부

관리 91-
번호 298

종 별 :

번 호 : URW-0015   일 시 : 91 0207 1005

수 신 : 장관(미남,국연,정이)

발 신 : 주 우루과이 대사

제 목 : 외상면담(자료응신 제1호)

  본직은 작 2.5 GROS 외상을 면담한바, 동결과 아래 보고함.

  1. 아국 유엔가입문제

  가. 한국의 국제사회에서의 위치, 유엔 산하 각종기구에서의 활동등 고려할때 한국의 유엔가입은 당위성이 있다고 생각하며, 금추 총회시 동문제가 거론될경우 여타 회원국들과 보조를 맞추어 대처할것임

  나. 북한측의 단일의석 가입안은 현실성이 결여된 주장으로 평가함.

  2. 양국관계

  양국간 교역수준은 상금 만족스럽지 못하며, 금번 우루과이 정부의 제반 외국인 투자 유치노력(예:보세 가공지역설치등)에 아측의 적극적인 참여를 기대함

  3. 대북한 관계

  가. 90.10 IPU 총회시 북한요원이 방우,1 인 무역사무소 개설 가능성을 타진한바있으나

  나. 상금 북한측으로 부터 공식요청은 없었으며, 양국간 교역관계가 전무한상태에서 북한측의 동제의는 국익증진에 도움이 되지않을것으로 판단하고있음.

  (대사-국장)

예고:91.12.31 일반문서류
에 의거 일반문서로 개분됨

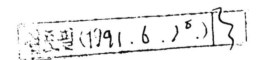
열람필(1991. 6. 15.)

미주국   장관   차관   1차보   2차보   국기국   정문국   안기부

원 본

외 무 부

관리
번호 91
- 3 .50

종   별 :

번   호 : MXW-0152   일   시 : 91 0207 1700

수   신 : 장관(국연,미중)

발   신 : 주 멕시코 대사

제   목 : 유엔 가입지지 교섭

   대:국연 2031-104, EM-0001
   연:MXW-0102

   1. 본직은 금 2.7. 12 시 대통령 외교담당 고문 J.A.LOZOYA 대사를 방문, 한-멕 관계 심화를 위한 주요 정무, 경제, 문화 분야 현안 및 동 추진사항과 아울러 아국의 북방 외교성과와 남북한 관계현황에 관해 설명하고, 특히 금년중 아국의 유엔 단독 가입 신청이 있을시 주재국의 확고한 지지를 요청한후 지난번 유엔총회 기조연설시 주재국 대통령의 긍정적인 언급사항에 관하여 상기시켜 주었음.

   2. 동 대사는 아측요청을 적극 수용 지지토록 친근한 관계에 있는 O.PELLICER 유엔국장에게 지시할것이라하고 금년 상반기로 구상하였던 주재국 대통령의 방한 계획이 92 년초로 연기된데 유감을 표하고 주재국은 아국과의 실질 관계 심화에 큰 관심이 있음을 알리고 주재국의 APEC 정회원 가입에 아국 협력을 요청한바있음.

      (대사 이복형-국장)

예규 1091. 12. 31. 에일.반데
의거 일반문서로 재분류

검 토 필 (1991. 6. 30.)

국기국   미주국

선통필 (1991 6. 30. 5 .)

관리 91
번호 一319

원 본

외 무 부

종 별 :

번 호 : COW-0061   일 시 : 91 0208 1910

수 신 : 장관(국연,미중)

발 신 : 주 코스타리카 대사

제 목 : 91년도 유엔 가입

대:국연 2031-104, EM-0001, 국연 2031-3802

연:COW-0050

본직은 금 8 일, 외무성의 CONEJO 대외정채국장을 오찬에 초청, 대호 아국의 금년도 유엔가입 계획과 남북한 유엔가입문제에 관한 정부 각서 내용등을 설명하고 협조를 요청 하였는바, 이에 동국장은 아국의 유엔가입을 적극 지지하겠다고 말하였음. 끝.

(대사 김 창근-국장)

예고:91.12.31 일반 고문에 의거 인반문서로 재문립

국기국   미주국

관리
번호 91
-384

종 별 :

번 호 : SUW-0048   일 시 : 91 0215 1440

수 신 : 장관(미중,정일,국연,경이)

발 신 : 주 수리남 대사

제 목 : SEDOC 전외무장관과의 접촉(자료응신 91-22)

　　SEDOC 전외무장관 부처는 12.25. 군사쿠데타로 일시 도피생활을 마치고 2.8.귀국,13 일 본직내외를 방문하겠다고 요청해와 동인내외를 비공식 만찬석에 초청, 아래요지 발언하였음을 참고로 보고함.

　　1.SEDOC 전외무장관 내외 동태:

　　동내외는 쿠데타로 일시 미국에 도피생활중 아무런 위해도 받지않았음. SEDOC 씨는 총선거에 대비, 정치활동 재개예정이며, 부인은 1 개월정도 수리남 정국개편추이를 관망한후 다시 미국대학에서 교편을 잡겠다고 함. 또한 본직은 부인의 저서 "CAREBEAN STUDY"책자가 군부쿠데타 배경설명에 좋은 참고가 되었음을치하하였음.

　　2.5.25. 총선거 전망:

　　군부가 지원하는 NDP 가 집권후 5.25. 총선거 재천명으로 우방국으로 부터 환영을 받고 있어 다소 NDP 측에 유리할것이나 NPS 주도하 3 당연합이 다시집권할 가능성이 많으며 그경우 군부와의 관계재정립이 어려운 문제임.NPS 집권시 헌법을 개정, 군부개편과 새로운 세대교체가 있을것임.

　　3.DUTCH COMMON WEALTH 제안:(상세 별도보고:SUW-0047 참조)

　　식민지시대 경제적, 정치적 안정시기와 독립후 정치적 혼란및 경제적 빈곤기를 경험한 대다수 주재국 국민은 식민지 시대의 경제적 안정이 보다 좋았다는 인식이 강하며 동제안 지지율이 의외로 많음. 일부정치인 및 군부인사가 반대할것이므로 조기실현은 여려울것이나 화란과의 협력관계 재정립을 위해 동제안 검토는 필수적임.LACHMON 국회의장은 찬성, ARRON 전부통령은 관망상태임.동제안은비단 수리남 뿐만아니라 카리비안 연안식민지(CURACAO, ARUBA, ST.MARTIN 등)를 망라하고 있으며 독립경험이 없는 상기 연안국과 독립경험이 있는 수리남국과는 이해관계가 상치함. 동연안국 정세파악차 동연안국 방문을 권유함. 본직은 기회있는데로

미주국 　 장관 　 차관 　 1차보 　 2차보 　 국기국 　 경제국 　 정문국 　 정와대
안기부

91.02.16　　10:01
외신 2과　통제관 EE

0009

동 연안국을 방문하겠다고 하였음.

4. 유대관계:

유엔관계는 SEDOC 부임이래 많은 개선이 있었음(952), 년내 유엔가입을 지지하고 있음. 주재국 고위인사(대통령및 수상)는 유엔에서의 한국입장지지, 동명의 반대급부로 많은 경제원조를 받기원하였으나 SEDOC 씨 자신은 그간의 본직과의 접촉으로 양국간 경제협력관계 내용을 상세히 파악하고 수리남국의 수용태세미비로 결과가 미진하였을 뿐 한국은 경제협력면에서 적극적이었음을 항상 주장하였다 함.

5. 북한과의 관계전망:

동인 재직시 북한과의 관계개선노력(북한대사 신임장 접수문제)이 있어 왔으며 LACHMON 국회의장일행 방한성과로 동문제는 일단 동결되었음. 그러나 과도정부하에서는 좌파세력인 군부인사 재등장, 유엔관계인사(현 외무부장관을 지칭하는 느낌임)의 대외정책 재정립등으로 안심할수 없으며 과도정부라 할지라도 당관의 긴밀한 접촉관계 유지가 필요하다고 조언하였음.

6. 걸프사태:

걸프사태로 인한 한국의 입장을 이해함. 군부쿠데타로 인한 경제원조 중단과 함께 주재국도 경제적 , 정치적으로 이중피해를 입고 있어 인프레가 격심하며, 일부 유능인사의 국외도피가 증대되고 있음. 끝.

(대사 김교식-미주국장)

예고 :91.12.31. 일반 고문에 의거 일반문서로 재분류됨

검토필(1991.6.3...)

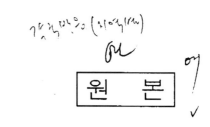

원 본

관리	91
번호	-554

외 무 부

종 별 :

번 호 : HAW-0051　　　　　　　　일 시 : 91 0227 1041

수 신 : 장관(국연,미중)

발 신 : 주 아이티 대사대리

제 목 : 유엔가입문제

대:국연 2031-104

1. 본직은 2.26 신임주재국 JEAN MARIE CHERESTAL 외무차관을 방문, 대호 아국의 유엔가입에대한 기본입장을 설명하고 주재국신정부가 종전과같이 상기 아국입장을 계속 지지해줄것을 요청하였음.

이에대해 동차관은 본직의 설명에 사의를 표하고 유엔가입에 관한 북한측 주장의 허구성을 잘알고 있다고 부언하였음.

2. 동차관은 본직과의 면담당일 기획및 대외협력부국장에서 외무차관으로 영전한바 있음.

(대사대리-국장)

예고:1991.12.31 까지 고문에 의거 인반문서로 재분류

검토필(1991. 6. 30.)

국기국　　장관　　차관　　1차보　　미주국

관리 91
번호 -574

외 무 부

종 별 :

번 호 : MXW-0236

일 시 : 91 0228 1650

수 신 : 장관(국연,미중)

발 신 : 주 멕시코 대사

제 목 : 유엔관련 성명문

대:EM-0003

대호 북측 비망록에 대한 본부 성명 관련, 2.28. 당관 김참사관은 주재국외무성 UN 담당과장(SADELINDA GONZALEZ)을 방문, 동 성명 TEXT 를 전달, 설명한바, 동과장은 동 내용을 상부에 보고, 아국 UN 문제에 대한 주재국 입장 결정에참고하겠다고 말함.

(대사 이복형-국장)

예고 91991.12.31. 에일반에
의거 안민문서로 구분됨

검 토 필 (1991 6 30

국기국   차관   1차보   미주국

```
관리  91
번호   -573
```

외 무 부

종 별 :

번 호 : BRW-0158   일 시 : 91 0228 1800

수 신 : 장 관(미남, 유엔, 조약, 경협, 영사)

발 신 : 주 브라질 대사

제 목 : 주재국 아주국장 면담(자료응신 91-18)

   본직은 2.27 오전 임참사관을 대동하고 주재국 외무부 SERGIO SERRA 아주국장을 방문, 유엔가입에 대한 아국의 입장및 남북대화 진전사항을 설명하고 제 1 차 한. 브 공동위 개최문제와 REZEK 장관 방한계획등에 관하여 협의하였는바 요지 다음과 같이 보고함.

   1. 유엔가입

   - 본직은 북한이 2.20 자로 아국의 유엔가입을 반대하는 비망록을 유엔안보리 문서로 배포한것을 언급하고 이의 부당성을 설명하면서 브라질 정부의 아국유엔가입 지지에 사의를 표하였으며 아울러 금년 유엔총회 기조연설시 아국문제를 포함시켜 줄것을 부탁함. (2.27 자 외무부 성명을 전달)

   - 동국장은 이에 대해 유엔 안보리에서의 중국측 태도여하가 관건일것이라하면서 이에대해 관심을 표함에, 본직은 상금 중국측 태도는 미정이나 최근양국간에는 무역대표부가 교환 설치되어있고 관계가 더욱 발전될것으로 전망한다고 설명함.

   2. 남북대화

   - 본직은 2.25 로 예정된 제 4 차 남북한 총리회담은 북측이 연례적으로 실시해오는 팀스피리트 훈련을 구실로 일방적으로 무기연기함으로써 회담이 중단되었음을 설명하고 한편 동훈련기간중 체육회담에는 응해오고있어 북측태도의 일관성이 없음을 지적하였으며 동훈련이 끝나는 5 월후에나 남북회담이 재개될것으로전망한다고 설명함.

   3. REZEK 장관 방한

   - 91.8.7-9 간 REZEK 장관의 방한은 외무장관으로서는 최초의 방문이므로 금번 방문기회에 과학기술협력협정의 서명등 구체적 성과가 있기를 희망한바, 동국장은 동감을 표시하고 이와함께 외교관 비자면제협정및 투자보장협정등을 추진하도록

미주국	장관	차관	1차보	2차보	국기국	국기국	경제국	정문국
영고국	정와대	안기부						

주한대사에게 훈령한바 있다고 언급함

   - 또한 REZEK 장관은 지금까지 해외방문시 부인을 동반한 사례가 없으나 동반여부는 다시 확인통보해 주겠다고 하고 수행원으로는 비서실장, 쌍무관계 정치담당 보좌관(AMADO 대사의 친제)및 본 아주국장등이 될것인바, 아주 2 과장도 대동토록 추진중이라 함.

   4. 제 1 차 한. 브 공동위 개최문제
   - 본직은 4.18-19 간 브라질리아에   - 본직은 4.18-19 간 브라질리아에서의 제 1 차 공동위 개최가 확정된것을기쁘게
생각한다고 말하고 아측 대표단장은 국내사정으로 차관이 직접 참석치못하고 차관급인 한우석 전 주불대사가 참석예정임을 전하였으며 회의내용에대하여 협의한바 브라질측 의견은 다음과 같음.

   가) 대표단 구성은 현재 계획으로는 차관이 단장이 되고 외무부 아주국, 봉상진흥국, 기술협력국에서 대표가 선정될것이며 타부처의 대표 포함여부는 추후구제적 의제가 확정되는대로 결정할것이나 보통 외무부 대표만으로 구성하는것이 보통이라 함.

   나) 회의운영에 관하여는 특별한 관례는 없으나 아측안 (1,2 차 본회의및실무회의)이 좋을것으로 생각한다고 함.

   다) 의제에 관하여는 아직 구체적으로 검토되지는 않았으나 한국측과 협의결정하겠으며 곧 브측안을 제시해 주겠다고 함.

   라) 회의 합의문서에 관해 문의한바 일정한 관례는 없고 한국측과 협의 결정코저 함.

   마) 동국장은 이번 공동위가 처음임을 감안, 아측단장에게 서훈하도록 추진중이라하고 아측으로 부터의 서훈은 필요치 않다고 언급함.

   5. 기타
   - 동국장은 브라질 국영 BNDES(NATIONAL BANK OF ECONOMIC AND SOCIALDEVELOPMENT) 은행 사장겸 국영기업 민영화 계획 위원장인 EDUARDO MODIANO 가4 월초 일본 나고야에서 개최예정인 IDB 회의에 참석함을 전후 방한하여 브라질기업 민영화 계획및 투자유치 설명회를 갖고저 희망하고 있어 이미 주한 브라질대사에게 설명회 준비를 지시하였으나 본직에게 동설명회 개최협조를 별도로요청하여왔기 이를 보고하오니 동건 가능한 협조해 주실것을 건의함. 끝.

   (대사 김기수-국장)

예고: 92.6.30. 일반

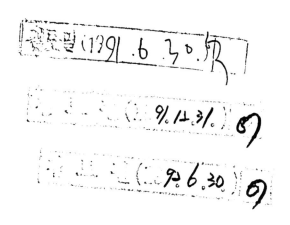

관리 번호	91 -611

외 무 부

종 별 :

번 호 : COW-0093   일 시 : 91 0304 1800

수 신 : 장관(국연,미중)

발 신 : 주 코스타리카 대사

제 목 : 유엔가입문제

대:1) EM-0003,0004

2) EM-0005

1. 본직은 금 4 일 정덕소참사관 대동, 외무성 CONEJO 대외정책국장을 면담, 대호 1) 외무부성명(서어번역문포함)을 공한과 함께 수교하고 대호 2) 유엔가입문제관련 중국의 호의적 태도등 국제적 지지분위기를 언급하고, 제 45 차 유엔총회에서 주재국이 아국을 적극 지지하여 준 것을 상기시키면서 금년도 아국의 유엔가입을 적극 지지하여 줄 것을 요청하였음.

2. 이에 대하여 동 국장은 아국의 유엔 가입문제와 관련, 주재국의 대 아국적극지지 태도에는 변화가 없다고 하면서, 외상에게 적극지지를 건의하겠다고 말하였음.

3. 정참사관은 이어 VICTOR MONGE 국제기구과장, JORGE SAENZ 장관보좌관(국제기구담당), ALVAREZ 한국과장을 차례로 방문, 상기 공한 및 성명서 사본을 수교, 협조 요청한 바, 적극 지지 건의하겠다고 하였음. 끝.

(대사 김창근-국장)

예고:91.12.31. 일반동에
의거 단반문서로 재분됨

1991.6.30.⎯

국기국   장관   차관   1차보   2차보   미주국

PAGE 1   91.03.05   09:53

외 무 부

원 본

종   별 :

번   호 : SUW-0066   일   시 : 91 0305 1740

수   신 : 장관(국연,국기,미중)

발   신 : 주 수리남 대사

제   목 : 대주재국 국제기구교섭

대:EM-0002,0003, 국기 20333-4810

연:SUW-0005

5 일 AMANH 아주국장 당관 방문시 대호에 관하여 아래같이 접촉하였음을 보고함.

1. 외무부 성명문 수교:

본직은 한국정부의 유엔가입 지지교섭에 대한 주재국 정부의 적극적인 지지태도표명에 사의를 표하고 대호 외무부 성명문을 참고로 수교하였음. 아주국장은 한국의 유엔가입 지지표명에 과도정부의 향배가 불투명하며 <u>5 월총선거후 신정부 수립시 보다 적극적인 교섭이 요망</u>된다고 하였음.

2. 유네스코 집행위원 입후보:

대호 구상서및 자료를 수교하고 주재국 정부의 지지를 요청한바, 이를 긍정적으로 받아드리고 주재국도 UNESCO 집행위원교체시 한국정부가 적극지지하여 줄것을 요청하여 왔음. 본직은 본국정부에 보고 주재국 대표의 집행위 입후보시 적극지지하여 줄것을 요청후 반응 있는대로 재접촉키로 하였는바, 동지지교섭 획득을 위해 상호 긴밀한 협력관계를 유지, 주재국 대표의 입후보도 지지하여 줄것을건의하오니 본부방침 회보바람.

3. IPU 대표단:

주재국 국회및 정부는 연호보고와 같이 5.25. 총선거에 대비 5 월 평양개최IPU 총회에 대표단을 파견치 않기로 결정하였다고 통보하여 왔음. 끝.

(대사 김교식-국제기구조약국장)

예고:91.12.31. 에일반고문에
의거 인반문서로 재분됨

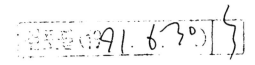

국기국	장관	차관	1차보	2차보	미주국	국기국

91.03.06   07:51

외신 2과 통제관 BW

0017

관리	9/
번호	-650

원 본

외 무 부

종 별 :

번 호 : COW-0096

일 시 : 91 0306 2020

수 신 : 장관(국연,미중)

발 신 : 주 코스타리카 대사

제 목 : 유엔가입 문제

연:COW-0093

대:EM-0003-5

1. 연호건과 관련 외무성 CONEJO 대외정책국장은 아래 요지 주재국의 아국 유엔가입 지지를 거듭 밝히는 본직앞 공한을 송부하여 왔음을 보고함.

"EN ATENCION A LO SOLICITADO, LE REITERO NUESTRO APOYO A LAS GESTIONESDE LA REPUBLICA DE COREA EN LO CONCERNIENTE A SU MEMBRESIA EN LA ORGANIZACION DE LAS NACIONES UNIDAS."

2. 상기 공한 사본 3.7 일 파편 송부위계임.끝.

(대사 김창근-국장)

예고:91.12.31 일반

국기국	장관	차관	1차보	2차보	미주국

PAGE 1

91.03.07 13:48

외신 2과 통제관 BW

0018

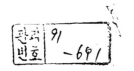

신뢰받는 정부되고 받쳐주는 국민되자

주 코 스 타 리 카 대 사 관

코스타(정)20317-19   1991. 3. 6

수 신 : 장 관
참 조 : 국제기구조약국장, 미주국장
제 목 : 유엔 가입 문제

    연 : COW-0096
    대 : EM-0003-5

    연호 아국 유엔 가입 지지 관련 외무성의 본직앞 공한을 별첨 송부합니다.

첨 부 : 동 공한 사본 1부. 끝.

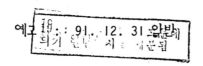

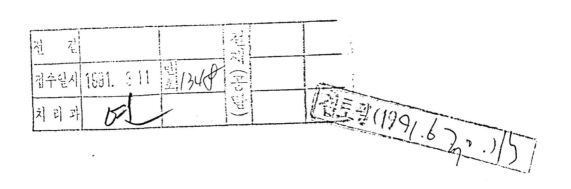

주 코 스 타 리 카 대 사

0019

REPUBLICA DE COSTA RICA
MINISTERIO DE RELACIONES EXTERIORES Y CULTO

DGPE/ SGOI/ 195/ 91

San José, 6 de marzo de 1991

Excelencia:

Tengo el honor de dirigirme a Vuestra Excelencia en ocasión de acusar recibo de la nota KCR/ 91/ 02/ 052, del pasado 28 de febrero del año en curso, enviada al señor Ministro de Relaciones Exteriores y Culto, Dr. Bernd H. Niehaus Q.

En atención a lo solicitado, le reitero nuestro apoyo a las gestiones de la República de Corea en lo concerniente a su membresía en la Organización de las Naciones Unidas.

Sin otro particular, aprovecho la oportunidad para expresar a Vuestra Excelencia el testimonio de mi mayor consideración y estima.

José de J. Conejo
Director General de Política Exterior

Excelentísimo Señor
Chang Keun Kim
Embajador de la República de Corea
Ciudad.-

VM/gemc

0020

KCR/91-02-052

San José, 28 de febrero de 1991

Excelencia:

Tengo el honor de dirigirme a Vuestra Excelencia con mi más cordial y respetuoso saludo, a la vez que me permito adjuntar la declaración de la República de Corea sobre la membresía de Corea en las Naciones Unidas, en relación con el "Aide-Memoire" de Corea del Norte circulado como Documento del Consejo de Seguridad de las. Naciones Unidas No. S/22253 de fecha 22 de febrero de 1991, el cual distorsiona la posición de la República de Corea en lo concerniente a su membresía en las Naciones Unidas.

Asimismo, y según la declaración adjunta, la República de Corea intenta obtener la membresía en las Naciones Unidas antes o durante su 46ta Sesión de la Asamblea General.

Por lo anterior, aprovecho esta oportunidad para solicitar nuevamente el apoyo continuo del Ilustre Gobierno de la República de Costa Rica a la posición del Gobierno de la República de Corea que es la de ejercer su derecho soberano de buscar la membresía en las Naciones Unidas en forma independiente según el Principio de Universalidad de las Naciones Unidas en este año así como fue expresado en el discurso pronunciado por Vuestra Excelencia en la 45ta Asamblea General de las Naciones Unidas celebrada el año pasado.

Sin otro particular, aprovecho la ocasión para reiterar a Vuestra Excelencia el testimonio de mi mayor consideración y estima.

0021

DECLARACION DEL MINISTRO DE RELACIONES EXTERIORES DE LA REPUBLICA DE COREA SOBRE LA MEMBRESIA DE COREA EN LAS NACIONES UNIDAS.

27 DE FEBRERO DE 1991

EN RELACION CON LOS INTENTOS RECIENTES DE COREA DEL NORTE DE DISTORSIONAR Y HASTA DIFAMAR LA POSICION DE LA REPUBLICA DE COREA EN LO CONCERNIENTE A LA MEMBRESIA DE LA REPUBLICA DE COREA A LAS NACIONES UNIDAS, EL GOBIERNO DE LA REPUBLICA DE COREA DESEA REPLANTEAR INEQUIVOCAMENTE SU POSICION COMO SIGUE.

ES NUESTRA FIRME CREENCIA QUE LA ADMISION DE AMBAS COREAS A LAS NACIONES UNIDAS, COMO UNA MEDIDA PROVISIONAL HASTA LA REUNIFICACION DEBE REALIZARSE LO MAS PRONTO POSIBLE CON EL FIN DE QUE EL SUR Y EL NORTE ASUMAN SUS PAPELES LEGITIMOS COMO MIEMBROS DE LA COMUNIDAD INTERNACIONAL. SIN EMBARGO, EN CASO DE QUE NORCOREA NO ESTUVIERA DISPUESTA O NO ESTUVIERA PREPARADA PARA ASOCIARSE A LAS NACIONES UNIDAS, LA REPUBLICA DE COREA TIENE LA INTENCION DE OBTENER LA MEMBRESIA DURANTE ESTE AÑO, EN ANTICIPACION A LA ADMISION SUBSIGUIENTE DE NORCOREA. LA GRAN MAYORIA DE LOS PAISES MIEMBROS DE LAS NACIONES UNIDOS HAN EXPRESADO SU APOYO TOTAL A LA POSICION DE LA REPUBLICA DE COREA. ESTE APOYO, EN RECONOCIMIENTO AL PRINCIPIO DE UNIVERSALIDAD DE LAS NACIONES UNIDAS Y LA IMPORTANCIA DE LA REPUBLICA DE COREA ANTE LA COMUNIDAD MUNDIAL, FUE DEMOSTRADA EN FORMA ELOCUENTE DURANTE EL DEBATE GENERAL DE LA 45TA ASAMBLEA GENERAL DE LAS NACIONES UNIDAS EN 1990.

EL GOBIERNO DE LA REPUBLICA DE COREA HA REALIZADO TODOS LOS ESFUERZOS EN BUENA FE PARA PERSUADIR AL NORTE CON EL FIN DE QUE ACEPTE MEMBRESIA SIMULTANEA A LAS NACIONES UNIDAS, HACIENDO USO DE TODAS LAS OPORTUNIDADES Y MEDIOS POSIBLES, INCLUYENDO CONVERSACIONES ENTRE LOS PRIMEROS MINISTROS. HEMOS PROPUESTO, ADEMAS, UN MEDIO DE COOPERACION ENTRE EL SUR Y EL NORTE, DURANTE SU PARTICIPACION EN EL TRABAJO DE LAS NACIONES UNIDAS UNA VEZ QUE AMBAS HAYAN SIDO ADMITIDAS.

A PESAR DE NUESTROS ESFUERZOS EXHAUSTIVOS, COREA DEL NORTE, A TRAVES DEL "AIDE-MEMOIRE" EMITIDO POR SU MINISTERIO DE RELACIONES EXTERIOERES, CIRCULADO COMO DOCUMENTO NO. S/22253 DEL CONSEJO DE SEGURIDAD, DE FECHA 22 DE FEBRERO DE 1991,

0022

CONTINUA APEGADO A SU "MEMBRESIA EN UN SOLO ASIENTO", FORMULA QUE YA HA PROBADO NO SER REALISTA NI FACTIBLE. COREA DEL NORTE TAMBIEN INSISTE EN QUE NINGUNA DE LAS DOS COREAS PUEDE PRESENTAR APLICACION PARA MEMBRESIA HASTA QUE SE HAYA LOGRADO UN ACUERDO ENTRE AMBAS, A PESAR DE QUE LA MEMBRESIA A LAS NACIONES UNIDAS ES CLARA Y ESENCIALMENTE UN ASUNTO ENTRE LAS NACIONES UNIDAS Y LOS PAISES BUSCANDO MEMBRESIA. COREA DEL NORTE HA IDO TAN LEJOS HASTA A AMENAZAR CON QUE "NADIE PUEDE PREDECIR QUE CLASE DE EVENTOS SUCEDERIAN EN LA PENINSULA COREANA" SI LA REPUBLICA DE COREA ES ADMITIDA A LAS NACIONES UNIDAS. ESTA ACTITUD DE COREA DEL NORTE NO SOLO HACE IMPOSIBLE QUE CONTINUE NUESTRA PACIENTE BUSQUEDA DE LA MEMBRESIA SIMULTANEA, SINO QUE TAMBIEN ES CONTRARIA A LOS DESEOS DE LA COMUNIDAD INTERNACIONAL.

EL GOBIERNO DE LA REPUBLICA DE COREA UNA VEZ MAS INSTA A COREA DEL NORTE A QUE ABANDONE SU POSICION IRRACIONAL E IRREALISTA Y QUE SE UNA A LAS NACIONES UNIDAS CON LA REPUBLICA DE COREA. APROVECHAMOS ESTA OPORTUNIDAD PARA DECLARAR CLARAMENTE QUE, SI COREA DEL NORTE DEJA OIDOS SORDOS A NUESTRA LLAMADA JUSTA, EJERCITAREMOS NUESTRO DERECHO SOBERANO DE BUSCAR LA MEMBRESIA INDEPENDIENTEMENTE, ANTES O DURANTE LA 46TA SESION DE LA ASAMBLEA GENERAL DE LAS NACIONES UNIDAS. FIN.

0023

STATEMENT OF THE MINISTRY OF FOREIGN AFFAIRS OF THE REPUBLIC OF KOREA

ON KOREA'S UNITED NATIONS MEMBERSHIP

February 27, 1991

In connection with the North Korea's recent attempts to distort and even slander the position of the Republic of Korea concerning Korea's United Nations membership, the Government of the Republic of Korea wishes to restate unequivocally its position as follows.

It is our firm belief that the admission of both Koreas to the United Nations, as an interim measure pending reunification, should be realized at an earliest possible date, so that the South and the North may assume their legitimate roles as responsible members of the international community. However, in the case North Korea is unwilling or not yet ready to join the United Nations, the Republic of Korea intends to seek United Nations membership during this year in anticipation of subsquent admission of North Korea. The vast majority of the States Members of the United Nations have expressed their full support for the Republic of Korea's position. This support, in recognition of the Principle of Universality of the United Nations and of the Republic of Korea's standing in the world community, was eloquently demonstrated during the General Debate of the 45th Session of the United Nations General Assembly in 1990.

The Government of the Republic of Korea has made every effort in good faith to persuade the North to accept simultaneous United Nations membership, making use of all available occasions and channels, including Prime Ministers' talks. We have further proposed a means of cooperation between the South and the North, during their participation in the work of the United Nations after both have been admitted to the United Nations.

0024

Despite our exhaustive efforts, North Korea, through its Foreign Ministry's Aide-Memoire circulated as Security Council Document S/22253 dated February 22, 1991, continues to adhere to its 'Single Seat Membership' formula, which has already been proven to be unrealistic and unworkable. North Korea also insists that neither Korea can submit application for membership until an agreement is reached between the two Koreas, despite the fact that United Nations membership is clearly and essentially a matter between the United Nations and the States seeking membership. North Korea has even gone so far as to threaten that 'no one can predict what sort of events may happen on the Korean Peninsula,' if the Republic of Korea is admitted to the United Nations. This attitude of North Korea not only makes the continuation of our patient pursuit of simultaneous membership practically impossible, but also runs counter to the wishes of the international community.

The Government of the Republic of Korea once again urges North Korea to abandon its irrational and unrealistic position and to join the United Nations with the Republic of Korea. We take this opportunity to state clearly that, if North Korea remains deaf to our just call, we will exercise our sovereign right to seek United Nations membership independently, before or during the 46th Session of the United Nations General Assembly.-END

0025

EMBAJADA DE LA REPUBLICA DE COREA
COSTA RICA

San José, 28 de febrero de 1991

Excelencia:

Tengo el honor de dirigirme a Vuestra Excelencia con mi más cordial y respetuoso saludo, a la vez que me permito adjuntar la declaración de la República de Corea sobre la membresía de Corea en las Naciones Unidas, en relación con el "Aide-Memoire" de Corea del Norte circulado como Documento del Consejo de Seguridad de las Naciones Unidas No. S/22253 de fecha 22 de febrero de 1991, el cual distorsiona la posición de la República de Corea en lo concerniente a su membresía en las Naciones Unidas.

Asimismo, y según la declaración adjunta, la República de Corea intenta obtener la membresía en las Naciones Unidas antes o durante su 46ta Sesión de la Asamblea General.

Por lo anterior, aprovecho esta oportunidad para solicitar nuevamente el apoyo continuo del Ilustre Gobierno de la República de Costa Rica a la posición del Gobierno de la República de Corea que es la de ejercer su derecho soberano de buscar la membresía en las Naciones Unidas en forma independiente según el Principio de Universalidad de las Naciones Unidas en este año así como fue expresado en el discurso pronunciado por Vuestra Excelencia en la 45ta Asamblea General de las Naciones Unidas celebrada el año pasado.

Sin otro particular, aprovecho la ocasión para reiterar a Vuestra Excelencia el testimonio de mi mayor consideración y estima.

CHANG KEUN KIM
Embajador

Adjunto: Declaración

Excmo. Sr.
Lic. Bernd Niehaus
Ministro de Relaciones Exteriores y Culto
Ciudad.-

0026

관리	91
번호	-697

외 무 부

원 본

종 별 :

번 호 : BRW-0195   일 시 : 91 0312 1800

수 신 : 장 관(국연,미남)

발 신 : 주 브라질 대사

제 목 : 아국의 유엔가입 지지협조 요청

연: BRW-0694, 0698

1. 본직은 3.12 오전 임 참사관을 대동하고 최근 취임한 주재국 국제기구국장 JOSE VIEGAS FILHO 를 방문, 취임을 축하하고 노대통령의 금년 외교최대 목표로서 유엔가입 추진지시 사실, 남북한 유엔가입 문제에 대한 아국입장과 북한측의 2.20 자 외교부 비망록의 아엔안보리 문서배포 내용및 허구성등을 지적 설명하고, 90.10 월 주재국 정부가 취한 아국의 UN 가입지지 입장에 대해 사의를 표하면서 금년 브라질의 유엔총회 기조연설시 아국의 유엔가입 문제를 포함시켜 줄것과 아국이 유엔가입을 신청할 경우 계속 지지해 줄것을 요청함.

2. JOSE VIEGAS FILHO 국장은 이에대해 남북한의 경제력, 북한 폐쇄사회에 대한 페레스트로이카 영향여부, 총리및 체육회담등 남북대화 현황, 남북한 유엔 가입방식및 중.소등의 지지 가능성등 광범위하게 관심을 표하고, 북한사회 개방문제는 북한 현정권의 인식이 문제일 것으로 본다고 의견을 피력함.

또한 동국장은 금년 유엔총회 기조연설문은 아직 손대지 않고있다고 설명하고 한국측 요청을 유념하여 계속 검토 할것이라고 회답함.

3. 본직은 중공과 소련의 아국 유엔가입 관련 입장에 대해 소련은 아국과 외교관계를 90.9 월말 수립하였으므로 별문제는 없을것이고, 현재 아국과 무역대표부를 교환 설치하고 있는 중국측은 아국과의 관계가 더욱 발전될 것으로 전망되고 있으며 중국측도 아국을 새로이 인식하기 시작하였는바, 주재국을 위시한 국제적 지지분위기가 중국측 태도변화에 중요한 요인으로 작용될 것임을 강조하면서 브라질 정부의 적극협조를 부탁해두었음. 끝.

(대사 김기수-국장)

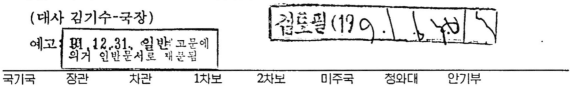

예고: 91.12.31. 일반고문에 의거 인반문서로 재분류

국기국	장관	차관	1차보	2차보	미주국	청와대	안기부

원 본

외 무 부

```
┌─────────────┐
│ 관리  9/    │
│ 번호 -145   │
└─────────────┘
```

종   별 :

번   호 : MXW-0277   일   시 : 91 0313 1800

수   신 : 장관(국연,미중)

발   신 : 주 멕시코 대사

제   목 : 유엔가입 지지교섭

대:EM-0007

연:MXW-102,236

1. 본직은 금 91.3.13. 12:30 외무성 유엔국장 O.PELLICER 대사(금년초까지주유엔 차석대사)를 방문 제 46 차 총회이전 또는 총회기간중 아국이 유엔 단독 가입을 신청키로한 아국 정부결정을 알리면서 아측 입장을 약 20 분에 걸쳐 소상히 설명하고 주재국의 지지를 요청하는 동일자 당관 구상서(91.2.27 자 외무부 발표문, 3.8 자 장관 기자 회견내용, 90.12.20 자 안보리 문서 및 90.10.1 자주재국 대통령의 유엔 총회 기로연설중 관련내용 발췌문등 첨부)를 전달함.

2. 본직은 또한 90.8.1. 아국 대통령 특사 방멕중 주재국 대통령 면담시 유엔 가입 지지요청과 동년 10.1. 제 45 차 총회 기조연설시 SALINAS 대통령의 "보편성 원칙에 의한 모든 국가의 유엔 가입 환영 및 권장" 발언, 특히 90.9.28. 전임국장 E.BUJ 대사의 본직과의 면담중 "한국이 유엔 가입 신청을 하면 지지할것"이라 확약한 사실등을 상기시키는 한편 획기적인 한. 멕 실질관계의 발전(봉상-부자, 혼성위개최, 외상방한, '환태평양 협력기구내의 아국의 위치등) 사실을 알리고 신임 주위국장에 대한 두번째 집중 교섭을 한바 매우 긍정적인 반응을 얻음.

3. 동국장은 북한의 단일의석 가입 주장은 "ABSURD"하다하고 아국의 단독가입에 대한 북한측 반대 ARGUMENTS 와 비동맹 그룹, 특히 유고의 입장등에 관해 문의해와 적절한 답변을 해준바 있음.

4. 본직은 동국장 면담에 이어 MIJARES 아. 태국장 대리(국장공석중)와도 면담 유엔 국장과의 면담 내용을 알리고 지역국의 적극 협조, 특히 한. 멕 쌍무관계의 중요성등을 유엔국에 적기, 적절히 전달해 줄것도 아울러 당부하고 관련문서 사본을 수교함.

국기국	차관	1차보	2차보	미주국	청와대	안기부

PAGE 1

91.03.14   11:21
외신 2과 통제관 BW

0028

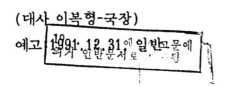

(대사 이복형-국장)

예고 1991. 12. 31에 일반공문에
의거 인반문서로 ...됨

검 토 필 (1996. 6. 30.)

관리
번호 91
1 -144

외 무 부

종 별 :

번 호 : MXW-0278   일 시 : 91 0313 1810

수 신 : 장관(정특반,국연,미중)

발 신 : 주 멕시코 대사

제 목 : APEC 협력

대:WMX-0132

1. 본직은 금 91.3.13. 오후 주재국 외무성 MIJARES 아태국장 대리(국장공석중)를 방문 유엔국에 대한 아국의 유엔가입지지 교섭과 병행한 대지역국 측면 교섭시 대호 APEC SOM 회의 내용을 대략 알려준바 있음.

2. 지난 2.14. 이시영 대사의 주재국 방문중 A.ROZENTAL 차관이 요청한 91.10. 제 3 차 APEC 각료회의시 동차관의 옵서버 자격 참석안에 관해 관심을 갖어주시고 진전있을시 회자바람.

(대사 이복형-국장)

예굽 1991.12.31.에 일반에
의거 일반문서로 재분류됨

정특반   미주국   국기국

PAGE 1   91.03.14   11:22

검토필(1991.6.30.)

외신 2과 통제관 BW

0030

원 본
K/UN

관리	91
번호	-790

외 무 부

종 별 :

번 호 : URW-0035

일 시 : 91 0314 1250

수 신 : 장관(국연,미남)

발 신 : 주 우루과이 대사

제 목 : 아국 유엔가입에대한 주재국 반응

대:EM-0007, 국연 2031-104

　　본직은 3.13 오전 ESPIELL 주재국 외상을 방문, 아국 유엔가입 정책을 설명하며 협조를 요청한바, 동외상은 90 년도 유엔총회에서 아국을 지지한 주재국의 입장은 불변이며 동외상이 금년도 유엔총회에 참석하는경우, 아국입장을 계속지지할것이라고 언급함.

　　(대사-국장)

　　예고:91.6.30 일반

국기국　　　차관　　　1차보　　　미주국　　　청와대　　　안기부

PAGE 1

外　務　部

관리번호 91 -754

종　별 :

번　호 : SUW-0074

일　시 : 91 0314 1440

수　신 : 장관(국연,국기,정이,미중)

발　신 : 주 수리남 대사

제　목 : 국제기구 협력

대:EM-0006, 국기 20331-480
연:SUW-0066

본직은 3.14. 외무성 국제기구국장 LEEFLANG 대사 당관 방문시(신청사 예방) 표제 국제기구협력에 관해 관계자료를 수교하고 아래와 같이 의견을 교환하였음을 보고함.

　1. 한국의 유엔가입문제:

　LEEFLANG 대사는 주재국이 90 년도 유엔총회연설에서 한국의 유엔가입을 적극 지지하는 발언을 하였음을 상기시키고 현과도정부가 급격한 정책변화가 없는한 한국의 유엔가입지지는 기정사실이라고 언급함. 주재국 과도정부는 연호보고와 같이 대외정책 검토를 위한 정부관계관및 군부인사와 일련의 회의를 갖인바, 군부측의 북한과의 관계정상화 요청이 있었으나 그간의 북한과의 접촉및 진전없었으며 한국과의 협력관계가 두터운 현상황하에서는 별다른 변화가 없을것이라 하였음. 주재국 유엔총회 정부선발대는 9 월초 유엔대표단에 합류할것이라고 함.

　2. 유네스코 집행위 입후보:

　AMANH 아주국장을 통해 표제 입후보 사실을 알고 있으며 주재국도 표제 입후보 여부 결정되는대로 재접촉, 상호 협력하기를 바란다고 언급함.

　3. I.M.O. 이사국 입후보:

　한국의 경제규모및 선박보유량등으로 미루어 IMO 이사국입후보는 당연한 것으로 간주하고 있으며 주재국 대표단이 결정되는대로 재협의 키로 하였음.

　4. 기타 IAEA, FAO:

　본직은 한국의 91년도 표제기구 이사국 출마예정임을 시사하고 주재국의 협력을 요청하였음. 끝.

　(대사 김교식-국기국장)

국기국	차관	1차보	미주국	국기국	정문국	청와대	안기부

예고:91.12.31. 일반 고문에
의거 인반 서

검토필(19 91. 6. 30.) 7

외 무 부

원 본

관리
번호 : 91 -164

종 별 :

번 호 : ARW-0196

수 신 : 장관(국연,미남)

발 신 : 주 아르헨티나 대사

제 목 : 유엔가입

일 시 : 91 0314 1720

대:EM-5,6

1. 본직은 3.14. 주재국 외무부 ENRIQUE TIRANA 국제기구국장 및 GOMERNSORO 유엔담당관을 오찬에 초청코(신참사관 동석), 아국의 유엔 가입문제에 관해 상세 설명하고, 주재국의 적극적인 지지를 요청하였음. 특히 주재국의 아국 입장지지가 중국의 태도변화에 매우 중요함을 강조 협력을 요청하였음(대호 장관님의 REMARKS 전달)

2. 동 국장은 아국의 입장 및 아국의 유엔 가입관련 유엔의 분위기 및 북한비망록의 문제점등을 이해하고 아국의 유엔 가입을 위해 협력할것임을 언급하였음. 또한 주재국 정부가 주북경대사를 교체중이라고 하고 신임 LUCAS BLANCO 대사(북미국장)를 접촉할것을 조언하였으므로 동대사의 부임전에 접촉예정임.

3. 주재국 정부는 아국의 유엔가입 관련, 가능한 협력을 할것으로 판단되나 구체적으로 주재국 정부가 할수 있는 역할이 있다면 훈령 바람.

(대사 이상진-국장)

예고:91.12.31.에 일반문고에 의거 일반문서로 재분류됨

국기국   차관   1차보   미주국   청와대   안기부

91.03.15   07:57

외신 2과 통제관 FE

검토필(1991. 6. 30) 3

0034

원 본

외 무 부

관리 91
번호 -760

종 별 :

번 호 : CSW-0188   일 시 : 91 0314 1800

수 신 : 장관(국연,미남)

발 신 : 주 칠레 대사

제 목 : 유엔 가입문제 관련 외무부 성명문

대:EM-0003,4

1. 대호와 관련, 당관은 아국의 유엔 가입문제와 관련한 대 주재국 정부 예비접촉 활동의 일환으로, 2.28. 표제 성명문을 주재국 외무성에 전달한바 있음.

2. 이에대하여, 주재국 외무성은 3.13. 자 당관앞 구상서를 통하여, 아국의조속한 유엔 가입에 대한 희망을 표명하여 왔기, 보고함.

3. 이에 앞서, 본직은 2.22. 외무성 정무총국의 ROLANDO STEIN 다자국장을 부임 인사차 예방한 자리에서 유엔등에서의 계속적인 협조를 다짐 받은바 있으며, 금 3.14. 배진 참사관이 같은 목적으로 PATRICIO MONTERO 신임 유엔과장을 면담 하였음. 끝

(대사 문창화-국장)

예공:91.12.31. 일반문에
의거 일반문서로 재분류

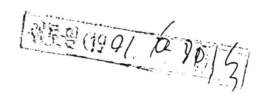

국기국   차관   1차보   미주국   청와대   안기부

PAGE 1   91.03.15   08:51
외신 2과 통제관 FE

0035

관리
번호 91 -763

외 무 부

종 별 :

번 호 : COW-0116   일 시 : 91 0314 1830

수 신 : 장관(미중,국연)

발 신 : 주 코스타리카 대사

제 목 : 외무차관 면담

대:EM-0003-5

연:COW-0050

금 14 일 본직의 CASTRO 외무차관 면담요지 아래보고함.

1. 동 차관 요청, 외무성 기자실용 TV 1 대 기증(삼성 코스타리카사에서 협조)

2. 진이 공장에서 보유하고 있는 여자의류 불합격품(1 만착 예상, 시중가격8-10 만불상당 추산)의 극빈자들 위한 대 주재국정부 기증문제 협의. 동 협의에서 이를 대통령부인에게 기증, 처리하도록 합의.

3. 대호 아국 유엔가입 적극 지지할 것이라고 재다짐.

4. 대만정부 공식초청 받았다면서 연호 5 월말 방한(부인, 딸동반)의사 강력 재표명. 끝.

(대사 김창근-국장)

예고:91.12.31.' 일반문에 의거 일반문서로 재분류됨

미주국   국기국

| 관리
번호 | 91
~785 |

외 무 부

종   별 :

번   호 : DMW-0055   일   시 : 91 0315 1615

수   신 : 장관(국연,국기,미중)

발   신 : 주 도미니카(공) 대사

제   목 : 유엔 및 국제기구국장 면담보고

대:EM-0006, 국기 20333-4810,480

1. 소직은 금 3.15. 외무성 유엔 및 국제기구국장인 KEMIL DIPP 대사와 면담, 그간 도미니카 정부가 유엔등 국제기구에서 아국을 지지하여준데 사의를 표명하고 앞으로도 계속 지지해줄 것을 요청하였음. 특히 아국의 유엔가입문제와 관련, 남북한 동시가입이 바람직하나, 북한이 동시가입에 계속 반대할 경우, 한국이 단독으로나마 유엔가입을 추진할수 밖에 없음을 설명하고 이 경우 도미니카정부의 적극적인 지지를 요청하였음. (이와관련 장관님의 3.8. 자 기자 간담회 내용을 참고로 수교하였음.)

2. 이에 대해 동 국장은 한국의 유엔가입은 조속 실현되어야 한다는데 동감을 표시하면서, 아국이 정식 요청할 경우, 주재국은 이를 적극 지지할 것이라고 말하였음.

3. 또한 소직은 대호 유네스코 집행위원 입후보와 국제해사기구 이사국 출마 를 설명하고 주재국의 지지를 요청한바, 동 국장은 관계당국과 협의를 거쳐 정식 회보하겠다고 하면서, 긍정적인 내용이 될 것이라고 말하였음. 진전사항은 추보위계임.

(대사 박 련-국장)

예고:91.12.31 에 일반 고 예

검토필(1991. 6.30.까지

─────────────────────────────────────

국기국   차관   1차보   미주국   국기국   청와대

PAGE 1   91.03.16   06:19

                                               외신 2과 통제관 CE
                                                     0037

외 무 부

원 본

종 별 :

번 호 : BVW-0084

일 시 : 91 0315 1800

수 신 : 장 관(국연,미남,정홍,정일)

발 신 : 주 볼리비아 대사

제 목 : 한국의 유엔가입 관련 사설기사 게재

1. 주재국 3대 일간지의 하나로 주재국 제2도시 산타크루스시 발행 'EL MUNDO'지는 금 3.15.자 '유엔과 2개한국'이라는 제하 사설기사를 통하여 보편성 원리에 입각한 남북한의 유엔가입 필요성을 강조하고 북한이 여의치 않은 경우 남한이라도 먼저 가입하여 남북한을 유엔의 품안에 받아드림으로서 한반도의 봉일실현을 촉진하도록, 금차 유엔총회가 차별되우로 세계기구를 손상시키지 않고 결실있는 역할을 해주기를 기대한다고 희망했음.

2. 동 사설기사를 다음주 정파편 송부함.끝.

(대사 명인세 -국제기구조약 국장)

국기국   1차보   미주국   정문국   정문국   안기부

관리
번호 91-798

발 신 전 보

분류번호	보존기간

번 호 : WAR-0115　910316 1609　DN종별 : ‥

수 신 : 주　　아르헨티나　대사.♣훙♣엉♣사

발 신 : 장 관　　　（국연）

제 목 : 유엔가입

대 : ARW-0196

1. 대호관련, 주재국외상등 주요인사의 중국방문 계획 확인시
보고바람

2. 주재국이 역내 주요국가이고 비동맹내 선도국임에 비추어 ~~총회개막 전이라도~~ 금후
금후 적절한 계기에 우리의 유엔가입문제에 관하여 확실한 지지
입장을 표명해준다면 우리의 가입실현에 필요한 국제적 분위기
조성에 크게 기여할 것이므로, 금후 주재국측과 접촉시 자연스럽게
아래사항에 대해 협조요청 바람.

ㅇ 주요인사 방중 및 중국 주요인사의 방알젠틴시, 우리의 가입에
　관한 주재국의 확고한 지지입장 및 국제적 지지 분위기 전달

ㅇ 역내 지역국가회의 또는 유엔내 지역활동등 활용, 아국가입에
　대한 라틴아메리카지역내 지지분위기 확산. 끝.

（국제기구조약국장 문동석）

보 안 통 제	《~~

앙 고 재	91 년 3 월 16 일	U N 과	기안자 성명		과 장		국 장		차 관	장 관		외신과통제
							전결					

0039

검토필(1991. 6. 18.)

관리 91
번호 -906

원 본

62
36

외 무 부

종 별 :

번 호 : HAW-0068

일 시 : 91 0320 1549

수 신 : 장관(국연,미중)

발 신 : 주 아이티 대사대리

제 목 : 주재국 외무장관면담

연:HAW-51

대:EM-7

1. 본직은 금 3.20 JEAN LOUIS 주재국 외무장관을 방문, 동장관의 지난 2.20자 장관 취임을 축하하고 (공식행사시 이미 축하인사를 한바 있음)한반도 정세아국의 유엔가입문제 양국간 관계 증진방안에대해 의견을 교환한바 동면담 요지를 아래와같이 보고함.

가. 본직은 2 차대전후한반도 분단, 한국전발발, 남북한간의 극한대결 상황을 설명하고 최근 남북한간의 대화가 진행되고 있으나 북한의 불성실한 태도로 별다른 진전이 없는바 이는 북한이 아직 한반도의 공산화 통일야욕을 버리지 못하고 있기 때문이라고 지적하면서 아이티 같은 아국의 우방국들은 북한에 대해 계속경계심을 갖어줄것을 바란다고 말하였음.

나. 이어서 본직은 아국정부가 금년중에 유엔가입을 신청할 계획이라고 말하고 북한의 단일 의석 가입안의 비현실성을 지적하면서 아국이 유엔가입시기를 무한정 연기할수는 없는 실정이라고 하고 새로운 주재국정부도 종전과 같이 아국의 유엔가입을 계속지지 해줄것을 요청하였음.

다. 이에 동장관은 한국문제에 관한 본직의 상세한 설명에 사의를 표하고 북한과 같은 전체주의국가와 대화하는것이 어려울것임을 이해한다고 말하면서 주재국정부는 ~~종전과 마찬가지로 아국의 유엔가입을 계속지지 할것이며 주재국이 할수있는~~ 어떤지원도 아끼지 않을것이라고 말하였음.

2. 본직은 동석상에서 지난 2 월초 주재국 대통령취임식 참석차 방문한 황영시 특사가 지참한 선물을 취임 축하선물로 동장관에게 전달하였음.

3. 동장관은 의사출신으로서 소박하면서도 지성적인 인상을 풍겼으며 장관취임후

국기국   장관   차관   1차보   2차보

PAGE 1

91.03.22   08:44

외신 2과 통제관 CH

0040

최초로 한반도 정세에관한 본직의 설명에 시종경청하는 태도를 보였음을 첨언함.

(대사대리-국장)

예고 1991.12.31에 예고문에
의거 일반문서로 ┌─

관리 91
번호 ─905

원 본

외 무 부

종 별 :

번 호 : PUW-0243   일 시 : 91 0321 1730

수 신 : 장관(국연,미남,정일,기정)

발 신 : 주 페루 대사

제 목 : 수상겸 외무장관 면담

대:국연 2031-3802, EM-006,7

1. 본직은 금 3.21 이창호 참사관 대동, CARLOS TORRES Y TORRES LARA 수상겸 외무장관을 예방, 한. 페 양국간의 전통적 우호관계및 통상 경협관계등을 언급하고, 한반도 정세, 남북총리 회담등 남북대화 진전 상황및 북한 실상등을 약 30 여분에 걸쳐 상세히 설명하면서, 앞으로 양국간의 관계가 더욱 증진되기를 희망한다고 말하였던바, 동수상은 본직의 상세한 설명에 사의를 표하면서, 한국과의 전통적 우호관계및 경제발전상에 관해서는 이미 잘알고있으며, 페루는 경제적으로 어려움을 겪고있기때문에 한국과 같이 발전된 국가로부터 많은것을 배워야 할것이라고 하면서, 양국간의 기존 우호관계를 더욱 발전해야할것임을 강조하였음.

2. 이어 본직은 아국의 대유엔 가입문제를 설명하고 북한이 아국과 함께 유엔에 가입하는것을 계속 반대한다면 아국 정부는 금년중에 유엔헌장의 보편성 원칙에 따라 단독이라도 유엔가입을 추진할 계획임을 설명하면서 아국 유엔가입 신청시 주재국 정부가 적극 지지해 줄것을 요청하였던바, 동수상은 개인적인 견해로는 아국의 유엔가입 실현은 정당한것으로 적극 지지한다고 언급하고, 공식적인검토를 거쳐 페루 정부의 가능한 호의적인 입장을 결정하겠다고 답변하였음.

3. 본직은 대호 유엔가입 문제와 관련한 장관님 정례 기자 간담회내용및 안보리 문서로 배포된 MEMORANDUM 을 동수상에게 전달하였음.

(대사 윤태현-국제기구조약국장)

예고:91.12.31. 일반
의거 일반문서

검토필(1991. 6. 30.)

국기국   차관   1차보   2차보   미주국   정문국   청와대   안기부

외　무　부

관리
번호 91 -935

종　별 :

번　호 : PUW-0252　　　　　　　　　　일　시 : 91 0322 1830

수　신 : 장관(국연,미남,정일,기정)

발　신 : 주 페루 대사

제　목 : 외무차관 면담

대:국연 2031-3082, EM-6,7

1. 본직은 금 3.22 70 분간 ALEJANDRO SAN MARTIN CARO 외무차관을 예방 일반적인 한반도 정세,·한. 페 양국간의 제반 우호 협력 관계, 남북 총리회담 진전상황등 남북한 관계및 북한 실상을 설명하면서, 양국간 계속적인 우호증진 희망을 표시하고 아국의 유엔가입의사를 북한의 반대 입장과 비교, 집중적으로 상술하였음.

2. 동 차관은 본직의 상세한 설명으로 한반도 정셈치 유엔에 대한 남북한 입장을 충분히 이해 했다고 언급하고, 한. 페간의 관계는 전통적 우호를 바탕으로 더욱 발전시켜야 할것이라고 하면서, 한국의 유엔 가입은 유엔 헌장의 보편성의 원칙에 따라 당연히 어져야 할것으로 생각한다고 말함.

3. 이어 본직은 지난해 제 45 차 유엔총회에서 대다수의 국가가 기조연설을통하여 아국의 유엔 가입을 지지하고 있음에 비추어 금년이 아국이 유엔에 가입하는 최적기라고 생각하기 때문에 아국 정부는 금년중 유엔가입을 신청할 계획임을 설명하고 북한이 아국과 함께 유엔에 가입하는것을 원칙으로 하지만 북한이 에 계속 반대할 경우 아국 단독이라도 동방침을 추진할 계획이므로 어제(3.21)CARLOS TORRES 수상겸 외무장관에게도 당부했지만, 실무적 총권한을 갖고있는 차관께서 아국 유엔 가입을 적극 지지토록 협조해 줄것을 요청하였음.

√ 4. 동 차관은 아국 유엔 가입을 정당한것으로 보기 때문에 아측이 정식으로요청할시 적극적으로 검토하여 상부 재가를 얻어 공식입장을 결정하겠다고 언급하였음.

5. 본직은 대호 유엔가입 문제와 관련한 장관님 정례기자 간담회 내용및 안보리 문서로 배포된 MEMORANDUM 을 동차관에 전달하였음.끝.

(대사 윤태현-국제기구조약국장)　　　　　(1991.6.30.)

국기국　　장관　　차관　　1차보　　2차보　　미주국　　정문국　　청와대　　안기부

예고 90.12.31. 일반 고문에
의거 인반문서 됨

검토필(1991. 6.30.)

PAGE 2

0044

원 본

이(흥)

외 무 부

종 별 :

번 호 : DMW-0069　　　　　　　　　　　일 시 : 91 0322 1944

수 신 : 장관(미중,국연,경이,정이)

발 신 : 주 도미니카(공) 대사

제 목 : 외무차관 면담보고

　　대:EM-0006, WDM-0037

　　연:DMW-0055, DMW-0033,0044, DMW-0059

　1. 소직은 금 3.22. 주재국 FABIO HERRERA CABRAL 외무차관 및 아주국장 MIRIAM DE NADAL 대사를 오찬에 초청하고 유엔가입문제를 비롯한 주요현안문제 관련 협의를 가졌음.(한 종회 참사관 동석)

　2. 소직은 아국의 유엔가입의 필요성을 설명하고 동 가입신청시 주재국 정부의 적극 지지협조를 요청하였던바, 동 차관은 한국의 유엔가입은 벌써 이루어졌어야 한다고 말하고, BALAGUER 대통령의 대아국정책에는 아무런 변화가 없으며, 따라서 주재국은 동시가입 또는 단독가입을 막론, 아국의 유엔가입을 적극 지지할 것이라고 하였음.

　3. 소직은 아국의 유엔가입 노력과 관련, 북한의 방해책동 가능성을 지적하고, 북한의 경제위기와 내부모순도 아울러 설명하였음. 소직은 또한 연호로 기보고한 북한 침술요원 4 명의 주재국 장기체류와 관련, 그들의 목적외 활동 가능성을 지적함과 아울러, 금후 북한문제관련 조치나 정보가 있을 경우 사전 소직과 협조하여줄 것을 요청하였음.

　4. 동 차관은 유엔문제 관련 자신의 BALAGUER 대통령과의 빈번한 접촉을 통하여 동 대통령의 아국지지입장에는 변함이 없음을 확인할수 있다고 거듭 표명하는 한편, 북한 침술요원 4 명의 정치활동 가능성은 없을 것이나, 본건은 재조사하여 알려주겠다고 하였음. 특히 동 차관은 북한문제관련 정보나 조치가 있을 경우에는 소직과 사전 협조할 것을 약속하였음.

　5. 동 차관은 아국 산업공단건설조사단의 주재국 방문에 각별한 관심을 표명하고, 주재국은 미국과 유럽의 2 대 시장과 연계된 카리브 경제중심일뿐 아니라, 조만간

미주국　　　차관　　　1차보　　　2차보　　　국기국　　　경제국　　　정문국

CASTRO 도 정치일선에서 물러나고, 주재국과 쿠바간의 경제통합이 가속화될 경우, 인구 2 천만이 넘는 큰 시장이 된다는 점을 지적하면서, 아국투자가 계속 확대되기를 희망하였음.

6. 소직은 또한 작 3.21. J.RICARDO 외상의 쿠바 수교 가능성 시사 보도와 관련, 그 전망을 문의한바, 동 차관은 쿠바와의 비정치적 실질관계가 계속 확대되고 있으나, 당장 수교문제를 거론하기는 이른감이 있다고 말하였음. 끝.

   (대사 박련-차관)

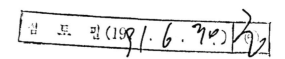

PAGE 2

0046

91-161 "신뢰받는 정부되고 밀어주는 국민되자"

주 엘 살 바 돌 대 사 관

"지급"

주엘경 20621 - 14   1991. 3. 22.

수신   외무부장관

참조   국제경제국장, 미주국장

제목   '91 공관장 회의(제2차 전체회의)
       대 : WLTM-0019
       연 : 주엘경 20621-165(90.8.27)

1. 엘투자 진출 환경

   가. 주재국 정부는 외국투자 유치를 위하여 자유무역지대, 보세구역을
       설치하고 입주업체에 각종 세재 혜택과 과실 송금을 보장하고
       있으며, 중남미에서 가장 우수한 노동력 및 CBI 수혜국으로 미국
       시장 접근이 용이(섬유류는 쿼타 없음)하여 유리한 투자진출 환경을
       갖고 있으며, 외국 투자 비전통 부문(공산품) 수출이 매년 15%
       증가 추세에 있음.

   나. 위 유망성에도 불구 다만 주재국 정세-내전 계속-위협으로 외국
       투자가 부진 상태에 있어 왔으며, 아국은 과거 진출 2개 업체
       철수후 신규 진출이 없는 실정임.

   다. 엘정부와 반도와의 평화협상 진전으로 주재국 정세 호전과 함께
       외국 투자 진출이 활기를 띨것으로 예상되는바, 아국 관심업체는
       시의를 잃지 않을것이 요청됨.

0047

2. 건의사항

가. 업종별 균형 진출 방안 강구

정세 안정시는, 인근국보다 여건이 유리하게된 주재국에 우리
업체의 진출이 다수 이루어질 것으로 기대되는바, 인근국 경험
(과당 경쟁등)에 비추어 특히 의류 봉제의 경우 과당 진출
방지를 위한 대책 강구가 요청됨.

나. 투자 조사반 파견

주재국 정세 호전에 대비 및 우리업체의   진출을 위해 투자
조사단의 파견 적기로 판단되니, 중남미 조사단 파견시에는
주재국 반드시 포함 바람.

다. 국내업계 대상 업무자 촉진 설명회 개최

1991.4월 과테말라 주재 코르라 관장 본부 귀임에 따라 귀국후
주한 엘대사관과 협조 설명회 개최토록 하였는바,   대 주기
바람.

3. 기타

당관은 금년 하반기 주재국 정부 경제 사절단, 상공회의소 사절단
방한등을 추진중임.   끝.

예고 : 91.12.31까지

주 엘 살 바 돌 대(사)

0048

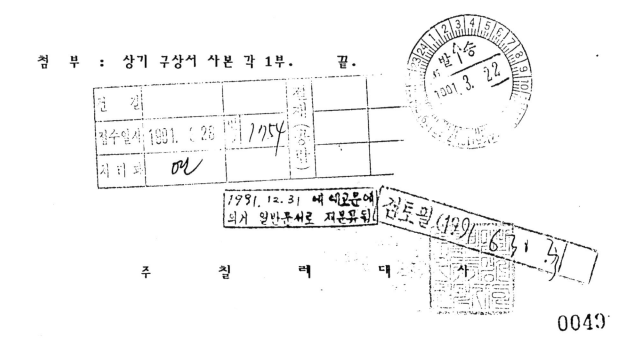

칠려 91 -1038

주 칠 려 대 사 관

칠려 (정) 20312 - 31   1991. 3. 22.

수 신 : 장 관

참 조 : 국제기구조약국장, 미주국장

제 목 : 아국의 유엔 가입 문제 관련 주재국 정부 입장

　　　　　대 ：　EM - 0003, 4
　　　　　연 ：　CSW - 0188

　　　　연호와 관련, 당관이 아국의 유엔 가입 문제에 관한 대호 성명문
(2. 28.자)을 주재국측에 전달한데 대하여, 동 외무성이 아국의 조속한
유엔 가입에대한 희망을 표명하여 온 구상서(3. 13.자) 사본을 별첨 송부합니다.

첨 부 : 상기 구상서 사본 각 1부.　　끝.

1991. 12.31 에 데교문에
의서 일반문서로 재분류됨

검토필(1991 6.31.)

주 칠 려 대 사 관

0049

Nº **5283**

El Ministerio de Relaciones Exteriores -Dirección de Política Multilateral- saluda muy atentamente a la Embajada de la República de Corea y tiene el honor de acusar recibo de su Nota KCP 064/91 del 28 de febrero del año en curso, por la cual tuvo a bien enviar la "Declaración del Ministerio de Relaciones Exteriores de la República de Corea sobre el ingreso de Corea a las Naciones Unidas".

Al respecto, esta Secretaría de Estado se complace en comunicar a esa Misión Diplomática que ha tomado debida nota del contenido del documento citado y hace votos por el pronto ingreso de la República de Corea a la Organización de las Naciones Unidas.

El Ministerio de Relaciones Exteriores se vale de esta ocasión para reiterar a la Embajada de Corea, las seguridades de su más alta y distinguida consideración.

SANTIAGO, 1 3 MAR. 1991

0050

외 무 부

종 별 :

번 호 : LAW-0448   일 시 : 91 0328 0930

수 신 : 장관(경일,미남)사본:주미대사-직송필

발 신 : 주 라성 총영사

제 목 : 91 공관장회의(투자문제)

　　대:WLA-0356,0371

　　대호, 투자문제와 관련 당관에서 파악한 정책제언을 아래와 같이 보고함. 동 제언은 당지에 진출 투자하고 있는 아국상사의 의견을 종합한 것임

　　1. 아국기업의 해외투자 증대방안

　　가. 해외투자허가절차 간소화 문제

　　- 투자허가에 관한 정부의 현행 절차의 복잡화와 투자심의 소요 기간의 장기로 인해, 적기 투자가 어려울 뿐 아니라, 투자교섭시에도 매우 불리한 입장에 놓이는 경우가 허다한점을 고려, 절차 간소화와 심의기간 단축이 요망됨

　　- 또한, 아울러 동 절차적용시에 보다 현지실정에 맞는 규정채택이 요망됨

　　0 현지법인이 효과적 영업활동을 위해 현지 회사와 소액투자 합작회사를 현지에서 만들경우 한국은행 심의절차 생략함이 좋겠음

　　0 외상판매 담보로 취득한 부동산에 대해서는 해외부동산 취득 제한규정 적용에 예외를 인정요망

　　나. 금융지원 확대및 규정완화

　　검 토 필(19 /. 6. 20. 11 ㉚)

　　- 국내 금융지원이 해외 실질 투자소요 자금에 비해 훨씬 적을 뿐 아니라, 현지 금융사용 한도액을 50%로 제한하고 있는데, 해외건물 구입등에 건물자체가 현지금융 50% 이상을 부담하고 있는 경우가 허다하며, 또 그 금융조건이 상당히 유리한 조건임에도 불구, 현지 금융사용 50% 제한조건에 맞추기 위해 무리한 자금부담 조치를 해야할 경우가 있음을 고려할때, 금융 한도액등을 보다 현지실정에 맞게 FLEXIBLE 한 운영이 요망됨

　　다. 신규산업 및 첨단 기술산업에 대한 금융, 세제지원

　　- 첨단 기술확보를 위해 신규 산업 특히 첨단산업 분야에 대한 투자에 대해서는,

경제국   아주국   미주국

PAGE 1

유전개발 경우와 같이, 정부의 금융지원, 세제혜택, 위험부담 지원등 특별지원이 필요함

　라. 국별 품목별 부자 쿼터제 실시

　- 동일국내 동일품종에 대한 아국부자가 지나칠 경우, 결과적으로 아국 기업간의 지나친 경쟁유발 및 주재 정부로 부터 불이익을 받는 경우가 발생함을 고려, 국별, 품목별 부자 쿼터제 채택을 검토할 필요가 있음

　마. 유능한 해외근무 인력확보 문제

　- 국내 경제발전과 해외에서의 자녀교육문제등으로 유능한 인력의 해외 근무기피 현상이 있음을 감안 유능한 직원이 해외에 근무할 수 있도록 하는 대책수립이 요망됨

　2. 외국인의 아국부자 유치증대

　가. 학생데모, 노사분규, 임금상상, 세제상의 혜택 축소등으로 외국부자가들이 대한부자에 매력을 상실하고 있으므로 이와같은 저해 요인의 해소책이 시급함

　나. 대한부자는 첨단기술분야에 중점을 두되, 특별한 정부지원으로 부자된 기술을 아국이 소유할 수 있도록 하는 부자조건의 면밀한 검토가 요망됨. 끝

　(총영사 박종상-국장)

　91.12.31. 까지

공   란

공　　　란

기 안 용 지

분류기호 문서번호	국연 2031-364	(전화 :	)	시 행 상 특별취급	

보존기간	영구·준영구. 10. 5. 3. 1.		장		관

수 신 처 보존기간		

시행일자	1991. 4. 1.	ㅣ

<table>
<tr><td rowspan="3">보
조
기
관</td><td>국 장</td><td>전 결</td><td rowspan="4">협
조
기
관</td><td></td><td>문 서 통 제</td></tr>
<tr><td>과 장</td><td>ℓ℘</td><td></td><td rowspan="2">(인) 1991. 4. 02</td></tr>
<tr><td></td><td>·</td><td></td></tr>
<tr><td colspan="3">기안책임자   정 대 수</td><td>발 송 인</td></tr>
</table>

경 유 수 신 참 조	주유엔대사	발 신 명 의		(인) 1991. 4. 02

제 목	우리의 유연가입문제관련 칠레정부 입장

      주칠레 대사관이 접수한 칠레 외무성의 우리의 조속한 유연

가입을 희망하는 구상서 사본을 별첨 송부합니다.

      첨 부 : 상기 구상서 사본 1부.   끝.

0055

1505-25(2-1) 일(1)갑
85. 9. 9. 승인   "내가아낀 종이 한장 늘어나는 나라살림"

190mm×268mm 인쇄용지 2 급 60g/㎡
가 40-41 1989. 6. 8

원 본

관리 번호	91 -2032

외 무 부

종 별 :

번 호 : HAW-0074

일 시 : 91 0402 1811

수 신 : 장관(국연,미중,정이)

발 신 : 주 아이티 대사대리

제 목 : 주재국외무부 정무국장 면담

1. 본직은 4.2 JEAN ROBERT HERARD 신임 외무부 정무국장을 방문 취임을 축하한후 한반도 정세 아국의 유엔가입문제등에 관하여 의견을 교환하였음.

2. 특히 본직은 소련 동구권등 모든 사회주의 진영이 변화하고 있는데 유독북한많이 개방을 거부하고 한반도 적화야욕을 버리지 않고 있음을 지적하면서 북한이 여사한 태도를 근본적으로 바꾸지 않는한 주재국이 계속 북한에 대하여 경계하는 자세를 견지해줄것을 바란다고 말하자 동국장은 주재국의 신정부가 모든 나라에대한 문호개방을 기본정책으로 하고 있으나 현재까지 북한과의 접촉은 전혀 없으며 앞으로도 접촉이 없을 것임을 시사하였음.

3. 또한 본직은 보편성원칙에의한 아국의 유엔가입 타당성을 설, 명하고 이에대한 주재국의 계속적인 지지를 요청한바 (관련자료 수교) 동국장은 한 아이티간 전봉적인 우호관계에 비추어 아국의 유엔가입을 적극지지한다고 말하였음.

(대사대리-국장)

예규:91.12.31
의거 인편문서

전보전(17)91.6.3.

국기국	차관	1차보	2차보	미주국	정문국	안기부

91.04.04   06:04

외신 2과 통제관 CH

0056

원 본

관리 번호	91 - 2065

외 무 부

종 별 :

번 호 : ARW-0255   일 시 : 91 0404 1600

수 신 : 장관(국연,미남)

발 신 : 주 아르헨티나 대사

제 목 : 유엔가입문제

대:WAR-0135

1. 대호 관련, 주재국 외무부 국제기구국 GOMENSORO 참사관으로부터 확인한바, 아국의 유엔 가입문제 관련, 주중 아르헨티나 대사관으로부터 접수된 보고는 91.3.20. 접수한것이 유일한 보고라고 함. 동 전문 보고중 아국관계 부분은 아래와 같은바, 대호 VELA 대사의 발언은 이를 근거로 한것으로 보임.

"A CONSULTADA AUTORIDADES CANCILLERIA DE LOCAL LA POSICION ES LA AMBASPARTES (남북한을 지칭)LLEGE A UN ACUERDO SOBRE INGRESO CONJUNTO A NACIONES UNIDAS. DICHA POSICION CHINA NO HA VARIADO"

2. 상기 전문에는 면담자 및 면담 대상자가 명시되어 있지않아 중국 외무부로부터의 확인 경위가 분명치 않은바, 현재 주재국의 주중 대사관에는 대사대리가 있는점(전임대사는 91.2 월 이미 귀국하였고 신임 BLANCO 대사(본직은 동 대사를 4.2. 오찬에 초청 유엔 문제등에 관해 설명하고 부임후 노대사와의 우호관계를 당부하였으나, 동 대사도 보건 파악치 못하고 있었음)는 4 월 중순경 부임예정)을 고려할때 일반적인 보고로 판단되며, 만일 중국 외교부와 접촉을 하였다고 하더라도 과장급(대사대리의 접촉 상태)정도 일것으로 판단됨.

3. 동건 관련 외무부 FIGUERERO 아주국장이나 JORGE TAIANA 국제기구국장은 확인하였으나 동 전문외에 특기 사항 확인치 못하였음.

(대사 이상진 국장)

예고 : 91.12.31. 일반문서 재분류

국기국   차관   1차보   미주국   정와대   안기부

PAGE 1   91.04.05   05:51
                                              외신 2과 통제관 CE
                                              0057

관리	기
번호	~ 3/0

외 무 부

종 별 :

번 호 : BRW-0264   일 시 : 91 0404 1940

수 신 : 장 관(미남,국연,기정동문)

발 신 : 주 브라질 대사

제 목 : 주재국 아주국장 면담(자료응신 91-35)

　　본직은 4.4 오전 임참사관을 대동하고 주재국 외무부 SERRA 아주국장을 방문, 본직이 공관장 회의 참석차 본국 귀국예정임을 설명하고 양국간 현안문제에 대하여 아래와 같이 협의함.

　1. 북한관계

　　본직이 그간 북한으로 부터(UN 등 해외공관을 통해) 어떤 접촉이 있었는지를 문의하고 북한과 제 3 국과의 관계개선에 관한 아국 기본입장관 현재 남북한간의 대화 진전상황을 설명한바, 동국장은 작년 여름 PERU 주재 북한대사가 접촉해온후 전혀 아무런 접촉기도가 없었다고 말하고 한국입장을 항상 유념하고 있다고 답함.

　2. 유엔가입 문제

　- 본직은 아국이 금년 유엔가입을 신청할 예정임을 설명하고 브라질 정부가 금년 총회에서도 아국가입을 지지해주리라 확신하며 특히 금추 유엔총회 기조연설시 아국입장 지지발언을 요청함.

　- 동국장은 아국입장을 잘이해하고 있으며, 금년 한국의 유엔가입 신청시 찬표를 행하게 되겠지만, 기조연설 고나게는 현재로서는 어떤 언질을 할수는 없으나 <u>8 월초 REZEK 외무장관 방한시 이문제를 다시 제기하는것이 보다 좋은 방법일것이라고 하면서 자기자신도 REZEK 장관에게 건의하겠다고 함.</u>

　<u>또한</u> 동국장은 최근 주중대사로 부터 중국 외교부 공보관의 한국의 유엔가입 문제에 대한 기자질문에 직접적인 답변을 회피함으로써 중국측 태도는 아직 미정인듯한 인상이었다는 요지의 보고를 접하였다함.

　3. 북한의 핵문제

　- 본직은 북한 핵폭탄 제조능력 설명과 북한이 IAEA 감시를 받도록 IPU 총회시 주재국측 인사참석등 기회있을 경우 브라질측도 압력을 가해주도록 당부함.

미주국	차관	1차보	2차보	국기국	정문국	청와대	안기부

- 동국장은 브라질은 전통적으로 타국에 대해 자진해서 어떤행동을 취하도록 요청하지 않는것이 관례로 되어왔으며 다만 주재국측에 문의해올 경우는 그에대해 언급할수 있을것이라고 하고 이문제에 대해서 국회측에 아측입장을 전달하겠다고 말함.

4. 공동위 개최문제

- 본직은 공동위가 본국 일시귀국중에 개최되게 됨을 유감으로 생각한다하고 공동위 개최에 적극 협조해준데 사의를 표하고 공동위가 큰성과를 거둘것을 기대한다고 말함.

- 동국장은 공동위 의제중 어업협정 토의문제는 한국외에도 중.쏘가 관심을 표하고 있으나 브라질 정부는 현재 연안자원조사를 추진중인바 동조사결과가 나올때까지 외국과 어떤협정도 하지 않는다는 입장이며 또한 항공협정(AIR SERVICE) 문제는 브라질측 (VASP 항공사)이 큰관심을 표하고 있다고 언급함. 끝

(대사 김기수-국장)

예고191.12.31.에 일반고문에 의거 인만문제로 재분류

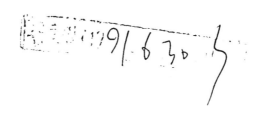

PAGE 2

0059

외 무 부

관리
번호 91 -2115

종 별 :

번 호 : JMW-0214

일 시 : 91 0405 1540

수 신 : 장관(미중,국연)

발 신 : 주 자메이카 대사

제 목 : MANLEY 수상방한

1. 금 4.5(목) 주재국 외무부 E.CARR 국장이 본직에 알려온바에 의하면 당지 북한대사 한봉구는 작 4.4(수) CARR 국장을 면담, MANLEY 수상의 방한관련, 향후 자메이카 정부의 대 한반도 정책에 변화가 없기를 촉구하였는바, 이에대해 CARR 국장은 자메이카는 대 한반도 정책을 자국의 국익에 따라 결정할것이라고 대답하였다함.

2. 상기 관련 CARR 국장은 사견임을 견제하고 본직에게 공단건설계획등 아국의 대 자메이카 경제협력이 MANLEY 수상방한으로 실현되는 경우, 자메이카로서는 아국에 대한 정치협력을 하는것이 순리일것이라고 말함.

3. 본직은 CARR 국장의 견해에 이해를 표하면서 다만 아국이 남. 북한 경쟁외교를 탈피, 공단건설 사업과 같은 문제는 역시 아국의 경제적 이익을 고려하여결정함을 자메이카 정부가 이해하여 줄것을 언급하고 유엔가입 지지문제등에 관해서는 MANLEY 수상방한시 양국간 충분한 협의가 있게되기를 바란다고 답변함. 끝

(대사 김석현-국장)

예고;91.6.30 일반문에 의거 일반문서로 재분류됨

검토필(1991. 6. 30.)

미주국   장관   차관   1차보   2차보   국기국   정와대   안기부

관리 번호	91 ~ 2/05

외 무 부

원 본 ✓
K/aN✓

종 별 :

번 호 : PUW-0290 일 시 : 91 0405 1730

수 신 : 장관(국연,미남,정일,기정)

발 신 : 주 페루 대사

제 목 : 유엔가입 추진

연:PUW-0243

당관의 아국 유엔가입 추진교섭 활동 관련, 4.5 주재국 외무부 YVAN SOLARI아주과장이 당관 이창호 참사관에게 전언한 내용을 아래와 같이 보고함.

1. 북한의 아국 유엔가입 저지활동

-지난 3.21 본직이 CARLOS TORRES Y TORRES LARA 주재국 수상겸 외무장관과 면담, 금년중 아국의 유엔가입 춫니 입장을 밝히고 주재국 지지를 요청한것과 관련, 당지 북한 김경호 대사도 3.28 동수상겸 외무장관과 면담, 북한의 입장을 설명하면서 아국의 유엔 단독가입에 반대해줄것을 요청하였다고함.

2. 동과장에 의하면 현재 주재국 외무부는 CARLOS TORRES 장관을 포함 아국입장을 지지하는 분위기로서 아국이 유엔가입 신청시 이를 지지할것으로 보이나 RIO 구룹국들과 공동보조를 치하게 될것이라고함. 끝

(대사 윤태현-국제기구조약국장)

예고:91.12.31.에일반고문에 의거 인반문서로 ~~~됨

검토필(1991.6.30.) 3

국기국   장관   차관   1차보   미주국   정문국   안기부

외   무   부

관리번호 91 -2122

종   별 :

번   호 : CLW-0213   일   시 : 90 0406 0830

수   신 : 장 관(미남,경일,정이,유엔,기정)

발   신 : 주 콜롬비아 대사

제   목 : 외무성 정무차관보 면담

4.5 일 본직은 외무성 FERNANDO NAVAS 정무차관보를 면담, 아래사항에 대해 의견 교환함.

1. 북한의 아프리카 지역 공관 폐쇄

북한의 공관폐쇄에 대해 동인은 경제적인 이유도 있겠지면 동 지역에서 국제지지가 확보되지 않는 현실에서 공관유지의 실익이 없기 때문인것으로 본다고 언급하고 북한에 대해 전혀 관심이 없는듯한 태도를 보임.

2. 유엔관계

아국의 유엔가입은 당연하며 아국이 가입할 경우 북한도 이어 가입할 것으로 언급

3. 양국관계

양국간의 경제증진을 위해 공동위원회 설치가 바람직하며 현재 콜롬비아는 중국과 공동위원회를 갖고 있으며 JOINT VENTURE 등 기술도입이 필요한 현실에 한국과도 동건에 대해 좋은 아이디어를 가지고 검토하자고 언급

4. ESCAP 총회

서울 ESCAP 총회와 관련 콜롬비아도 아시아 태평양권에 많은 관심이 있음을 표명

5. 주한대사 후임

OLANO 주한대사 후임을 선정중이며 후보자는 알수 없으나 6 월경 윤곽이 밝혀질 것이라 함.

예고 : 91.6.30. 일반
19 . . 에 예고문에
의거 일반문서로 재분류

검토필 (91.6.30)

미주국   차관   1차보   2차보   국기국   경제국   정문국   청와대   안기부

관리 91
번호 ─2179

외 무 부

원 본

번 호 : PGW-0098   일 시 : 91 0408 1730

수 신 : 장관(국연,미남,사본:주유엔대사(중계필)

발 신 : 주 파라과이 대사

제 목 : 유엔가입 추진

대:EM-0011,0013

1. 본직은 금 4,8 오전 주재국 외무성으로 ALEXIS FRUTOS VAESKEN 외무장관을 방문(임대용 참사관 배석), 대호 훈령에 따라 아국의 유엔가입 추진과 이에 따른 남북한 입장을 상세히 설명하고 아국이 금년도 적절한 시기에 유엔가입 신청을 할때 주재국의 적극적인 지지를 요청하면서 대호 MEMORANDUM 을 수교하였음.

2. 동장관은 본직의 아국입장 설명을 듣고 MEMORANDUM 을 접수한후, 작년도유엔총회에서의 주재국의 기조연설시 아국입장을 지지한바 있었음을 상기하면서 금차유엔총회에서도 아국의 유엔가입을 지지하는 입장에는 변함이 없을 것이라고 언급 하였음. 끝

(대사 김흥수-차관)

예고문 191.12..31. 에일반고모에
의거 인빈문서 :

검토필(191. 6.30.)

국기국	장관	차관	1차보	미주국	청와대	안기부

원 본
√

외 무 부

종 별 :

번 호 : PUW-0298

일 시 : 91 0408 1730

수 신 : 장관(국연,미남,정일,기정)

발 신 : 주 페루 대사

제 목 : 유엔 가입추진

대:EM-9,11,13

1. 본직은 4.8 이창호 참사관 대동, 현재 외무차관을 대리하고 있는 ALEJANDRO GORDILLO 다자 차관보와 면담, 대호 금년중 아국의 유엔가입 기본입장및 북한의 반대주장을 설명하면서 북한이 남북한 동시 가입을 계속 반대할 경우 아국 단독이라도 유엔가입을 신청할것임을 밝히고 유엔 안보리 문서로 배포한 메모렌덤을 전달하면서 주재국 정부의 지지를 재요청하였음.

2. 동차관보는 아국입장을 충분히 이해하고있으며, 보편성의 원칙에 따라 아국이 유엔에 가입하는것은 당연한 것으로 생각하며, 아국입장을 지지하나, 주재국 정부는 1차적으로 RIO 구룹국의 의견을 수렴, 동구룹국들의 CONSENSUS 에 따라 아국 지지를 결정할것이며, 동구룹국들간에 CONSENSUS 이루어지지않을 경우, 타구룹국들과 만찬가지로 주재국 정부의 공식입장을 결정하겠다고 언급하였음.

3. 본직은 RIO 구룹국들간에 아국유엔 가입문제가 거론될 경우 주재국이 아국 지지를 위해 선도적 역할을 해줄것을 요청하였는바, 동차관보는 아국이 공식으로 유엔가입 신청시 상부 재가를 얻어 정부 방침을 결정하겠다고 답변하였음.

4. 관측

주재국 정부는 아국의 유엔가입 추진계획을 유엔 보편성의 원칙에 따라 아국입장을 지지하고 있으나, RIO 구룹국과의 결속을 강조, 동구룹국들과 공동 보조를 취하겠다는 입장임.

-남북한 동시 수교국이며 남북 대사관이 상주하고 있는 주재국으로서는 보다 신중한 검토를 거쳐 공식 입장을 결정하겠다는 취지로 판단됨. 끝

(대사 윤태현-국제기구조약국장)

예고: 91.12.31. 일반

검토필(1991. 6. 30.)

국기국	장관	차관	1차보	미주국	정문국	청와대	안기부

PAGE 1

91.04.09   08:54
외신 2과 통제관 BW

0064

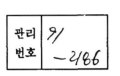

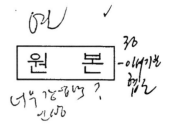

외　무　부

관리번호 91-2486

종　별 :

번　호 : COW-0152　　　　　　　　일　시 : 91 0408 1900

수　신 : 장관(국연,미중) 사본:주 유엔대사

발　신 : 주 코스타리카 대사

제　목 : 유엔가입 추진

　　대 : (1)EM-0011, (2)EM-0009

　　연 : 코스타(정)20317-19(91.3.6)

　　1. 금 8 일 소직(정덕소 참사관 대동)은, 외상 보좌관(국제기구 및 외상 연설문작성 담당), 대외정책국장 및 외상을 방문, 대호 (1),(2)메모랜덤을 설명, 수교하고, 작년 유엔총회 외상기조연설 및 연호 91.3.6 일자 외무성공한을 통하여 아국 유엔가입 지지를 표명, 약속한 바 있으나, 한번 더 주재국의 공개적 지지표명이 필요함을 강조, 아래 협조를 요청하였음.

　　가. 주재국 유엔대사에 지시하여, 대호 (1) 안보리 회람문서상의 아국입장을 지지표명하는 주재국명의 회람문서를 작성, 전 유엔회원국 대표부(북한대표부포함)에 배포하여 줄 것.

　　나. 5.1. 주재국 대통령의 대 의회 년차 시정보고시 동 지지를 표명토록하여 줄것.

　　다. 외상의 신문기자회견 또는 인터뷰 또는 적당한 계기가 있으면 동 지지를 표명하여 줄것.

　　라. 작년 외상의 유엔기조 연설 및 지지 약속한 상기 외무성공한을 인용, 신문기사 또는 사설을 통하여 주재국 지지를 공포코자 하는바, 이에대한 양해 요망.

　　2. 상기 협조요청에 대한 반응

　　가. 지지표명 회람공한 배포 지시

　　외상, 국장, 보좌관 공히 이의없이 자국 대표부에 지시하겠다고 언급함. (단, 국장은 북한과 코간 외교관계가 없으므로 북한은 언급치 않고, 아국입장 지지한다는 회람공한을 작성, 배포토록 지시 건의하겠다고 함).

　　(동 지시 타전사실을 당관에 알려주면, 아국 대표부가 주재국 대표부와 접촉토록 하겠다는데 동 국장은 동의함)

국기국	장관	차관	1차보	미주국	청와대	안기부

91.04.09　　10:49
외신 2과 통제관 FE
0C65

나. 대통령의 시정연설시 지지표명

-보좌관은 외무 PART 초안에 일단 포함시켜 보겠다고 약속하였으나, 실현 가능성 난망이라함.

-외상은 18 개 부처 장관이 모두 자기소관을 더 포함시키고자 경쟁하고 있으므로 어렵다고 하면서, 그러나 일단 추진하여 보겠다고함.

-국장은 자기 소관이 아니라고 함.

다. 기자회견 등에서 지지표명

-외상은 TV 인터뷰 또는 적당한 기회에 지지 표명하겠다고 언급.

-보좌관은 외상에게 건의하겠다고 함.

라. 신문기사 또는 사설을 통한 지지 표명.

-외상 이의 없다고 쾌히 승락

-국장 이의없다고 언급

3. 한편 오는 5.30-6.1 간 방한 예정인 외무차관도 체한중 인터뷰등에서 아국 유엔가입 입장 지지를 표명토록 할 위계임(동 차관 명 9 일 면담 예정).4. 대호 (2) 안보리 회람문서번호 일자등 회시바람. 끝.

(대사 김창근-차관)

예고 18
91. 12. 31. 에 일반 고문에
의거 일반문서로 재분류됨

S/22455   (91. 4. 5자)   91. 4. 8. 받도.

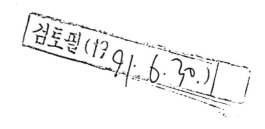

검토필(1991. 6. 30.)

원 본

외 무 부

관리 91
번호 -225

종 별 :

번 호 : EQW-0121

일 시 : 91 0409 1650

수 신 : 장관(국연) 사본:주 유엔 대사-중계필

발 신 : 주 에쿠아돌 대사 대리

제 목 : 유엔 가입관련 정부각서

대:EM-0009

연:EQW-0117

연호로 보고한 실무 교섭단장 한우석 대사가 4.8 주재국 CORDOVEZ 외무장관예방시, 장관 친서와 표제각서를 전달한 바 동장관의 반응은 아래와 같음.

1. 유엔 회원국에 배포한 메모랜덤을 통해 한국이 금년중 유엔가입 신청계획임을 표명하였다고 유엔 현지 공관으로부터 보고 받았음.

2. 에쿠아돌은 유엔의 보편성 원칙을 지지한다는 점에서 한국의 입장은 에쿠아돌의 기존정책과 부합함. 끝

(대사 대리 - 국장)

예고 :91.12.31. 일반 고문에 따른됨

국기국   미주국

PAGE 1

원 본

외 무 부

종 별 : 지 급

번 호 : COW-0156   일 시 : 91 0409 1700

수 신 : 장관(국연,미중,정홍)(사본:주유엔대사-중계필)

발 신 : 주 코스타리카대사

제 목 : 유엔가입추진

연:1)COW-0152, 2)코스타(정)20317-19(91.3.6)

대:EM-0011, 0009

1. 작 4.8 일 연호 소직의 유엔가입 진지교섭건과 관련, 주재국 외무성은 동일자(4.8 일) 공한(금 9 일접수)으로 주재국 유엔대표부에 아국 유엔가입을 공개지지하는 아래 내용의 회람문서를 배포할 것임을 봉보하여 왔음.

(동 회람문서 내용)

COMUNICADO DEL GOBIERNO DE COSTA RICA

RELACIONADO CON LA SOLICITUD DE INGRESO DE LA REPUBLICA DE COREA, COMOMIEMBRO DE LA ORGANIZACION DE

LAS NACIONES UNIDAS.

,,"EL GOBIERNO DE LA REPUBLICA DE COSTA RICA VE CON SUMO AGRADO

EL DESEO DE LA REPUBLICA DE COREA DE INGRESAR COMO MIEMBRO PLENO

DE LA ORGANIZACION DE LAS NACIONES UNIDAS, EN EL TRANSCURSO DEL

PRESENTE ANO, CUYO ACTO CONSTITURIA UN APORTE EFECTIVO AL

PRINCIPIO DE LA UNIVERSALIDAD DE LAS RELACIONES INTERNACIONALES

Y EL RECONOCIMIENTO DE LA SOBERANIA DE LOS ESTADOS.

,, EL GOBIERNO DE LA REPUBLICA DE COSTA RICA APOYA EL MEMORANDUM

DE LA REPUBLICA DE COREA QUE CIRCULO EL DIA 5 DE ABRIL DE 1991

MEDIANTE EL QUE SE EXPRESA A LA COMUNIDAD INTERNACIONAL EL

DESEO DE LA REPUBLICA DE COREA."

2. 연호(1) 안보리 회람공한번호등을 상기 회람문서에 삽입필요하면, 코스타리카 유엔대표부와 접촉바람.

국기국	장관	차관	1차보	2차보	미주국	정문국	정와대	안기부

91.04.12   00:22
외신 2과 통제관 CE
0068

3. 또한 금 9 일자 주재국 일간"LA PRENSA LIBRE"는 소직과의 인터뷰 및 연호메모랜덤 등 자료참조, "단일의석 남북한 유엔가입 불가(부제:(상기)논리, 코스타리카 지지)"제하 아래요지 보도하였음.

0 "코"정부는 유엔등 국제무대에서 전통적으로 남북한 양측의 개별적(RESPECTIVE)유엔회원국 논리를 전적으로 지지.

0 정부 관료들에 의하면 주재국 외상은 작년 유엔총회 연설과 금년 3 월 공문으로 한국의 유엔의석 지지표명.

0 북한은 실행불가능하고 유엔규정, 보편성원칙에 위배된 단일의석안 고집.

0 남북한 유엔가입은 통일 불저해(동서독, 남예멘 예시)

0 북한 무력적화 남침, 북한공산정권 탈피 일천만 이산가족, 금세기 최장기독재자 김일성 등 언급.

4. 상기 외무성공한 및 기사사본 파편 송부위게임.끝.

(대사 김창근-차관)

예고191.12.31 일반
의거 인반문서로 재분됨

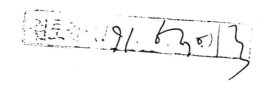

관리 91
번호 -2236

원 본

외 무 부

종 별 :

번 호 : UNW-0843

수 신 : 장관(국연,미중,미남)

발 신 : 주 유엔 대사

제 목 : 멕시코 대사면담

일 시 : 91 0409 1700

1. 본직은 4.9.(화) J. MONTANO 멕시코 대사와 면담한바, 동 면담요지를아래 보고함.

가. 아국 유엔가입문제

1)본직은 아국 메모랜덤을 언급하고, 작년 총회 기조연설시 C.SALINAS 대통령의 아국가입 지지 표명에 사의를 표하면서 동 가입문제 관련 멕시코의 계속적인 적극 지지를 요청함.

2)동 대사는 한국 유엔가입문제에 관한 자국입장이 작년을 계기로 분명히 변화하였다고 평가하면서, 멕시코로서는 남북한 동시가입, 아국 단독가입 그 어느쪽이든 보편성원칙에 따라 명확히 지지하는 입장이라고 밝힘.동인은 또한 여사한 정부입장을 앞으로 적절한 기회에 유엔차원에서 공식화하고자 한다고 언급함.

3)이와관련 동 대사는 한국 유엔가입 지지를 위한 리오그룹 공동입장 가능성을 아측이 타진해 볼것을 권고하였음.(쿠바는 동 리오그룹 회원국이 아님을 동대사가 지적)

나. 양국 정상교환 방문

1)동 대사(SALINAS 대통령 외교자문 경력)는 90.6 월 아국 대통령 멕시코 방문계획이 취소된것을 언급한바, 이에대해 본직은 아국정부가 대통령의 멕시코 방문을 위한 적절한 시기를 계속 검토 하고 있는 것으로 알고있다고 말함.

2)동 대사는 SALINAS 대통령이 명년중 아국을 비롯한 아시아 몇 나라 방문을 희망하고 있다고 언급함.

다. 멕시코-쿠바 관계

1)동 대사는 중남미 국가중 특히 멕시코는 쿠바와 원만한 관계를 유지하고 있으며, 카스트로 정권과는 처음부터 쿠바가 멕시코의 내정에 간섭하지 않는 대신 멕시코는

국기국	장관	차관	1차보	2차보	미주국	미주국	청와대	안기부

91.04.10   09:27

외신 2과 통제관 BW

0070

대외문제에 있어 쿠바에 협조하는 암묵적인 합의가 있어왔다고 말함.

2)동인은 쿠바가 최근 소련등 동구제국과의 실질관계가 거의 끊어져감에 따라 상당히 어려운 상황에 처한바, 멕시코에 그만큼 더 접근해 오고있다고 말함.(91.7 월 카스트로의 멕시코 방문예정 예시)

2. 상기 리오그룹 공동입장 가능성 타진권고와 관련 본직은 현 그룹 조정국인 콜롬비아의 대사에게 본건을 제기하여 보고자 하는바, 이에대한 본부입장 및 관련 참고사항(지금까지 기 추진사항 포함)회시 바람. 끝

(대사 노창희-국장)

예고:91.12.31. 일반 ㄹ에
의거 일반문서로 재분류

원 본

CRL 96

외 무 부

관리번호 91
-2253

종 별 :

번 호 : MXW-0383   일 시 : 91 0409 1730

수 신 : 장관(국연,미중)

발 신 : 주 멕시코 대사

제 목 : 유엔가입 지지교섭

대:EM-0009,0011

연:MXW-0277

1. 본직은 금 4.9. 12:30 김참사관 대동 A.ROZENTAL 외무차관(S.FUENTES 신임 아.
태 국장, 한국담당관 배석)을 방문 대호 안보리 각서(영, 서문-당관 COVER NOTE
첨부)를 수교하고 아측 입장 설명과함께 주재국의 아국 유엔가입 적극지지를 강력히
요청하고 이어 13:00 유엔국장 O.PELLICER 대사(89 년말까지 U.N. 차석대사)를 방문,
각서 및 NOTE 를 수교 차관면담내용 설명과함께 지지요청을 한후, 외무성 PRESS
RELEASE(주재국은 주 1 회 주요 외교관계 홍보 RELEASE 를 관례적으로 하고 있음)를
통한 아국의 유엔가입지지를 공개적으로 하여 줄것을 아울러 요청함.

2. 차관은 북한의 소위 단일의석 가입입장에 관해 일단문의, 본직의 설명을듣고
신규 회원국 가입신청을 다루는 안보리에서만 문제가 없으면 주재국으로서 아국
가입신청 지지에 아무런 지장이 없음을 확언하였고, 유엔국장도 보편성원칙에 의한
아국의 가입지지에 문제없으나 가입신청전 주재국의 공개적인 지지표명 요청은
차관과도 협의한후 통보하여 주기로함.

3. 본직은 대호 교섭에 있어 90.8. 아국특사와 주재국 대통령과의 면담내용, 동년
9.28. 당시 유엔국장의 가입 지지언약 및 10.1. 주재국 대통령의 유엔 기조연설등을
상기시키고 아울러 통상, 부자면의 한. 멕 실질관계의 심화, 발전과 5 월
외상방한등을 열거 주재국의 확고한 조기 지지를 촉구하면서 한편 주재국이
전통적으로 고심하는 TWO KOREAN POLEMICS 에서 탈피, 부담감없이 아국의 유엔가입을
지지토록 설득 노력함. 차관 및 양국장등 4.11. 관저 만찬에 초청된바 동건 진전 추보
위계임.

(대사 이복형-국장)

국기국   장관   차관   1차보   2차보   미주국   청와대   안기부

PAGE 1   91.04.10   11:08
                                                외신 2과 통제관 FE

검토필(19   )   0072

예고: 1991.12.31. 일반에
의거 인반 서

관리
번호 91
─2272

원 본 ✓

외 무 부

종 별 : 지 급

번 호 : COW-0157   일 시 : 91 0410 1015

수 신 : 장관(국연,미중)(사본:주유엔대사)(중계필)

발 신 : 주 코스타리카 대사

제 목 : 유엔가입추진

    대:WCO-0071

    연:COW-0156

    1. 4.9 일 소직-CONEJO 대외정책국장 면담에서, 연호 주재국 코뮤니케상에 대호 안보리문서번호(S/22455)를 삽입할 필요가 있을시, 아국대표부가 주재국대표부와 접촉, 상기 삽입을 요청하여도 좋다는 양해를 받았으니 정의조치바람.

    2. 연호 코뮤니케는 4.9 일 주유엔대표부로 기 타전(FAX)하였다함. 끝.

    (대사 김창근-국장)

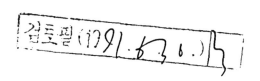

예고:91.12.31. 일반문에
의거 인빈문서로 재분됨

검토필(1991. 6. 3 0.)

───

국기국	장관	차관	1차보	2차보	미주국	청와대	안기부

PAGE 1   91.04.11   01:45

                                          외신 2과 통제관 DO
                                                    0074

✓

관리 번호	91 -2245

분류번호	보존기간

발 신 전 보

WCO-0071   910410 1532 FL

번   호 :

종별 :

수   신 : 주 코스타리카   대사. 총영사///

발   신 : 장   관   (국연)

제   목 : 유엔가입 추진

대 : COW-0152

1. 대호 각서는 91.4.5.자 S/22455 안보리 문서로 4.8. 배포되었음.

2. *(내)* 주재국이 그동안 유엔가입 문제와 관련, 우리입장을 확고히
지지해 왔던 점을 감안, 적절히 사의를 표명하고, 주재국측의 입장도 고려하~~면서~~ ~~항~~고
역내 기타국들과의 보조를 맞춘다는 견지에서 주재국의 지지입장이 ~~차질~~
~~없이~~ 표명될 수 있도록 *차기바람.*   끝.

망부해두

예 고 : ~~1991.12.31~~에일 반고문에
의거 ~~인만~~문서로 재분됩

(국제기구조약국장 문동석)

~~91. 6. 30~~

	보 안 통 제	내.

앙 고 재	91 년 4 월 10 일	유 인 과	기안자 성명		과 장		국 장		차 관	장 관		외신과통제

0075

원 본

외 무 부

종 별 :

번 호 : TTW-0063   일 시 : 91 0410 1600

수 신 : 장관(국연,미중,사본:주유엔대사)(중계필)

발 신 : 주 트리니다드 대사

제 목 : 유엔가입 추진

대:EM-09,11,12,13

1. 본직은 금 4.10(수) 오전 BASDEO 주재국 외무장관과 면담, 대호 지침과 각서에 따라 유엔가입에 관한 아국 입장을 상세 설명하고, 동각서를 수교하면서, 아국입장에관한 공개 지지를 조심스럽게 요청한 바, 동장관은 종래 입장에서 일보 전진하여 유엔가입 실제 추진조치에 관한 아국정부의 입장을 사전에 설명, 통보해준데 대해 사의를 표명하고, 주재국은 유엔헌장의 보편성원칙에 입각, 아국의 가입을 변함없이 지지하는 입장이라고 말하면서, 공개지지 문제는 동각서의 내용과 실제 지전사항을 주의 깊게 검토, 협의후 입장을 알려주겠다고 하였음.

2. 겸임 7 개국에 대해서는 본직명의의 각국 외무장과앞 서한을 첨부, 대호 각서를 우송하였으며, 추후 출장기회에 공개지지 포함 교섭하겠음.

(대사 박부열-차관)

예고:1991.12.31. 일반)고문에 의거 인반문서로 재분됨

검토필(1991. 6.30.) 2

국기국   장관   차관   1차보   2차보   미주국   청와대   안기부

원 본

외 무 부

관리번호 91 -299

종 별 :

번 호 : CSW-0261

일 시 : 91 0410 1820

수 신 : 장관(국연,미남),사본:주유엔대사(중계필)

발 신 : 주 칠레 대사

제 목 : 유엔가입 추진

대:EM-9,13

연:CSW-0188

1. 본직은 금 4.10. 주재국 외무성 정무총국 ROLANDO STEIN 다자국장을 면담, 대호건 관련 메모랜덤을 수교하고 아측 입장을 설명, 이에대한 주재국 정부의 지지를 요청한바, 동국장은 자기로서는 아측입장에 전적으로 공감한다고 말하고, 본건에 대한 지지를 상부에 적극 건의하여 결과 있는대로 회보해주겠다고 하면서, 양국간 전통적 우호관계에 비추어 주재국 정부가 아측입장을 지지하는데 특별한 문제가 없을것으로 본다고 부연하였음.

2. 당관은 EDMUNDO VARGAS 외상대리등 외무성 고위 간부 및 실무진을 대상으로 본건 계속 교섭 위계임.끝

(대사 문창화-국장)

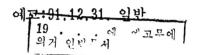

국기국   장관   차관   1차보   2차보   미주국   청와대   안기부

PAGE 1

91.04.11   09:46

외신 2과 통제관 BW

0077

외 무 부

관리 91
번호 -2295

원 본

종 별 :

번 호 : UNW-0868

일 시 : 91 0410 1930

수 신 : 장관(국연,미중,기정)

발 신 : 주 유엔 대사

제 목 : 유엔가입문제(세인트킷츠)

1. 금 4.10 세인트킷츠 R.TALYOR 참사관(현재 공관장대리)은 당관 원참사관에게 금일 박길연 대사와의 면담(북한측 요청)요지를 다음과 같이 제보해옴.

가. 박길연은 유엔가입문제는 남북한간에 타결되어야할 문제라고 주장(구두설명: 별도의 문서수교는 없었음.)

나. 이에대해 동 참사관은 자국의 45 차 총회 기조연설 내용을 언급하면서 자국의 남북한 가입지지입장을 재확인.

2.TALYOR 참사관은 아국 안보리문서 내용을 본부에 보고하겠으나, 자국의 기본입장에 비추어 아국지지(단독가입포함)에 문제가 없을것으로 본다고말함. 끝

(대사 노창희-국장)

예고.191.12.31.예일반고문에 의거 일반문서로 재분류

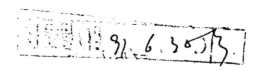

국기국   장관   차관   1차보   2차보   미주국   청와대   안기부

PAGE 1

91.04.11   10:02

외신 2과 통제관 FE

0078

관리
번호 91
-2246

분류번호	보존기간

발 신 전 보

WVZ-0100   910410 2209 DA   종별 :

번　호 :	WCL -0076　WMX -0206
수　신 : 주 수신처 참조　대사. 총영사	WBR -0169　WPU -0150
	WAR -0151　WUR -0052
발　신 : 장 관　(국연)	WCS -0094　WEQ -0070
제　목 : Rio 그룹국 지지	WUN -0856

1. 금번 유엔가입추진 교섭과정에서 에쿠아돌 외상 및 주유엔 멕시코 대사로 부터 4월중 Rio 그룹 외상회담이 개최될 예정인 바 동 회의시 아국의 유엔가입 문제를 제기, 동 그룹의 공동지지 입장 표명 가능성을 타진해 보는 것이 좋을 것이라는 의견 제시가 있었음. (귀관의 참고로만 하기바람)

2. 본부는 동 기구가 역내 주요현안을 논의, 공동해결 방안을 강구키 위한 지역 협의체라는 성격상 아국가입 문제에 대한 공동지지 입장 표명이 쉽지 않을 것으로 보고 있으나, 상기 1항과 같이 동 그룹회원국으로부터 직접 권유를 받았다는 점과 우리의 금년내 유엔가입 실현에 있어 국제적 지지 분위기 확산이 바람직하다는 관점에서 이를 추진 가능성을 검토코자 함.

3. 따라서 귀관은 우선 리오그룹 회원국인 주재국 외무성을 접촉, 금번 4월 개최 Rio 그룹회의시 아국의 유엔가입문제 논의 가능성을 자연스럽게 타진 하고, 논의시 그룹 차원에서의 공동지지 표명이 가능할 수 있도록 주재국측의 관심과 협조를 요청하고 결과 보고바람.

예 고 : 1991.12.31. 재일 반고문에 의거 일반문서로 재분류

검토필(1991 6 3) (국제기구조약국장 문봉석)

수신처 : 주 베네수엘라, 콜롬비아, 멕시코, 브라질, 페루, 알젠틴, 우루과이, 칠레, 에쿠아돌 대사　(사본: 주유엔대사)

		보 안 통 제	

앙 고 재	91 년 4 월 8 일 과	기안자 성명	과 장	국 장 전경	차 관	장 관	외신과통제

미주국장 :

0079

외 무 부

원 본

UN 3/3

종 별 : 지 급

번 호 : COW-0158   일   시 : 91 0411 0900

수 신 : 장관(국연,미중,정홍)(사본:주유엔대사-중계필)

발 신 : 주 코스타리카 대사

제 목 : 유엔가입추진

(COW-0156 의 계속임)

(비공식 번역문)

STATEMENT OF THE GOVERNMENT OF COSTA RICA

IN RELATION WITH THE APPLICATION FOR ADMISSION OF THE REPUBLIC OF KOREA

AS MEMBER OF THE UNITED NATIONS

"THE GOVERNMENT OF THE REPUBLIC OF COSTA RICA

VIEWS WITH GREATEST PLEASURE THE DESIRE OF THE

REPUBLIC OF KOREA TO BE ADMITTED AS FULL MEMBER

OF THE UNITED NATIONS DURING THE PRESENT YEAR.

THIS ACT WOULD CONSTITUTE AN EFFECTIVE

CONTRIBUTION TO THE PRINCIPLE OF UNIVERALITY

OF THE INTERNATIONAL RELATIONS AND THE

ACKNOWLEDGEMENT OF THE SOVEREIGNTY OF THE

STATES.

THE GOVERNMENT OF COSTA RICA SUPPORTS THE

MEMORANDUM OF THE REPUBLIC OF KOREA CIRCULATED

ON APRIL 5, 1991, IN WHICH THE DESIRE OF THE

REPUBLIC OF KOREA IS EXPRESSED TO THE

INTERNATIONAL COMMUNITY."끝.

(대사 김창근-차관)

예고:91.12.31 일반

검토필(1991. 6. 31.)15

국기국	장관	차관	1차보	2차보	미주국	정문국	청와대	안기부

PAGE 1

91.04.12   00:24

외신 2과 통제관 CE

0080

원 본

외 무 부

관리 91
번호 -2311

종 별 :

번 호 : CLW-0226

일 시 : 90 0411 1300

수 신 : 장 관(국연)

발 신 : 주 콜롬비아 대사

제 목 : RIO 그룹 지지

대: WCL-0076

연: CLW-0212,0197

1. 대호 외상회담은 4.3-4 일간 당지에서 개최 되었음.(연호 참조)

2. 4 월중 RIO 그룹 회의는 EC 와 4.26-27 일간 룩셈부르크에서 양기구 외상회담을 개최 예정이며 금년 연말중 역내 외상회담이 있을 예정임.끝.

(대사 안영철-국장)

예고:191.12.31. 일반고문에
의거 인민문서로 재분됨

국기국   2차보   미주국   통상국   안기부

91.04.12   06:07
외신 2과 통제관 BS

0081

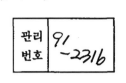

외 무 부

원 본

종 별 :

번 호 : ARW-0269   일 시 : 91 0411 1600

수 신 : 장관(국련) 사본:주유엔대사(본부중계필)

발 신 : 주 아르헨티나대사

제 목 : 유엔가입추진

대:EM-9,10,13, WAR-142

1. 본직은 4.10. 신참사관 대동, 주재국 외무장관 대리 JUAN CARLOS OLIMA 차관을 면담(FIGUERERO 아주국장 배석), 대호 유엔가입관련 정부 각서를 전달하고 아국 입장지지 교섭을한바 요지 아래 보고함.

가. 본직은 아르헨티나 정부가 90 년 유엔총회 외무장관 기조연설에서 아국입장을 지지하여준데 대해 사의를 표하고 아르헨티나 정부의 강력한 지지가 아국의 유엔 가입관련, 중국의 태도를 바꾸는데 일조가 될것임을 설명하였음.

나.OLIMA 차관은 아르헨티나의 입장을 솔직히 말하는 것이라고 전제하고, 소련 및 중국은 아르헨티나의 커다란 시장이고 또한 정치적으로도 주요한 국가이기때문에 상기 2 개국과의 관계를 중시한다고 설명한후, 로가초프 소련 외무차관이 4.4. 기자회견에서 한국의 단독 유엔 가입을 반대함을 언급하였다는 과장 보도한 일부 외신보도를 그대로 받아들여 언급하면서 중국과 소련이 반대한다면 한국의 유엔 가입문제가 복잡해지고(COMPLEJA), 안보리의 VETO 문제가 발생하지 않겠느냐는 의견을 피력하고, 그러나 아르헨티나 정부는 한국의 유엔 가입을 지지할것이라고 언급하였음.

다. 이에 대해 본직은 소련 정부는 보편성의 원칙에 따라 아국의 유엔 가입을 지지키로 내약하고 있음을 설명하고, 다만 중국의 태도가 문제이나, 중국은 매우 PRAGMATIC 하기 때문에 긍정적으로 보고 있으며 중국이 걸프전 관련 안보리결의시 보인것처럼 최종적인 순간까지 태도를 표명하지 않기 때문에 태도 파악이 어려우나 아세아 모든국가 및 비동맹 대다수 국가를 위시하여 대부분의 유엔 회원국이 지지하는 한국의 가입을끝까지 반대하지 않을것으로 믿으므로 걸프전 참전, 인권문제 참여등 신국제질서 형성에 있어 커다란 역할을 하고 있는 아르헨티나의 지지표명이 중국의 태도를 긍정적으로 전환시키는데 일조를 할것임을 설명, 적극적인 지지를 요청하였음.

국기국	장관	차관	1차보	2차보	미주국	미주국	청와대	안기부

PAGE 1

라. 이에 대해 OLIMA 외무차관은 유엔에서 중국의 입장이 긍정적으로 발전되기를 바란다고 하고 아르헨티나 정부는 확고하고 명확하게(FIRME Y CLARA)한국의 입장을 지지한다고 언급하였음.

마. 동 차관은 아르헨티나 정부와 자유중국 정부간의 무역대표부 문제가 협의되고 있으며, 동 문제가 중국(북경)정부와 잘 해결이되면(본건 별도보고), 중국정부가 한국의 유엔 가입에 긍정적인 태도를 갖도록 유도하는데도 도움이 될것이라고 언급하였음.

2. 본직은 차관 면담과는 별도로 외무장관실 PFIRTER 공사, FIGUERERO 아주국장, TAIANA 유엔국장과 각각 오찬을 갖고 아국의 유엔 가입관련 교섭을 시행한바있음.

3. 건의

유엔 가입에 대해 아르헨티나 정부의 수동적인 지지 태도를 벗어나 강력한 지지를 확보하기 위하여서는 실무선의 교섭보다는 고위층에 대한 직접적인 교섭이 더욱 효과적일것으로 판단되어 아래 교섭을 건의함.

가. 주재국 DITELLA 외무장관의 6 월 아주방문(일본, 인도등)이 실무선에서추진되고 있는바, 동 기회에 한국을 방문토록 추진할것을 건의하며, 공식 초청장을 주한 대사를 봉하여 전달하실것을 건의함.

나. 유엔총회시기 고려, 6-7 월경 대통령 특사 파견을 건의함.

다. 상기 대통령 특사 파견이 어려운 경우 유엔 가입의 적극지지를 요청하는 메넴 대통령앞 대통령 친서를 건의함(주재국은 특정외교문제에 있어 국가원수간의 직접적인 의견교환-전화, 직접면담등-이 자연스러운 관례로되어 있음)

((대사 이상진-차관)

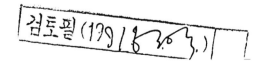

PAGE 2

0083

외 무 부

종   별 :

번   호 : PUW-0307

일   시 : 91 0411 1630

수   신 : 장관(국연,미남,윤태현대사)사본:주 유엔 대사

발   신 : 주 페루 대사대리

제   목 : 유엔가입 추진

대:WPU-0148,150

연:PUW-0298

1. 당관 이창호 참사관은 4.11 주재국 외무부 GUGO PORTUGAL 유엔과장및YVAN SOLARI 아주과장과 각각 면담, 대호 유엔 안보리 문서로 배포된 서반아본 각서를 전달하면서 금년중 아국의 유엔가입 추진 계획에 관해서 상세히 설명하면서 주재국 정부의 지지를 요청하였음.

2. 동과장들은 ALEJANDRO CORDILLO 다자차관보로부터 아국 유엔가입 추진에대한 주재국 정부의 입장을 정립하기 위해 연구, 검토하도록 지시를 받았다고 하면서, 유엔헌장의 보편주의원칙에 따라 아국의 유엔가입은 정당한것으로 이에 찬성한다는 의견을 개진하고 주재국 정부는 RIO 그룹국들과의 공동된 입자 취하기 위해 동구룹국들의 의견을 수렴할 것이나 동구룹국들간에 의견이 일치하지 않을 경우 단독입장을 결정하게될것이라고 말함.

3. 이참사관은 동과장들에게 RIO 구룹국들의 의사 수렴 방법및 동구룹국 회의에서 아국 유엔가입 문제가 토의될 가능성이 있는지 문의하였는바, 동과장들은구룹간의 의견 수렴은 구룹국 외무부간 전문 교환 방법에 의하고 있으며, 지난4.3-4 간 콜롬비아 보고타에서 개최된 동구룹국 외상회의에서도 아국 유엔 가입 문제가 거론되지 않았으며, 오는 4.26-27 간 부럿셀에서 개최되는 RIO 구룹국및 EC 국 외상회의에서도 토의될 전망은 없다고 함.

4. 관찰

주재국 정부가 아국 유엔가입에 대한 공식입장을 결정함에 있어 RIO 구룹국들과 공동보조를 취하겠다는 것은 구룹국들의 통일된 결의를 예상하여 이에 절대적으로 추종하겠다는 의미 보다는 타구룹국의 의견을 참고, 가능한한 이를 존중하겠다는

국기국   장관   차관   1차보   2차보   미주국   청와대   안기부

PAGE 1

뜻으로 파악됨. 끝

(대사 윤태현-국제기구조약국장)

예고 **91.12.31. 일반** 고무에
의거 인반문서로 .

검토필(1991. 5. 30.)

Ⅲ 급 비 밀
CONFIDENTIAL

원 본

외 무 부

관리 91
번호 -2337

종 별 : 지급
번 호 : CSW-0266
일 시 : 91 0411 1750
수 신 : 장관(국연,미남),사본:주유엔대사:중계필
발 신 : 주 칠레 대사
제 목 : 유엔가입 추진

대:WCS-0094
연:CSW-0188(1),0261(2)

1. 당관 배진 참사관은 4.11. 주재국 외무성 PATRICIO MONTERO 유엔과장을 면담, 대호 RIO 그룹 외상회담에서의 표제건 논의 및 공동 지지 입장 표명 가능성을 타진하고 관련 협조를 요청한바, 동 결과를 아래 보고함.

가. 동과장은 RIO 그룹의 성격에 비추어 아국의 유엔가입 문제에 관한 논의또는 공동지지 입장 천명 가능성을 장담할수는 없으나, 이의 추진계획 자체는 가능하고도(FACTIBLE) 바람직한 방안인것으로 본다고 하면서 이와 관련된 적극 협조를 다짐하고, 우선 주재국측이 취할수 있는 조치를 검토하여 상부에 건의하겠다고 함.

나. 동 면담에서 감지된 바로는, 대호건을 추진함에 있어 주재국측이 주도적 역할을 할수있을 지의 여부는 아직 확실하지 않으나, 동 그룹 테두리내에서 대호와 같은 INITIATIVE 가 있을 경우 최소한 이에 대한 주재국 정부의 동조를 확보하는데는 어려움이 없을것으로 보임.

2. 배진 참사관은 또한 연호(2) 교섭에 이은 후속 조치로, 아국의 년내 유엔가입 추진과 관련한 입장을 소상히 부언 설명한바, 동 과장은 이미 연호(1) 구상서로 밝힌 바와 같이 아국의 조속한 유엔가입은 너무도 당연한 일이라고 거듭 공감을 표시하고, 현재 실무선에서 아측 입장 지지 건의안을 작성중이라고 첨언하였음. 끝

(대사 문창화-국장)

| 국기국 | 장관 | 차관 | 1차보 | 2차보 | 미주국 | 청와대 | 안기부 |

91.04.12 07:49
외신 2과 통제관 CA
0086

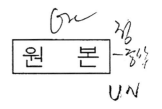

외 무 부

원 본

종 별 :

번 호 : BRW-0284   일 시 : 91 0411 1810

수 신 : 장 관(국연,미남)(사본: 김기수 주브라질 대사)(사본:주 유엔대표부 대

발 신 : 주 브라질 대사 대리   사 본부중계필)

제 목 : 아국 유엔가입

대: EM-009,0011 및 WBR-0169

당관 변종규 공사는 4.11(목) 15:30-16:00 시 외무부 JOSE VIEGAS FILHO 공사와 면담, 대호 지시에 의거 아국유엔 가입에 대한 브라질 정부의 적극지지를 요청하고,4.5 자 아국 정부각서를 수교하였는바, 동국장 반응 아래 보고함.(당관김영걸 영사, HERMANO TELLES RIBEIRO 국장 보좌관 동석)

- 아래 -

1. 한국의 유엔가입은 보편성 원칙상 극히 당연하며, 브라질 정부는 이를 지지함.

2. 금번 각서에서 표명된 한국정부 입장에 동감이며, 특히 한국이 북한과의동반 가입 또는 북한의 단독가입을 반대하지않고 환영하는 것을 평가하며, 북한측의 단일의석 가입주장은 타당성이 없음.

3. 중국 설득문제는(특히 REZEK 장관의 8 월초순 중국및 한국방문과 관련) 한국 유엔가입에 가장 중요한 사항임을 알고있으며, 한국측 요망을 REZEK 장관에게 보고하겠음.

4. 중남미 제국 대부분이 브라질과 마찬가지로 한국의 유엔가입을 지지하고있는점을 감안,4 월초순 RIO GROUP 외상회의에서 한국가입문제가 제기되어 공동지지 입장을 얻어내는 것도 하나의 방법일 것으로 생각되는바, 이 또한 REZEK 장관에게 보고하겠음. 끝.

(대사대리 변종규-국장)

예고:91.12.31.에 예고문에 의거 일반문서로 재분류 됨

검토필(1991. 1.)

국기국	장관	차관	1차보	2차보	미주국	정와대	안기부

PAGE 1   91.04.12   07:29

외신 2과 통제관 CA

0087

외 무 부

종 별 :

번 호 : UNW-0892   일 시 : 91 0412 1200

수 신 : 장관 (국연,미중,기정)

발 신 : 주 유엔 대사

제 목 : 유엔가입문제 (코스타리카)

대: WUN-0891

1. 대호 코스타리카 코뮤니케 배포 관련 원참사관은 동국 E.CARRO DE BARISH 대사 (3 석)와 접촉한바, 4.12. 동인은 동 코뮤니케에 아국 문서번호를 삽입, 안보리문서로 배포 요청예정 이라는 반응을 보였음.

2. 각국 대표부에 대한 회람공한 배포 대신 안보리문서로 배포하려는 이유를 문의한데 대해 동 대사는 본건 코뮤니케가 서반아어로 작성된 관계로 각국 대표부의 편의를 위해 안보리문서 (각국어로 공식 번역)로 배포하는것이 좋겠다는 판단에서 라고 설명함.

3. 진전사항 추보 위계임. 끝

(대사 노창희-국장)

예고: 91.12.31. 일반문에 의거 인반문서로 재분됨

검토필(1791. 6. 3 8)

───
국기국   장관   차관   1차보   2차보   미주국   청와대   안기부

원 본

관리	91
번호	―2393

외 무 부

종 별 :

번 호 : MXW-0399　　　　　　　　　일 시 : 91 0412 1230

수 신 : 장관(국연,미중)

발 신 : 주 멕시코 대사

제 목 : RIO 그룹국 지지

대:WMX-0206

연:MXW-0383

1. 대호관련 본직은 작 4.11. 한-멕 공동위 회의중 및 동일 관저 만찬에서 외무성 경제국장 DULCHIN 대사(전주 보고타 개최 RIO GP 외상회의 참석후 4.8 귀임)와 접촉 타진함.

2. 동국장은 현재 RIO GP 의 최대 관심사는 ALADI(LAFTA) 11 개 회원국 중심 주재국 및 중미, 카리브 지역대표국등 13 개국이 오랜 현안인 지역경제 통합 추진 및 여타 지역의 경제 블록화와 미국의 BUSH PLAN(90.6. 미-중.남미 자유 무역지대 형성 제안)에 대응키 위한 공동 입장 물색등인바, 정치적인 문제도 논의할수 있으나, 외상회의가 막종료하였고 카라카스 개최 예정인 정상회담(가을) 시기도 미상이라함.

2. 동 국장은 4.6. 부닷셀에서 1 일간 EC-RIO GP 외상회의가 개최될 것이나, E.C 와의 현안, 시기등으로 동 기회에 그룹차원의 공동 지지 표명이 가능할지 회의적이었음.

(대사 이복형-국장)

예고:1991.12.31. 일반문에 의거 일반문서로 뷴휴됨

검토필(1991.6.?)

국기국　　미주국

長官報告事項

1991. 4. 12.
國際機構條約局
國際聯合課(19)

題 目 : 코스타리카 我國立場 支持文書 유엔內 回覽

코스타리카 政府는 유엔加入問題에 관한 우리立場을 支持하는 4.8字 政府聲明을 유엔內 回覽文書로 配布할 豫定인 바, 同 聲明의 主要內容을 아래 報告합니다.

主要內容

o 코스타리카 政府는 今年中 유엔에 加入코자 하는 韓國政府의 希望을 기쁘게 생각함.

o 이는 國際關係에 있어서의 普遍性原則과 各國의 主權尊重 原則을 强化시키는 措置임.

o 코스타리카 政府는 1991. 4. 5字 韓國政府의 覺書 內容을 支持함.

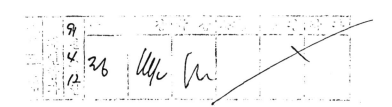

0090

長官報告事項

報告畢

1991. 4. 12.
國際機構條約局
國際聯合課(19)

題 目 : 코스타리카 我國立場 支持文書 유엔內 回覽

코스타리카 政府는 유엔加入問題에 관한 우리立場을 支持하는 4.8字 政府聲明을 유엔內 回覽文書로 配布할 豫定인 바, 同 聲明의 主要內容을 아래 報告합니다.

主要內容

○ 코스타리카 政府는 今年中 유엔에 加入코자 하는 韓國政府의 希望을 기쁘게 생각함.

○ 이는 國際關係에 있어서의 普遍性原則과 各國의 主權尊重 原則을 强化시키는 措置임.

○ 코스타리카 政府는 1991. 4. 5字 韓國政府의 覺書 內容을 支持함.   끝.

0091

원 본

관리 번호 91
-2365

외 무 부

종 별 :

번 호 : URW-0051   일 시 : 91 0412 1430

수 신 : 장관(국연, 탁나현 대사)

발 신 : 주 우루과이 대사대리

제 목 : RIO 지지

대:WUR-0052

   대호관련, 주재국 외무성 아주국장은 방우중인 중국 사절단 접견관계로 아주국 관계 간부면담이 4.16 이전에는 어렵다하는바, 대호건 4.16 면담 협의 예정임을 우선보고함. 끝.

   (대사대리-국장)

   예고:91.12.31 일반 고문에 의거 인반문서로 재문됨

   검토필(1991. 8. 30.)

국기국   국가국
          미주국

PAGE 1   91.04.13   07:06
                                                외신 2과 통제관 DO
                                                     0092

관리 <u>91</u>
번호 <u>─2366</u>

원 본

외 무 부

종 별 :

번 호 : HAW-0081   일 시 : 91 0412 1635

수 신 : 장관(국연,미중,사본:주 유엔대사(중계필)

발 신 : 주 아이티 대사대리

제 목 : 유엔가입관련 정부각서전달

대:EM-0009

1. 본직은 금 4.12 ODILE LATORTUE 신임외무부 관방장(외무부 3 인자)을 방문 한반도 정세 아국유엔가입문제, 양국관계에대해 논의하였음.

2. 본직은 특히 동석상에서 남북대화가 북한측의 경직된 자세로 상금까지 큰진전이 없으며 아국은 인내심을 갖고 대화에 임하고 있다고 설명한바 동장관은이해와 동감을 표시함.

3. 본직은 또한 아국이 금년중 유엔가입을 추진할 예정임을 설명하고 대호 유엔가입관련 정부각서를 수교한바 동관방장은 동각서내용을 즉시 장관에게 보고하겠다고 약속하였음.

(대사대리-국장)

19   91.12.31 까지
에   고무에
외기 인민무서

검토필(1991. 6. 36)

국기국   장관   차관   1차보   2차보   미주국   정와대   안기부

외   무   부

관리	9/
번호	-2387

종   별 :

번   호 : UNW-0898   일   시 : 91 0412 1930

수   신 : 장관(국연,미남,기정)

발   신 : 주 유엔 대사

제   목 : 유엔가입문제(베네주엘라)

　　4.12 오후 본직은 표제관련 D.ARRIA 베네주엘라 대사를 방문한바, 면담요지를 아래보고함.

　　1. 본직이 유엔가입에 관한 아국입장및 추진현황을 설명하고 동국의 지지를요청한데 대하여 동 대사(정치, 사업가 출신)는 보편성원칙 및 양국관계에 비추어 아국가입을 적극 지지한다고 언명하였음.

　　2. 본직은 여사한 적극적인 지지의사의 공개적인 표명을 요청한바, ARRIA 대사는 자국이 개별적으로 그렇게 하는것도 좋겠지만 그것보다는 리오그룹이 공동보조를 취한다면 더욱 효과적일 것이라고 언급함. 이어 동 대사는 지난주까지 자신이 당지그룹 의장이었으며 금주부터 콜롬비아 대사가 인계를 맡았다고 설명하면서, 아측이 원한다면 본건을 콜롬비아측과 협의하겠다고 말하였음.

　　3. 이에대해 본직은 수일전 J.MONTANO 멕시코 대사도 같은 의견을 표명한바있음을 알려주면서, ARRIA 대사의 적극적인 협조를 요청하였음. 끝

　　(대사 노창희-국장)

　예고 :91.12.31. 일반문서에

검토필(1991.63)

국기국	장관	차관	1차보	2차보	미주국	청와대	안기부

외신 2과 롱제관 CH

0094

288　남북한 유엔 가입 지지 교섭 2: 아주, 중남미

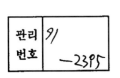

외 무 부

종   별 :

번   호 : UNW-0899   일   시 : 91 0412 1930

수   신 : 장관(국연,미남,기정)

발   신 : 주 유엔 대사

제   목 : 유엔가입문제(콜롬비아)

연:UNW-0898

본직은 4.12 오후 연호 D.ARRIA 베네주엘라 대사와의 면담에 이어 F.CEPEDA콜롬비아 대사를 방문한바, 면담요지를 아래보고함.

1. 본직은 CEPEDA 대사 (전직각료)에게 아국입장 및 가입추진현황을 설명하고 콜롬비아측의 지지와 협조를 요청하였음.

2. 동 대사는 ARRIA 베네보엘라대사로 부터 아국가입에 대한 리오그룹 공동입장 표명추진 문제에 관한 연락을 받았다고 언급하고, 리오그룹중 아국 유엔가입에 반대할 나라는 없을것이며 본건에 관한 당지그룹 회원국 대사들의 의견을 들어본후 본부와 협의하여 추진하겠다고 말하였음.

3. 이어 CEPEDA 대사는 본건 추진과 관련하여 우선 생각해 볼수있는 문제로서, 공동입장 표명시기를 아국 가입신청 전으로 할것인지, 또는 후로 할것인지 그리고 어떤 계기를 활용할 것인지등의 문제가 검토되어야 할 것이라고말함. 끝

(대사 노창희-국장)

예고:91.12.31. 일반
의거 일반문서

검토필(?)91.6.30

국기국   장관   차관   1차보   2차보   미주국   청와대   안기부

외 무 부

종   별 : 지 급

번   호 : MXW-0405   일   시 : 91 0412 2300

수   신 : 장관(미중,국연,정특반)

발   신 : 공동위수석대표 한우석(주멕시코대사관경유)

제   목 : 멕시코 외무차관 면담보고

    본직은 4.11. 공동위 멕측 수석대표인 ROZENTAL 외무차관(장관대리중)을
면담한바, 동결과를 다음과 같이 보고함(아측: 이복형대사, 김상철참사관,
이춘선중미과장, 멕측:LUISELLE 대사, FUENTE 아태국장, DULTZIN 경제국장 참석)

    1. 공동위개최 및 양국관계

    0 ROZENTAL 차관은 최근 양국간에 경제, 금융관계인사와 빈번한 교류와 교역,
투자가 확대되는등 전반적인 양국관계가 증진되고있는 시점에서 제 1 차 공동위개최
의의가 매우 크다고 말하고, 정부간 협력뿐만아니라 민간분야의 활동이중요하다고
하면서 한. 멕 양국이 경제력을 감안 계속 협력해 나갈것을 약속함.

    0 이에대해 본직은 한. 멕간의 계속되는 관계증진에 만족을 표시하고, 오는5 월에
예정된 SOLANA 외상의 방한이 이러한 양국간의 관계증진에 크게 기여할것이라고
말하고, 또한 한국측은 SALINAS 대통령의 방한을 환영한다고 말함.

    2. 유엔관계

    0 본직은 그간 멕시코정부가 유엔에서 보여준 협조에 감사를 표시하고, 조만간
유엔안보리에 한국의 유엔가입을 정식 신청할 예정인바, 이에대한 멕시코측의
계속적인 지지를 요청함.

    0 ROZENTAL 차관은 면담시 유엔관련 직접 언급은 하지 않았으나, 본직과 오찬 및
별도 회동시 멕시코는 남북한이 유엔에 동시 가입하는것을 지지하며, 남북한이 유엔에
가입하는것을 희망한다고 말하고, 북한이 주장한 단일의석 가입에 대해서는 매우
부정적인 견해를 피력하고, 아측입장에 호의적인 발언을 한바있음.

    3. 아. 태 협력

    0 ROZENTAL 차관은 현재 멕시코정부가 아. 태지역 협력을 주요정책으로 추진하고
있으며, 멕시코 교역의 90 퍼센트 이상이 태평양 연안국가와 이루어지고 있음을

미주국	장관	차관	1차보	2차보	국기국	정특반	청와대	안기부

검토필(1991. 6. 10.)

설명하면서 멕시코의 APEC 참여에대한 강력한 희망을 표시하면서 현재 한국이 APEC 의장국이므로 한국의 지원이 긴요함을 지적하면서, 금년 10 월 서울개최 APEC 각료회의에 멕시코가 APEC 옵서버자격으로 참가할수 있도록 지원해줄것을 요청함.

  0 이에대해 본직은 멕시코가 이미 PBEC, PECC 회원국으로 이지역 협력에 적극 참여하고 있음을 환영한다고 말하고, APEC 문제와 관련 현재 중국, 대만, 홍콩의 APEC 가입문제가 협의중이고, 회원국간에 APEC 의 MEMBERSHIP 개념이 정립되지않은 단계인바, 현시점에서 멕시코의 가입 및 옵서버 참가는 어려울것으로 보이나, 다만 원칙적으로 한국으로서는 멕시코의 가입을 호의적으로 생각하고있음.

  4. 북미자유무역협정(NAFTA)

  0 ROZENTAL 차관은 멕시코가 자신의 결정에따라 미국.카나다와 NAFTA 체결교섭을 추진 예정이라면서 최근 멕시코 정부는 GATT 가입, UR 협상참여등 자유무역체제에 적극참여하고있으며, 지정학적 중요성에 비추어 지역경제협력을 추진하고있는바, 아.태지역의 SUB-REGION 특히, 말레지아의 EAEG 제의등에 주의깊게 관찰하고 있다면서 멕시코는 상호 보완적인 BENEFIT 가 있으면 이들 SUB-REGION 과도 협력할 의사가 있다고 말함.

  0 또한, 동차관은 한국은 매우 중요한 협력 파트너인만큼 가까운 장래에 한-멕시코간 FTA 체결이 기대된다고 언급함.

  0 이에대해 본직은 멕시코가 NAFTA 를 체결한다 하더라도 자유무역체제를 견지, 한.멕시코간의 교역증진이 계속되길 바란다고 말함. 끝.

  (수석대표 한우석-장관)

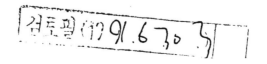

PAGE 2

0097

원　본 √

외　무　부

종　별 :

번　호 : PUW-0313　　　　　　　　　　일　시 : 91 0415 1730

수　신 : 장관(국연,미남,정일,기저,주유엔대표부)사본:윤태현주폐루대사

발　신 : 주 폐루 대사대리

제　목 : 유엔가입 추진

　　주재국 외무부 YVAN SOLARI 아주과장이 4.15 당관 이창호 참사관에게 제보한 내용을 아래와 같이 보고함.

　1. 아국 유엔가입 추진에 대한 중국의 태도

　-4.12 동과장이 당지 북한대사관이 주최한 김일성 생일 기념 리셉션에 참석한 자리에서 김경호 북한대사는 아국의 유엔가입 추진과 관련한 중국의 입장에 대해, 중국은 금년중 한국의 유엔가입을 거부할것으로 확신하나, 한.중 간의 봉상및 경협증진등 관계 발전 추세로 보아 장래의 중국태도에 대해 우려를 표명하였다고함.

　-주북경 대사 보고에 의하면, 아국 유엔가입 추진과 관련 중국정부는 남.북한이 합의하여 동문제를 결정하는것이 바람직하며, 한반도에서 평화가 유지되기를 희망한다는 입장이라고함.

　2. 아국 유엔가입 추진에 대한 RIO 구룹국 반응

　-주재국 외무부는 아국 유엔가입 추진에 대한 공식입장을 결정하는데 참고하기위하여 RIO 구룹국들의 입장을 문의중인바, 현재까지 칠레및 에쿠아돌 정부로부터 아국 유엔가입을 지지한다고 회보하여 왔다고함. 끝

　(대사대리 이창호-국제기구조약국장)

예고:91.12.31. 일반

19 . . . 에 고무에
의거 인민문서

91 6 30

국기국　　차관　　1차보　　2차보　　미주국　　정문국　　청와대　　안기부　　과학재

관리 9/
번호 ~2428

02 ✓ 38.

외 무 부

종 별 :

번 호 : DMW-0094   일 시 : 91 0415 1815

수 신 : 장관(국련,미중 사본:주유엔대사)

발 신 : 주 도미니카(공) 대사

제 목 : 유엔가입문제

대:WDM-0009,0011
연:DMW-0055,0069

1. 소직은 금 4.15. 주재국 HERRERA CABRAL 외무차관을 방문하고(한참사관 배석),
대호 메모란담 수교와 함께 아국의 유엔가입 입장을 설명하고 주재국 정부의 지지를
요청하였음.

2. 이에대해 동 차관은 주재국이 유엔에서 전통적으로 아국의 입장을
지지하여왔음을 상기시키고, 근간 주재국 대통령께 외무성 의견서를 첨부하여 본건
아국의 유엔가입 지지문제를 품신토록 하겠으며, 자국은 남.북한 쌍방가입이든 또는
아국단독 가입이든 아국이 요청하는 방식을 지지하게 될것으로 본다고 말하였음.

3. 이와관련, 소직은 북한의 단일의석 가입'의 부당성을 설명하고, 동 방안이
대표권 행사방식, 쌍방 이견조정 애로 및 상호 상치되는 정책발언 가능성등
현실적으로 불가능하다는 점을 지적하였던바, 동 차관은 이에 전적으로 동감을
표명하였음.

4. 한편 소직은 주재국 정부의 아국지지 입장이 확정되는대로, 적절한 시기와
방법으로 동 지지입장을 대외적으로 공개발표하여 주도록 요청하였던바, 동 차관은
이를 검토 조치하겠다고 말하였음.

(대사 박련-장관)

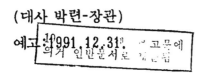

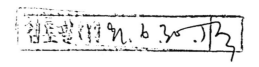

미주국   장관   차관   1차보   2차보   국기국   정와대   안기부

PAGE 1   91.04.16   08:00
                                            외신 2과 통제관 FE

0099

관리
번호 91
-2434

외 무 부

종 별 :

번 호 : UNW-0912   일 시 : 91 0415 2130

수 신 : 장관(국연,미중,미남,기정)

발 신 : 주 유엔 대사

제 목 : 유엔가입문제

표제관련 당관 원참사관의 중남미 제국 관계관의 접촉결과를 아래보고함.

1. 세인트빈센트(J.POMPEY 공사)

가. 본부로 부터 아국입장지지에 관한 분명한 지시가 있었음.

나. 동 지지의 공개적 표명 문제도 호의적 검토(적절한 방식 추후협의)

2. 안티구와 바부다(P.LEWIS 공사)

가. 아국입장 지지하며, 공개적 표명문제는 본부와 협의중임.

나. 4 월초 북한측 요청으로 실무급과 면담한바, 북측은 유엔가입이 남북한간 내부문제이며 아국가입은 봉일에 장애가 된다고 주장

3. 파나마(I.SAINT MALO 대사:3 석), 페루(J.ARROSPIDE 공사), 파라과이(G.PAPPALARDO 참사관), 우루과이(W. EHLERS 서기관)은 아국입장 지지를 재확인하면서, 공개적 표명문제는 본부의 지시를 받겠다는 반응을 나타냄.끝

(대사 노창희-국장)

예고:91.12.31. 일반
의거 일반문서로 재분류

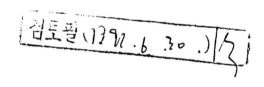
검토필(1991. 6. 30.)

국기국   장관   차관   1차보   2차보   미주국   미주국   청와대   안기부

PAGE 1   91.04.16   11:00

외신 2과 통제관 FE

0100

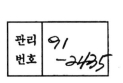

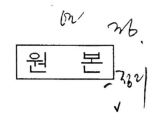

외 무 부

종 별 :

번 호 : UNW-0913 　　　　　　　　　　　　일 시 : 91 0415 2130

수 신 : 장관(국연,미남,기정)

발 신 : 주 유엔 대사

제 목 : 유엔가입문제(칠레)

표제관련 금 4.15 오전 본직은 J.SOMAVIA 칠레 대사를 방문접촉한바, 면담요지를 아래보고함.

1. 본직이 아국 유엔가입을 위한 칠레측의 계속적인 적극 지지를 요청한바, SOMAVIA 대사는 아국 메모랜덤 배포와관련 분명한 아국 지지입장의 조기표명을 본부에 건의한바 있다고 언급함.

2. 동대사는 자신의 상기 건의에 대해 본부로 부터 적극적인 지지 표명 방침임을 회시받았다고 말하고, 여사한 자국방침은 주칠레 아국대사관을 통해 공식전달될 것이라고 하였음.

3. 한편 리오그룹의 아국지지 공동입장 표명문제에 대하여 SOMAVIA 대사는 동 그룹내 다른 국가들도 아국 유엔가입에 이의가 없을것이라고 평가하면서, 적절한 기회에 공동지지입장을 표명토록 추진하는것이 좋겠으며 이에 협조하겠다고말함. 끝

(대사 노창희-국장)

예고 : 91. 12. 31.에 일반문서로 재분류됨

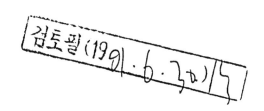

국기국　　장관　　차관　　1차보　　2차보　　미주국　　청와대　　안기부

PAGE 1 　　　　　　　　　　　　　　　　　　　91.04.16　　11:02

　　　　　　　　　　　　　　　　　　　　　외신 2과 통제관 FE

　　　　　　　　　　　　　　　　　　　　　　0101

관리
번호 91
-2415

분류번호 보존기간

발 신 전 보

WUN-0946   910415 1901   FL

번   호 :   종별 :

수   신 : 주   유엔   대사. ~~주홍콩사~~ (사본 : 주멕시코대사) WMX-0216

발   신 : 장   관   (국연)

제   목 : 유엔가입추진 (쿠바반응 타진)

대 : UNW-0843

1. 쿠바는 종래 총회 기조연설에서 유엔가입에 관한 북한의 입장을
    지지 발언하였으나, 작년 제45차 총회 기조연설에서는 북한의
    통일방안에 대한 연대성 관련 발언이외 유엔가입문제에 대한
    언급이 없었음.

2. 최근 쿠바가 소련등으로부터의 지원이 거의 끊어져감에 따라
    멕시코에 더 접근해 오고있다는 귀지 멕시코대사의 언급과
    관련, **추후** 동 대사 접촉시 하기사항을 멕시코측의 입장으로서
    쿠바측에 전달, 반응을 타진하여 줄 것을 적의 요청하고 결과
    보고바람.

    가. 북한의 단일의석 가입안에 대해서는 중국도 불가능한
        방안이라고 평가하고 있으며, 한국의 유엔가입문제에
        대해서는 더이상 늦추어져서는 안되며 유엔의 보편성
        원칙에 따라 처리되어야 한다는 것이 국제적 분위기임.

/계속...

보 안
통 제

앙
고
재 91년 4월 12일 UN과   기안자
성명   과 장   국 장 차관보 차 관 장 관

외신과통제

나. 쿠바는 한국의 유엔가입문제를 북한과의 우호관계와는
   별도로 고려하여야 할 뿐만 아니라 국제사회의 일반적
   분위기와 한국민의 열망에 부응하도록 긍정적 태도를
   취하여야 한다고 봄. 끝.

예 고 : 1991.12.31. 에 일반 고문에
        의거 인반문서로 재분됨

(차 관 유종하)

검 토 필(19 91. 6. 30.)

0103

관리
번호 91-2824

신뢰받는 정부되고 받쳐주는 국민되자

주 코 스 타 리 카 대 사 관

코스타(정)20311-25   1991. 4. 15

수 신 : 장 관
참 조 : 국제기구조약국장, 미주국장, 정보문화국장
제 목 : 유엔 가입 추진

    연 : COW-0156(91.4.9)

    연호 유엔 각국 대표단에 아국 유엔 가입을 지지하는 성명서를 배포할 것임을 통보한 4.8일자 주재국 외무성 공한 사본과, 아국 유엔 가입 지지에 관한 4.9일자 "LA PRENSA LIBRE"지 기사를 별첨 송부합니다.

첨 부 : 1. 동 공한 사본 1부.(국제기구조약국장 및 미주국장)
        2. 동 관계 기사(영문 번역문 포함)1부. 끝.

예고 : 1991.12.31일반 고문에 의기 인민문서로 재분됨

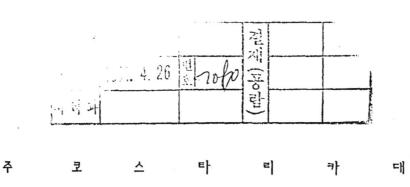

주 코 스 타 리 카 대

0104

.REPUBLICA DE COSTA RICA
MINISTERIO DE RELACIONES EXTERIORES Y CULTO

SGOI/DGPE No. 251-91

El Ministerio de Relaciones
Exteriores y Culto saluda muy atentamente a la Honorable
Embajada de la República de Corea en ocasión de dar a cono-
cer el pronunciamiento del Gobierno de Costa Rica en rela-
ción al deseo de la República de Corea de ingresar como miem-
bro a la Organización de las Naciones Unidas.

El pronunciamieto adjunto, se
hará circular en New York a las Misiones acreditadas ante
las Naciones Unidas.

El Ministerio de Relaciones
Exteriores y Culto, hace propicia la oportunidad para reite-
rar a esa Honorable Embajada los sentimientos de su distin-
guida consideración.

San José 8 de abril de 1991.

A LA HONORABLE EMBAJADA
DE LA REPUBLICA DE COREA
CIUDAD

0105

VM/cba.

.REPUBLICA DE COSTA RICA
MINISTERIO DE RELACIONES EXTERIORES Y CULTO

DGPE/SGOI No. 250-91

COMUNICADO DEL GOBIERNO DE COSTA RICA
RELACIONADO CON LA SOLICITUD DE INGRESO DE LA REPUBLICA
DE COREA, COMO MIEMBRO DE LA ORGANIZACION DE
LAS NACIONES UNIDAS.

"EL GOBIERNO DE LA REPUBLICA DE COSTA RICA VE CON
SUMO AGRADO EL DESEO DE LA REPUBLICA DE COREA DE
INGRESAR COMO MIEMBRO PLENO DE LA ORGANIZACION
DE LAS NACIONES UNIDAS, EN EL TRANSCURSO DEL
PRESENTE AÑO, CUYO ACTO CONSTITUIRIA UN APORTE
EFECTIVO AL PRINCIPIO DE LA UNIVERSALIDAD DE LAS
RELACIONES INTERNACIONALES Y EL RECONOCIMIENTO DE
LA SOBERANIA DE LOS ESTADOS.

EL GOBIERNO DE LA REPUBLICA DE COSTA RICA APOYA EL
MEMORANDUM DE LA REPUBLICA DE COREA QUE CIRCULO EL
DIA 5 DE ABRIL DE 1991, MEDIANTE EL QUE SE EXPRESA
A LA COMUNIDAD INTERNACIONAL EL DESEO DE LA
REPUBLICA DE COREA".

VM/cba

0106

STATEMENT OF THE GOVERNMENT OF COSTA RICA
IN RELATION WITH THE APPLICATION FOR ADMISSION OF THE REPUBLIC OF KOREA
AS MEMBER OF THE UNITED NATIONS

"THE GOVERNMENT OF THE REPUBLIC OF COSTA RICA VIEWS WITH GREATEST PLEASURE THE DESIRE OF THE REPUBLIC OF KOREA TO BE ADMITTED AS FULL MEMBER OF THE UNITED NATIONS DURING THE PRESENT YEAR. THIS ACT WOULD CONSTITUTE AN EFFECTIVE CONTRIBUTION TO THE PRINCIPLE OF UNIVERSALITY OF THE INTERNATIONAL RELATIONS AND THE ACKNOWLEDGEMENT OF THE SOVEREIGNTY OF THE STATES.

THE GOVERNMENT OF COSTA RICA SUPPORTS THE MEMORANDUM OF THE REPUBLIC OF KOREA CIRCULATED ON APRIL 5, 1991, IN WHICH THE DESIRE OF THE REPUBLIC OF KOREA IS EXPRESSED TO THE INTERNATIONAL COMMUNITY."

0107

Tesis es respaldada por Costa Rica

Inadmisible un solo campo para ambas Coreas en ONU

"Mi gobierno no está obstaculizando la reunificación en Corea, buscando dos asientos en la ONU" dijo el Embajador Chang Keun Kim. (Foto Valerio)

Ambas Coreas deben contar con su asiento respectivo como miembros de la Organización de las Naciones Unidas.

LUIS F. VILLALOBOS LEIVA

Un total respaldo a la tesis de que ambas Coreas deben contar con su asiento respectivo como miembros de la Organización de las Naciones Unidas (ONU), es la tesis que ha venido sosteniendo Costa Rica en diversos foros, entre ellos en la propia Asamblea General de ese organismo internacional.

El canciller Bernd Niehaus expresó su apoyo a Corea del Sur para que tenga su propio asiento, durante el discurso que presentó, en setiembre del año pasado, en la Asamblea General de la ONU, que fue ratificado por el Gobierno de la República a través de un documento oficial emitido en marzo de este año, según trascendió en esferas gubernamentales.

Corea del Norte ha insistido, desde hace muchos años, en el ingreso de Corea del Norte y la República de Corea del Sur a la ONU con un único asiento. Estos dos países fueron divididos después de 1945, cuando al concluir la Segunda Guerra Mundial y luego de la prolongada dominación territorial de Japón, que venía ocupando la nación desde 1910, los aliados deciden, en Yalta, que los triunfadores –EE.UU y la URSS– ocuparían esa península; la parte sur estaría a cargo de los Estados Unidos, debajo del parralelo 38 y la parte norte bajo el control soviético.

En la parte sur de la península, la república se estableció en 1948; después de la administración militar estadounidense, se realizaron elecciones generales, bajo la supervisión de las Naciones Unidas. El régimen norcoreano rechazó las elecciones propuestas por la ONU, y en 1950 invade a Corea del Sur para unificar la península por la fuerza, con la finalidad de establecer el comunismo, lo que obligó a la ONU a enviar tropas a Corea de Sur.

El triste saldo se produjo para 10 millones de co-

reanos, quienes buscando escapar del régimen comunista de Kim Il Sung, cuya dictadura se ha convertido en la más prolongada del mundo durante el presente siglo, debieron dejar sus familias, con una división difícil de superar.

POSICION DE COREA DEL SUR

"La posición de Corea del Norte de mantener un solo asiento en la ONU para dos países con un ligamen que data de hace 4224 años, cuando el fundador "Tan-Gun" estableció el reino "Choson", en la península de Corea es una idea sin precedente", expresó el embajador de la República de Corea, Chang Keun Kim.

"Esta idea de Norcorea no es factible, debido a que viola la principal regulación de la ONU: donde el principio de universalidad abrigado por esa organización requiere la admisión de todos los Estados soberanos elegibles que deseen unirse a las Naciones Unidas, lo que cada día gana más relevancia, a medida que este organismo asume un papel vital cada vez más creciente en la era de la posguerra fría", afirmó el diplomático.

La membresía paralela de ambas Coreas, según lo sostiene el Gobierno surcoreano, es enteramente sin perjuicio al objetivo final de la reunificación

La unificación de Alemania Occidental y Oriental, así como la de Yemen del Norte y del Sur, cada uno de los cuales mantuvo membresía separada en las Naciones Unidas dan validez a la tesis de Corea del Sur y desaprueban la opinión de que la membresía en las Naciones Unidas serviría para perpetuar o legitimar la división nacional de Corea, indicó el diplomático coreano quien señaló que su gobierno está convencido de que, con el apoyo abrumador de los estados miembros de la ONU para la justa causa de su membresía, la República de Corea podrá asumir su lugar legítimo en las Naciones Unidas en los meses que vienen.

0108

UNOFFICIAL TRANSLATION

Costa Rica supports the thesis:
UNITED NATIONS SINGLE-SEAT MEMBERSHIP FOR BOTH KOREAS INADMISSIBLE

A total support for the thesis that both Koreas must hold separate seats as members of the United Nations, is the thesis that Costa Rica has supported absolutely at diverse forums, among them, at the United Nations General Assembly.

According to Governmental sources, Minister of Foreign Affairs, Mr. Bernd Niehaus, expressed his support to South Korea in having its own seat at the United Nations in his speach, delivered in September of last year at the General Assembly of the U.N. (which was ratified by the Government of the Republic of Costa Rica through an official document emitted in March of this year).

North Korea has insisted, since many years ago in the admission of both North Korea and the Republic of Korea into the United Nations with a single seat. These two countries were divided after 1945, when World War II ended and after the prolonged territorial domination of Japan, which had occupied the Nation since 1910, the allies in Yalta decided that the U.S.A. and the USSR would occupy the Peninsula; the U.S. would take charge of the southern part, below the 38th Parallel, and the northern part would be controlled by the soviets.

In the southern part of the Peninsula, the Republic of Korea was established in 1948. Following U.S. military administration, general elections were held, under the supervision of the United Nations. The North Korean regime rejected the elections proposed by the United Nations, and in 1950 invades South Korea to unify the Peninsula by force, with the aim of establishing communism, which obliged the United Nations to send troops to South Korea.

It occurred the sad result that 10 million of Koreans, who in order to escape from the communist regime of KIM IL SUNG, whose dictatorship has turned to be the most prolonged in the world in the present century, had to leave their families, with a division of families difficult to overcome.

POSITION OF SOUTH KOREA
"The position of North Korea of maintaining a single-seat at the U.N. for two countries with ties that go back to 4224 years ago, when the founder "Tan-Gun" established the kingdom "Choson" in the Korean peninsula is an unprecedented idea", expressed the Ambassador of the Republic of Korea, Chang Keun Kim.

0109

"This idea of North Korea is unfeasible because it runs counter the principal provision of the United Nations where the principle of universality cherished by this organization requires the admission of all the elegible sovereign states that wish to join the United Nations, this principle gains more relevance than ever as the United Nations assumes an increasingly vital role in the post-cold war era", affirmed the diplomat.

The parallel membership of both Koreas, as the South Korean Government maintains it, is entirely without prejudice to the ultimate objective of reunification.

The reunification of East and West Germany and of North and South Yemen, each of which had maintained separate membership in the United Nations, validated this view and disproves the contention that United Nations membership might serve to perpetuate or legitimize Korea's national division, indicated the Korean diplomat, who pointed out that with the overwhelming support of the Member States of the United Nations for the legitimate cause of its membership, the Republic of Korea will be able to assume its rightful place in the United Nations in the months ahead. END.

0110

관리
번호 91
-2462

외 무 부

원 본

종 별 :

번 호 : UNW-0935   일 시 : 91 0416 1930

수 신 : 장관(국연,미남,기정)

발 신 : 주 유엔 대사

제 목 : 유엔가입문제(에쿠아돌)

　　금 4.16 오전 본직은 표제관련 J.AYALA 대사를 방문한바, 면담요지를 아래보고함.

　　1. 동대사는 본국정부에서도 분명히 밝힌바와같이 에쿠아돌이 아국가입을 지지하는데는 아무런 문제가 없다고 언명하였음.

　　2. 에쿠아돌이 91.8 월 안보리 의장국이 될 예정임과 관련 본직은 아국가입추진상 동 기간이 중요한 시기가될 것임을 시사하면서 동국의 각별한 협조를 당부하였음.

　　3. 리오그룹의 아국가입 지지 공동입장 표명문제에 관하여 AYALA 대사는 안보리 이사국이라는 입장때문에 자국이 보다 신중한 자세를 취해야하기 때문에 본건을 앞장서서 추진하기는 어려울지 모르겠으나 , 그룹내 다른 국가들이 지지하는경우, 이에동조하는데 어려움은 없을것이라고 언급함. 끝

　　(대사 노창희-국장)

예고:91.12.31. 일반문고문에
의거 일반문서로 재분류됨

검토필(1991. 8. 3 0.)

국기국　　장관　　차관　　1차보　　2차보　　미주국　　청와대　　안기부

91.04.17　　09:56
외신 2과 통제관 BW
0111

외   무   부

종   별 :

번   호 : ARW-0287

일   시 : 91 0416 2100

수   신 : 장관(미남,국연) 사본:이상진대사

발   신 : 수석대표 한우석(주아르헨티나대사관 경유)

제   목 : 아르헨티나 OLIMA 차관 면담 보고

본직은 4.15(월) 한. 아르헨 경제협의회 알측 수석대표인 OLIMA 정무차관(장관대리)을 면담한바, 주요 내용은 다음과 같음.(아측: 신동련 참사관, 이춘선중미과장, 알측:FIGUERERO 아주국장 배석)

1. 양국관계 현황

-OLIMA 차관은 한국대표단 방문을 환영하고, 금번 협의회개최로 양국관계가더욱 증진되기를 바란다면서 현재 양국간의 정치, 경제관계가 만족스러운 상태이나, 더욱 증진할 필요가 있는바, 금번 회의를 통해 보다많은 협의를 할수 있는메카니즘이 구성되기를 바란다고 말함.

-이에대해 본직은 아측 대표단 환영에 사의를 표하고, 아울러 장관님과 차관님의 DI TELLA 외상 및 OLIMA 차관에 대한 안부를 전하고, 양국관계가 더욱 증진되도록 메넴 대통령과 DI TELLA 외상의 방한이 시렵되도록 협조해줄것을 당부함.

2. 유엔관계

-본직은 유엔가입과 관련, 메모렌덤 배포사실과 금년 유엔총회 이전에 가입신청 예정임을 알리고 아르헨틴측의 지지를 요청함.

-동 차관은 이에대해 상임이사국이 거부권을 행사하지 않도록 회원국의 CONSENSUS 를 이루는것이 중요하다면서, 아르헨티나는 한국의 입장을 지지하겠다고함.

3.DI TELLA 외상 방한건

-본직은 경제협의회 개회직전에 외무성 FIGUERERO 아주국장과 별도 회동한바, 동 국장은 DI TELLA 외상이 6 월이후 극동방문(일본외 1 개국)을 계획하고 있는데 현재 말레이시아 방문을 구상중이나, 한국고 부자보장 협정 서명등 특별한 계기가 마련된다면 한국방문을 적극 추진하겠다고 말함.

(수석대표 한우석-장관)

미주국   장관   차관   미주국   국기국

91.04.18   06:39
외신 2과 통제관 CE
0112

예고:91.12.31 일반 무에
의거 인반문서 고 기

0113

검토필(1991.6.16.)

신뢰받는 정부되고 받쳐주는 국민되자

u√

주 코 스 타 리 카 대 사 관

코스타(정)20311-28   1991. 4. 17.

수 신 : 장 관

참 조 : 국제기구조약국장, 미주국장

제 목 : 유엔 가입 추진

연 : COW-167   (91.4.17)

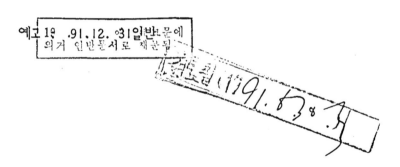

  연호 번호를 포함토록 지시한 주재국 정부의 아국 유엔 가입 지지 문서에 아국 유엔 안보리 문서 외무성의 유엔 대표부 앞 공한 사본을 별첨 송부합니다.

첨 부 : 동 공한 사본(영문 번역문 포함)1부.끝.

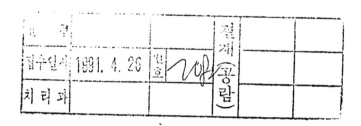

주 코 스 타 리 카 대

0114

REPUBLICA DE COSTA RICA
MINISTERIO DE RELACIONES EXTERIORES Y CULTO

DGPE/SGOI/ 306/91

F.A.C.S.I.M.I.L.

PARA: Sr. Christian Tattenback,
        Embajador, Representante Permanente de Costa Rica ante O.N.U.
        FAX #0012129866842
        New York, U.S.A.

DE: Sr. José de J. Conejo,
        Director General de Política Exterior

FECHA: 16 de abril de 1991

ASUNTO: Solicitud del Gobierno de la república de Corea de Ingresar como
        Miembro de las Naciones Unidas-

\#**

En relación a nuestro FAX #DGPE/SGOI/250/91, de fecha 8 de los corrientes, hago
de su estimable conocimiento que el número mediante el cual el Consejo de
Seguridad hizo circular la solicitud del Gobierno de la República de Corea es
el S/22455 de fecha 5 de abril del año en curso, cuya referencia ruego tomar en
consideración para los efectos consiguientes.

Atentamente,

ORGANISMOS INTERNACIONALES

VM/ganr
cc: Honorable Embajada de la República de Corea
    Archivo

0115

UNOFFICIAL TRANSLATION
DGPE/SG01/306/91

FACSIMIL

TO: Mr. Christian Tattemback
             Ambassador, Permanent Representative of Costa Rica
             to the United Nations
             FAX NO. 001 212 986 6842
             New York, U.S.A.
FROM: Mr. José de J. Conejo
             Director General for Foreign Policy
DATE: April 16, 1991
REFERENCE: Application for Admission of the Republic of Korea as
             Member of the United Nations.

In reference to our Fax No. DGPE/SG01/250/91, dated April 8, I inform you
that the number through which the Security Council had circulated the
application of the Government of the Republic of Korea is S/22455 dated
April 5, 1991. Please take this reference into consideration for the concerning
documents.

Sincerely,
INTERNATIONAL ORGANIZATIONS

cc: The Honourable Embassy of the Republic of Korea

0116

원 본

관리
번호 : 91
-2496

외 무 부

종   별 :

번   호 : CSW-0277   일   시 : 91 0417 1700

수   신 : 장관(국연,미남),사본:주유엔대사(중계필)

발   신 : 주 칠레 대사

제   목 : 유엔가입 추진

연:CSW-0266

1. 주재국 외무성 정무총국 ROLANDO STEIN 다자국장은 금 4.17. 본직을 외무성으로 초치, 주재국 정부가 양국간의 기존 우호협력 관계와 아국의 유엔가입 당위성에 감하여 아국의 유엔가입을 전폭적으로 지지키로 결정하였다는 내용의 구상서를 수교하여 왔음.

2. 동 국장은 상기 칠레정부의 조속한 지지 결정이 한국정부에 대한 칠레의각별한 호의에 기인함을 강조하고 앞으로도 국제사회에서의 양국간 협력을 거듭 다짐하였으며, 금명간 상기 결정 사실을 주한 칠레대사관에도 통보 예정이라고 부연하였음. 끝

(대사 문창화-국장)

예고191.12.31.에 일반문서에
의거 일반문서로

국가국   장관   차관   1차보   2차보   미주국   청와대   안기부

PAGE 1   91.04.18   08:23

원 본

외 무 부

관리
번호 9/ -2495

종   별 :

번   호 : COW-0167   일   시 : 91 0417 1720

수   신 : 장관(국연,미중)(사본:주유엔대사(중계필))

발   신 : 주 코스타리카 대사대리

제   목 : 유엔가입추진

대:WCO-0071

연:1)COW-0165, 2)COW-0156, 3)COW-0157

1. 정참사관은 연호 1) 아국 IMO 이사국 입후보 지지요청건과 관련, 작 16 일의 외무성 CONEJO 대외정책국장, ALVEREZ 한국과장 및 MONGE 국제기구과장과의 면담시, 동인들에게 연호 2) 아국유엔가입 지지 주재국성명서가 대호 아국 안보리 문서번호를 포함, 배포되었는지 문의하고, 아국유엔가입이 상금 PENDING 되어 있으므로 아국유엔가입이 결정될때 까지는 주재국 정부의 계속적인 지지가 요망된다면서, 주재국 유엔대표부를 통한 아국유엔가입 지지표명에 관하여는 그 시기를 아국유엔대표부와 접촉, 조치하는등 협조를 당부하였음.

2. 이에 대하여 상기인들은 상기 "1"항 주재국 성명서가 기 배포되었는지는아직 확인하지는 못하였으나, 주재국 정부의 아국유엔가입 지지에 계속 협조하겠다고 말하였음. 동 면담 직후 외무성은 주유엔대표부에 아국 문서번호를 통보하고 활용토록 지시하는 공한(16 일자, DGPE/SGOI/306/91, 사본:당관)을 FAX 로 송부하는 한편, MONGE 국제기구과장은 주재국 대표부에 전화, 아국대표부와의 접촉을 지시하였다고 금 17 일 알려왔음(16 일 면담장소에서 전화시도하였으나 통화중이어서 추후 재전화). 동 공한사본(금 17 일 오전입수), 명 18 일 송부위계임. 끝.

(참사관 정덕소-국장)

예고:91.12.31 일반.

국기국	장관	차관	1차보	2차보	미주국	청와대	안기부

91.04.18   08:44
외신 2과 통제관 BW
0118

원 본

외 무 부

관리 91
번호 ─2528

종 별 :

번 호 : ARW-0289   일 시 : 91 0417 1900

수 신 : 장관(국연) 사본:이상진대사

발 신 : 주 아르헨티나 대사대리

제 목 : RIO 그룹 지지

대:WAR-151

1. 주재국 외무부 RIO 그룹 담당관인 ALVAREZ 참사관과 협의한바, 차기 RIO그룹 회의는 4.26-27 간 룩셈불그에서 개최되는 RIO 8 개국 외무장관과 EC 간의 협의가 예정되어 있으나 의제는 양기구간의 협력문제라고 하며, 차기 RIO 정책 회의 일자는 아직 미정이라고 함.

2. 따라서 차기 RIO 그룹 정책협의회까지는 시간이 있는것으로 판단되어 본건 공관장 귀임후 시간을 두고 교섭하겠음.

(대사대리 신동련-국장)

예고:91.12.31. 일반 고 에 의거 인반문서로 재분넘

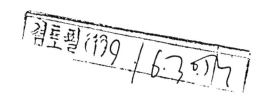

국기국

관리 번호 기 —2530

원 본

외 무 부

종 별 :

번 호 : URW-0057

일 시 : 91 0417 1915

수 신 : 장관(국연,미남,사본:탁나현대사)

발 신 : 주 우루과이 대사대리

제 목 : 리오그룹회의

대:WUR-0052

연:URW-0051

금 4.16 주재국 외무성 아주국장과 정무국장을 면담, 대호건에 관한 주재국측 협조를 요청한바, 동인들은 리오그룹회의가 금년 4.3-4 간 보고타에서 개최되었으며 금번 4.26-27 간 룩셈부르크에서 개최되는 리오그룹회의는 EC 국가와의 경제협력관계 강화를 위한회의이므로 동회의 분위기에따라 아측협조사항이 반영되도록 노력할것이라함.

(대사대리-국장)

예고문 :91.12.31 일반고 에 의거 일반문서로 재분류

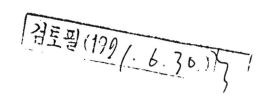

국기국   미주국

PAGE 1

91.04.18   21:04
외신 2과 통제관 CH

0120

관리 9/
번호 -2506

	분류번호	보존기간

발 신 전 보

번 호 : WCO-0079   910418 1154   FN   종별 :

수 신 : 주 코스타리카   대사. 총영사// 대리

발 신 : 장 관 (국연)

제 목 : "코" 정부성명, 안보리문서 배포

연 : WCO-0071

대 : COW-0156

대호 귀주재국 정부의 아국입장을 지지하는 성명이 4.15.자 안보리문서로
배포된 바, 주재국정부 요로에 대해 사의를 표명바람.   끝.

예 고 | 19 1991.12.31. 일반에
의거   서   됨 |

(국제기구조약국장   문동석)

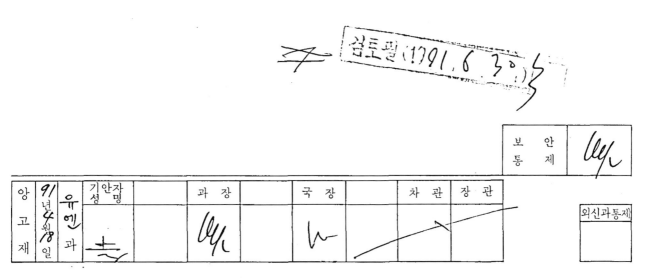

검토필(1991. 6. 30)

보 안 통 제	

앙 고 재	91 년 4 월 18 일	유 엔 과	기안자 성명		과 장		국 장		차 관	장 관		외신과통제

0121

외　무　부

원　본

종　별 :

번　호 : COW-0171　　　　　　　　　　　　일　시 : 91 0418 1705

수　신 : 장　관(국연,정홍,미중)사본:주유엔대사, 김창근 대사

발　신 : 주 코스타리카 대사대리

제　목 : 주재국 아국 유엔 가입 지지표명 관계기사

　　주재국 일간 ‘LA NACION’ (4.18일자)지는 UN발 FE통신을 인용, 아래요지 보도하였음.

　　O ‘코’는 유엔가입을 희망하는 한국입장에 지지를 표명하였음.

　　O 주 유엔 CHRISTIAN TATTEMBACH ‘코’대사는 안보리 PAUL NOTERDAEME의장앞 서한에서 ‘상기 조치는 국제관계의 보편성 원칙과 제국가의 주권승인에 진정한 기여역할을 할것’이라고 말하였음.

　　O 한국은 최근 2개의 독일의 경우에서 입증된것처럼 한국의 유엔가입이 평화통일 노력에하등의 장애가 되지 않는다고 판단하고 있으므로 북한도 유엔회원국 가입신청을 하기를 바란다는 의사를 표명하였음. 끝.

　　(참사관 정덕소-국장)

국기국　　미주국　　미주국(木木)　　　　정문국　　정문국　　안기부
　　　　　　　　　　（乙）

외신 1과 통제관
0122

원 본

관리 번호	9/ ─ 2538

외 무 부

종 별 :

번 호 : CSW-0287   일 시 : 91 0418 1750

수 신 : 장관(국연,미남),사본:주유엔대사(중계필)

발 신 : 주 칠레 대사

제 목 : 유엔가입 추진

     연:CSW-0277

     주재국 외무성은 연호 아국의 유엔가입에 대한 지지 결정을 주유엔 자국
대표부에도 통보 하였다함. 끝

     (대사 문창화-국장)

예고:91.12.31. 일반
의거 일반문서로 재분류됨

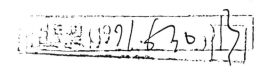

국기국   미주국

원 본

외 무 부

관리 9/
번호 -2546

종 별 :

번 호 : UNW-0961

일 시 : 91 0418 1830

수 신 : 장관(국연,미중,미남,기정)

발 신 : 주 유엔 대사

제 목 : 유엔가입문제

연:UNW-0912

표제관련 당관 원참사관의 중남미 제국 관계관의 접촉결과를 아래보고함.

1. 온두라스(J.SAUZO 차석대사)

본국으로 부터 아국가입 지지훈령을 4.18 접수하였다고 하며, 공개적 표명문제에 대해서도 호의적 반응표시

2. 안티구와 바부다(P.LEWIS 공사)

가. 아국가입지지 입장을 재확인하면서, 공개적 표명문제는 추후에 검토해 보자는 것이 본부반응이라고 언급(북한과 수교한지가 얼마안되는 시기상의 문제시사)

나. 카리브제국(CARICOM 12 개국) 간 유대에 비추어 CARICOM 의 공동지지표명 가능성을 검토해 보는것도 좋겠다고 말함.

3. 아르헨티나(A.NIETO 참사관)

4.10 OLIM 차관의 아국 대사와의 면담결과를 통보받았다고 하면서, 아국입장 지지에는 문제가 없으나 적극적인 공개표명에는 신중을 기한다는 본부 방침인것 같다고 말함.(유엔에서의 대결상황 불원입장, 가능한 지역수준의 합의도출 바람직)

4. 파나마(I.SAINT MALO 대사:3 석)

아국입장 지지에 문제없으나, 공개입장 표명은 현단계에서 부적절하다고 보며 앞으로 시간을 가지면서 검토해 보자는 반응

5. 가이아나(T.CRICHLOW 참사관)

45 차 총회 기조연설시 입장에 언급하면서, 추후 회보해 주겠다는 반응. 끝

(대사 노창희-국장)

예고:91.12.31. 일반
의거 일반

검 토 필(1991.6 30.)이해형

국기국	장관	차관	1차보	2차보	미주국	미주국	청와대	안기부

91.04.19 08:40

외신 2과 통제관 CE

0124

원 본

외 무 부

관리
번호 91
-245

종 별 :

번 호 : UNW-0962　　　　　　　　　일 시 : 91 0418 1830

수 신 : 장관(국연,미남,기정)

발 신 : 주 유엔 대사

제 목 : 유엔가입문제(브라질)

　　　본직은 표제관련 4.17 R.SARDENBERG 브라질 대사를 방문한바, 면담요지를 아래 보고함.

　　　1.SARDENBERG 대사는 아국 안보리문서를 본부에 보고했었다고 말하고, 본부에서도 아국대사관을 통해 이미 밝혔을 것으로 본다고 하면서, 자국은 보편성원칙과 양국관계에 비추어 아국입장을 지지한다고 언명하였음.

　　　2. 아국지지를 위한 리오그룹 공동입장 문제에 관하여 동 대사는 좋은 생각이라고 말하면서 46 차 총회개막시 리오그룹 외상등이 당지에서 만나는 기회에 아국지지 공동입장 표명토록 추진하는것이 어떻겠느냐는 의견을 제시함. 이에대해 본직은 그 시기가 너무 늦는것 같다고 말하고 아국이 안보리 문서를 배포한 현 단계에서 표명되는것이 보다 바람직할것으로 본다고말함.SARDENBERG 대사는 이달 초순 외상회의의 기회를 놓친것이 아깝다고 말하면서, 앞으로 적절한 기회를 검토해 보자고 하였음. 끝

　　　(대사 노창희-국장)

예공:91.12.31. 일반문서

국기국　　장관　　차관　　1차보　　2차보　　미주국　　청와대　　안기부

분류번호	보존기간

발 신 전 보

번   호 : WUN-0987   910418 1858 CO   종별 :

수   신 : 주 유연   대사. 총영사

발   신 : 장 관   (국연)

제   목 : 유연가입 (알젠틴 태도)

4.15. 한.알젠틴 경제협의회시 Olima 정무차관은 금년도 우리의 유연
가입문제에 관해 상임이사국이 거부권을 행사치 않도록 회원국의 consensus를
이루는 것이 중요하다면서, 알젠틴은 한국의 입장을 지지하겠다고 언급한 바
참고바람.

예 고 [19. . . 에 예고문에 의정1912.31일 반분]

(국제기구조약국장 문동석)

앙고재 9/년4월18일	유엔과	기안자성명	과장	국장	차관 장관	보안통제
						외신과통제

0126

검토필 (1991. ι. 18.)

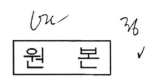
관리번호 91 -2584

외 무 부

종 별 :

번 호 : COW-0174 일 시 : 91 0419 1450

수 신 : 장관(국연,미중)(사본:주유엔대사)

발 신 : 주 코스타리카 대사대리

제 목 : 유엔가입추진

대:1)WCO-0079, 2)WCO-0076

연:COW-0167

1. 정참사관은 금 19 일 외무성 CONEJO 대외정책국장, ALVAREZ 한국과장, JORGE SAENZ 장관보좌관 및 MONGE 국제기구과장을 면담, 대호 1) 주재국정부의 아국 메모랜덤 지지 안보리문서배포에 대하여 공한을 수교하면서 사의를 표명하였음.

이어 아국이 유엔에 가입, 투표권을 확보하게되면 국제기구 특히 유엔에서의 아국의 대주재국 지지협력이 더욱 증진될 것임을 언급(대호 2) 주재국의 ILC 위원입후보건을 예시 설명)한후, 유엔가입시까지 주재국의 계속적인 지지를 재당부하고, 이를 위해 유엔 한-코 양국 대표부간 접촉, 협조를 주재국대표부에 공문으 지시하여 줄것을 요청하였음.

2. 이에 대하여 동인들은 계속 지지 협조하겠다고 말하였음. 또한 CONEJO 국장은 상기 안보리 문서사본을 첨부한 주재국 유엔대사의 외상앞 4.17 일자 동 배포결과 보고 공문사본(FAX)을 동 국장의 정참사관앞 서한과 함께 수교하여 주었으며, MONGE 국제기구과장은 주재국 유엔대표부에 아국대표부와의 접촉, 협조를 공문으로 지시하겠다고 말하였음. 끝.

(참사관 정덕소-국장)

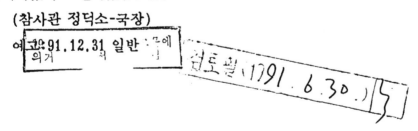

예고:91.12.31 일반 문서에 의거

검토필(1991. 6.30.)

국기국	장관	차관	1차보	2차보	미주국	정와대	안기부

PAGE 1

91.04.20 07:33
외신 2과 통제관 FE

0127

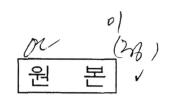

관리 91
번호 -2592

외 무 부

종 별 :

번 호 : ESW-0079 　　　　　　　　일 시 : 91 0419 1635

수 신 : 장관(국연,사본:주유엔대사본부중계필)

발 신 : 주 엘살바돌 대사 대리

제 목 : 유엔 가입 추진

　　대:EM-0009,11,13

　　1. 대호 지시에 따라 일차 영문 메모렌덤을 주재국 외상, 차관 및 정무국장에게 송부 아국의 유엔가입 추진에 대한 주재국 관계자의 관심 촉구.

　　2. 4.19 LIC. JOSE R. MEJIA 정무국장 및 LIC. MARIO A. RIVERA 한국담당 과장에게 메모렌덤 서반아 번역본을 직접수교, 아국의 유엔가입 전략을 설명하고, 적당한 시기에 공개적인 아국입장 지지 표명을 요청함.

　　3. MEJIA 정무국장은 89,90 년 유엔총회에서 행한 CRISTIANI 대통령의 대표연설에서 밝힌바와 같이 엘살바돌 정부는 보편성의 원칙에 따라 회원자격을 갖춘한국의 유엔가입을 적극 지지 한다고 말하고, 문제의 초점은 안보리 이사국이며 북한 입장을 지지해온 중국의 태도 변화라고 지적함.

　　4. 또 91.7.17-18 간 큐바 하바나에 개최될 남미 및 카리브 지역 비동맹 외상회의에서도 한국의 유엔가입 문제가 토의될 가능성이 있음으로 대비함이 좋을것이라고 언급하였음을 보고함.

　　(대사 대리 유상백-국제기구 조약국장)

예고:91.12.31 에 일반 에
의거 인반문서

검토필(91.6.30.)

국기국	장관	차관	1차보	2차보	미주국	청와대	안기부

PAGE 1 　　　　　　　　　　　　　　　　　　　91.04.20　　08:16
　　　　　　　　　　　　　　　　　　　　　　　외신 2과 통제관 CA
　　　　　　　　　　　　　　　　　　　　　　　　　　0128

원 본

Memorandum

관리
번호 91
— 2585

외 무 부

종 별 :

번 호 : GUW-0125 　　　　　　　　　　 일 시 : 91 0419 1700

수 신 : 장관(국연,미중,사본:주 과테말라대사,주 유엔대사)

발 신 : 주 과테말라대사

제 목 : 유엔가입각서

대: EM-9

1. 대호 온두라스 외무성은 4.18. 자 공한으로 아국의 유엔가입을 적극 지지하며,
주 유엔대표부에 본부의 입장을 즉시 훈령하겠다고함.

2. 동 공한 파편 송부예정임.

(대사대리 김옥주 - 국장)

예고:91.12.31. 일반
의거 인반문서로

검토필(1991. 6. 30.) 6

국기국 　　 차관 　　 1차보 　　 미주국 　　 미주국 　　 미주국

PI-2745   주 칠 레 대 사 관

칠레 (정) 20312 - 36   1991. 4. 19.
수 신 : 장 관
참 조 : 국제기구조약국장, 미주국장
제 목 : 아국의 유엔 가입 추진

      연 : CSW - 0277

      연호와 관련, 아국의 유엔 가입 문제에 대한 주재국 정부의 지지를 표명하여
온 외무성 구상서 사본을 별첨 송부합니다.

첨 부 : 상기 구상서 사본 각 1부. 끝.

검토필(1991. 6. 30.)

(1991. 12. 31.) 일반문서로재분류

주   칠   레   대
1991. 4.   067

                                        0130

N° 8024

El Ministerio de Relaciones Exteriores saluda muy atentamente a la Embajada de la República de Corea, y tiene el honor de referirse a su Nota N°103/91, de fecha 12 de abril en curso, por medio de la cual solicita el apoyo del Gobierno de Chile al ingreso de su país a la Organización de las Naciones Unidas.

Sobre el particular, el Ministerio de Relaciones Exteriores tiene el agrado de comunicarle que el Gobierno de Chile, en consideración a las cordiales relaciones de cooperación y amistad que felizmente existen entre nuestras dos naciones, así como a las justificadas razones que fundamentan la referida aspiración de su país, ha decidido complacido otorgar su pleno apoyo para el ingreso de la República de Corea a la Organización de las Naciones Unidas.

El Ministerio de Relaciones Exteriores aprovecha la ocasión para reiterar a la Embajada de la República de Corea las seguridades de su más alta y distinguida consideración.

SANTIAGO,

16 ABR. 1991

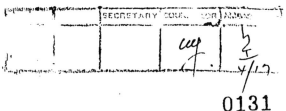

0131

주 볼 리 비 아 대 사 관

볼비(정) 700 - *095*   1991. 4. 19.

수 신 : 장   관   UN
참 조 : 국제기구조약국장, 미주국장, 정보문화국장
제 목 : 한국 유엔가입 관련 사설기사 송부

                        연 : BVW - 0122

        연호, 표제 사설기사를 별첨 송부합니다.

첨 부 : 상기기사 1건. 끝.

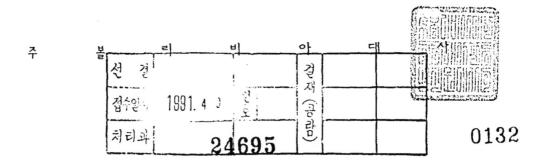

주   볼   리   비   아   대

선결				결재		
접수일 1991. 4				(공람)		
처리과	24695					

0132

EMPRESA EDITORA "SIGLO LTDA."
Depósito Legal No. D.L. 347 - 81

PRESIDENTE DEL DIRECTORIO Y DIRECTOR:
Dr. Carlos Serrate Reich

VICEPRESIDENTE: Dr. Luis Chamón E.
SUBDIRECTOR: Periodista Miguel Velarde T.
GERENTE GENERAL: Lic. César A. Vázquez

VISTAZO AL PAIS
Carlos Serrate Reich

Ingreso de Corea a las Naciones Unidas

Con la conclusión de la guerra fría no sólo que fueron superadas de tensiones internacionales que habían llegado a bipolarizar el globo terráqueo en una constante fricción, lucha de posiciones y la carrera armamentista, esta vez nuclear, creando la contradicción Este-Oeste, sino que puede decirse que se ha cambiado totalmente el curso de la historia contemporánea dando fin a todo un período que se queda dentro del siglo XX, con sus dos guerras mundiales y los 40 años subsiguientes de amenaza de destrucción apocalíptica. La última década que nos queda hasta el año 2000 es ya el comienzo de una nueva historia, como adelanto a lo por venir.

Existe un cambio en el pensamiento del hombre y, por tanto, en la conducción y futuro de los Estados. Debemos darnos cuenta de esta transformación para poder enfrentar con mayor claridad los años venideros. Se trata de un cambio radical, casi de 180 grados, que influirá en todos los órdenes y acciones: política, economía, filosofía, literatura, artes, cultura, en la ciencia, pero se hará más palpable en las relaciones internacionales, donde la lucha por el poder y la paz tomarán nuevos rumbos, métodos y sistemas. Es de prever un revitalizamiento y desempeño amplio de la diplomacia y con ella de los servicios de inteligencia internacionales.

Mucho de lo dicho y hecho hasta ahora quedará obsoleto y sólo servirá para los anaqueles que guarden la historia, pero ya no serán útiles para una ilustración moderna y formación de juicio para enfrentar las nuevas situaciones y toma de futuras decisiones. Se ha abierto una nueva dimensión de análisis en la mente humana y quien así no lo entienda quedará rezagado y postergado. Este concepto es válido para las personas cuanto para las naciones. Debemos, pues, empezar a repensar toda nuestra formación cultural y de valores, tanto intelectuales, como éticos.

De este modo se revaloriza la presencia y constitución, funcionamiento y dimensión trascendental de la Organización de Naciones Unidas (ONU), como órgano mundial de la paz y el entendimiento universales. Solucionado el gran conflicto o al menos postergado por muchos decenios, entre los EE.UU. y la URSS, Naciones Unidas deberá dedicar su futura atención a la solución y resolución de muchos otros conflictos menores dados regionalmente y que de todas maneras son motivos de fricciones y problemas internacionales.

Un aspecto prioritario es el de terminar de admitir a todos los Estados soberanos que existen vigentes en la actualidad e incorporarlos como miembros, independientemente de sus conflictos como nación y sus divisiones territoriales. Lo que importa a la ONU es que se trate de Estados independientes y soberanos, con territorio, población y gobierno propios.

Este es el caso de Corea, que si bien se puede hablar de una sola nación, es un hecho concreto y material el de su división y existencia de dos Estados separados, independientes el uno del otro y sobre todo, sobreanos. De la misma manera como reconoció y admitió la existencia de dos Estados alemanes: la República Federal de Alemania y la República Democrática de Alemania, en 18 de septiembre de 1973.

Sin tomar en cuenta perspectivas de una futura unificación o no de las dos Coreas, siendo éste un aspecto que hace a sus propias determinaciones, intereses y resolución, la ONU deberá tratar en el presente año, en su próxima 46ta. Asamblea General la petición de su admisión como Miembro de pleno derecho que formulará la República de Corea (Corea del Sur). Para ello le asisten razones positivas de todo orden.

En primer término la Carta de las Naciones Unidas (Art. 4º). Luego, el nuevo y actual clima internacional vigente que puso fin a la guerra fría. Tercero, la propia realidad de existencia soberana que tiene la República de Corea que innegablemente mantiene relaciones diplomáticas universales, con una inmensa mayoría (148) de otros Estados nacionales y que, para colmo, representa la 12da. nación más grande del mundo contemporáneo en cuanto a volumen comercial. Además ya es miembro permanente de 15 agencias especializadas de la propia Organización de Naciones Unidas.

De la misma manera y con los mismos derechos, la República Popular Democrática de Corea (Corea del Norte) podrá solicitar su admisión como Miembro de la ONU cuando así vea por conveniente a sus intereses nacionales propios, puede ser junto con la Corea del Sur o separadamente, pero es una aberración constitucional el pretender condicionar de una u otra parte la admisión de alguna, por lo mismo que se trata de Estados independientes y soberanos.

Hasta aquí todo parecería claro y normal, pero ocurre que de conformidad al Art. 4º de la Carta de las Naciones Unidas, la admisión de un Estado como Miembro requiere la recomendación previa, a manera de dictamen, del Consejo de Seguridad para que la Asamblea General decida. Como se sabe, en el Consejo de Seguridad, existen 5 países poderosos que poseen derecho de veto (EE.UU., URSS, China, Inglaterra y Francia). Superando el tiempo de guerra fría entre las dos primeras superpotencias nucleares y no existiendo oposición de parte de las dos últimas, sólo queda la incógnita China para resolver esta situación que es, sin duda, alguna, anómala en el mundo contemporáneo. La República Popular de China, tiene la llave del ingreso de la República de Corea a las Naciones Unidas en virtud y ejercicio de su derecho de veto dentro del Consejo de Seguridad de la Organización de Naciones Unidas. Es probable que lo ejerza por los históricos y tradicionales intereses que la vinculan con la RPDC (Corea del Norte), pero con la recriminación y censura internacionales, pues una moderna concepción del mundo, como dijimos al empezar, de la política y las relaciones entre las naciones, de ninguna manera explica y menos justifica una oposición de esta naturaleza. El derecho que tiene la República de Corea (Corea del Sur) a su admisión, independiente de la otra Corea, como Miembro de la ONU, es indiscutible y no admite vetos ni rechazos.

Salvo que se quiera trasladar la guerra fría al Lejano Oriente, esta vez con la República Popular China de contrincante universal, lo cual está lejos de su tradicional sabiduría. 　　　0133

외 무 부

관리번호 91 -2581

종 별 :

번 호 : BRW-0303   일   시 : 91 0419 1833

수 신 : 장 관(미남,국연)(사본: 김기수 대사)

발 신 : 수석대표 한우석(주 브라질 대사관 경유)

제 목 : 브라질 외무장관및 차관 면담보고

　　본직은 4.18 브라질 REZEK 외무장관및 한. 브라질 공동위 브측 수석대표인 AZAMBUJA 외무차관을 각각 면담하였는바, 주요내용은 다음과 같음(아측 변종규공사, 이춘선 중미과장, 브측: SERRA 아주국장 배석)

　　1.REZEK 장관면담(4.18(목) 16:00 시)

　　가. 양국관계및 방한문제

　　- 동장관은 금번 공동위 대표단 방문을 환영하고 최근 대법원장 방한, 합참의장 방한등 양국간의 인사교류가 빈번해짐에 만족을 표하고, 방한인사들이 한결같이 한국의 발전상을 격찬하는데 깊은 감명을 받았다고 말하면서 오는 8 월 7-9 일간 자신이 방한케되어 기쁘다고 말함.

　　- 이에대해 본직은 장관님의 안부를 전하고, 금번뉴공동위 개최의의와 금년8 월 장관의 서울방문이 양국관계 증진에 크게 공헌할것이라는 기대를 전달함.

　　나. 유엔관계

　　- 금추 유엔총회 이전에 한국의 유엔가입을 신청할 예정임을 알리고, 브라질의 지지를 요청한바 동장관의 한국의 가입을 지지할것을 약속함. 본직이 안보리에서의 중국의 태도가 중요함을 설명하고 브라질이 중국과 친근하고 동장관이 방한에 앞서 중국을 공식 방문함에 비추어 브라질측이 한국을 지지하는 입장을 중국측에 밝히고 중국을 설득하여 줄것을 제의한바, 동장관의 쾌히 수락하고 중국방문 이전에 중국대사를 불러 조치하겠다고 말하였음.

　　2.AZAMBUJA 차관 면담(4.18(목) 09:30 시)

　　가. 양국관계

　　- 동차관은 공동위 한국측 대표단의 방문을 환영한다고 말하고 경제발전에 경의를 표하면서 양국간 경제, 과학. 기술 제반분야에서의 협력 증진을 희망하고금번

미주국 　　장관 　　차관 　　미주국 　　국기국 　　영교국

공동위의 좋은 결과를 기대한다고 말함.

- 이에대해 본직은 대표단 환영에 사의를 표하고 금년 8 월 REZEK 장관의 방한이 양국간의 우호 증진의 계기가 되길 바란다고 말함.

나. 유엔관계

- 본직은 금추 유엔총회 이전에 한국의 유엔가입을 신청예정임을 설명하고 브라질측의 계속적인 지원을 요청한바, 동차관은 보편성의 원칙과 한국과의 우호관계를 고려 한국의 가입신청을 지지할것임을 밝힘.

다. 교민관계

- 본직은 브라질에 4-5 만명의 한국교포가 거주하고 있으며 장차 이들이 브라질 경제, 사회발전에 기여할것임을 지적하고 이들에 대한 브라질측의 배려를 당부함.

- 동차관은 한국교민들이 경제, 통상활동 뿐만아니라 문화, 교육면에서도 모범적인 활동을 하고있다면서 교포 2 세들의 우수성을 지적함. 끝.

(수석대표 한우석-장관)

예고 1991.12.31 에 일반고문에 의거 일반문서로 재분류함

김동필(199 .6.30.)

원　본

관리 번호	91 -2589

외　무　부

종　별 :

번　호 : UNW-0980　　　　　　　　일　시 : 91 0419 1930

수　신 : 장관(국연,미중,미남,기정)

발　신 : 주 유엔 대사

제　목 : 유엔가입문제

　　연:UNW-0961

　　표제관련 당관 원참사관의 중남미 대표부 관계관과의 접촉결과를 아래보고함.

　　1. 칠레(P.URIARTE 참사관)

　　본국으로 부터 아국 지지훈령접수

　　2. 도미니카(공)(A.DE LA MAZA 대사:5 석)

　　본국에서 아국지지 요청을 호의적으로 검토중이라고 언급

　　3. 자메이카(M.ROBERTS 공사), 볼리비아(B.CANEDO 공사), 니카라과(E.VILCHEZ 참사관), 그레나다(G.BRATHWAITE 참사관), 벨리즈(S.BURN 서기관), 수리남(E.LIMON 서기관)은 본부지시 대기중이라는 반응. 끝

　　(대사 노창희-국장)

예고:91.12.31. 일반
의거 일반문서로 재

검 토 필(1991. 6 30.) 이창형

국기국	장관	차관	1차보	2차보	미주국	미주국	청와대	안기부

원 본

외 무 부

종 별 :

번 호 : UNW-0981   일 시 : 91 0419 1930

수 신 : 장관(국연,미중,기정)

발 신 : 주 유엔대사

제 목 : 유엔가입문제(코스타리카)

　　본직은 표제관련 4.19 C.TATTENBACH 코스타리카 대사를 방문한바, 면담요지를 아래보고함.

　　1. 본직은 코스타리카가 전통적으로 유엔을 포함한 국제무대에서 아국을 적극 지지해오고 있고, 특히 금번 아국 메모랜덤관련 신속하고도 분명하게 안보리 문서로 확고한 지지를 표명해준데 대하여 사의를 표명하고 동국의 지지표명 조치가 아국 유엔가입노력에 큰 도움이 될것으로 믿는다고 말함.

　　2. 이에대해 TATTENBACH 대사는 본국정부 지시에 의거, 그리고 한국과의 긴밀한 관계에 비추어 당연한 조치였다고 말하면서 계속적인 협조의사를 표명하였음.

　　3. 한편 리오그룹의 아국지지 공동입장 표명 문제에 관해서 동 대사는 이의가 없다는 반응을 보이면서 가능한 협조하겠다고 언급하였음. 끝

　　(대사 노창희-국장)

예고:91.12.31. 일반
19
의

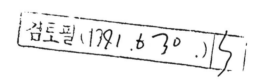
검토필(1991. 6. 30.) 15

국기국　　장관　　차관　　1차보　　2차보　　미주국　　청와대　　안기부

PAGE 1   91.04.20   08:39

외신 2과 통제관 FE

0137

원 본

외 무 부

종 별 :

번 호 : CLW-0239

일 시 : 91 0420 0900

수 신 : 장 관(국연,미남,기정)안영철 대사

발 신 : 주 콜롬비아 대사대리

제 목 : 유엔가입추진

대 : EM-0009, 0013

1. 대호 관련 4. 19 일 주재국 외무성 LUIS GUILLERMO GRILLO 국제기구 차관보를 면담코 아국 메모랜덤을 수교, 설명했는바 동인은 자국 주한 대사대리 및주 유엔대사를 통해 보고를 받아 잘 알고 있으며 아국입장을 충분히 이해한다고 하면서 무엇보다도 유엔 상임이사국으로서 중국의 태도가 중요한바 중국을잘 설득하여 성사시키기 바란다고 함.

2. 이에 대해 중국의 설득을 위해 콜롬비아의 국제적 지지가 필요함을 강조한 바 본인으로서 이해하며 최선을 다하겠다고 언급하고 아국 메모랜덤에 대한북한의 대주재국 동향을 묻자 아직까지 아무런 입장 설명등이 없다고 함.

(대사대리 이정기 - 국장)

91. 12. 31 까지

검토필(1991. 6. 3 8.)

국기국	장관	차관	1차보	2차보	미주국	청와대	안기부	안기부

91.04.22 10:16
외신 2과 통제관 FE
0138

관리
번호 91
-2650

외 무 부

종 별 :

번 호 : COW-0187 　　　　　　　　　일 시 : 91 0423 1550

수 신 : 장관(미중,국연)(사본:주유엔대사)(중계필)

발 신 : 주 코스타리카 대사대리

제 목 : 외무차관 방한초청

대: 1)미중 20243-807, 2) WCO-0079

연: 1) COW-0142, 2)COW-0174

1. 정참사관은 금 23 일 CASTRO 외무차관을 면담, 대호 방한 초청장을 전달하였음. 동 차관은 동인의 방한초청을 매우 감사하게 생각한다면서 유종하 차관에게 동인의 뜻을 전달 희망하였음. 동 차관 이력서, 방한시 희망사항 등 추보하겠음.

2. 아울러 대호 2) 주재국의 아국 유엔가입 메모랜덤을 지지하는 문서배포건에 사의를 표한바, 오히려 주재국측이 아국의 대 주재국 제반지원에 사의를 표하고 싶다고 말하였음. 정참사관은 아국 유엔가입이 아직 결정되지 않은 상태이고, 아국이 유엔 정식회원국이 되면 유엔 포함 각종 국제기구에서의 한-코 양국협력관계가 더욱 증진될 것임을 언급하고 계속적인 지원을 재당부 하였음. 동 차관은 계속 지원하겠다고 말하였음. 끝.

(참사관 정덕소-국장)

예고: 91.12.31. 서일반

미주국　　차관　　국기국

PAGE 1 　　　　　　　　　　　　　　　　91.04.24　　08:38

　　　　　　　　　　　　　　　　　　　　　외신 2과 통제관 DO

　　　　　　　　　　　　　　　　　　　　　　　0139

관리 91
번호 -2655

원 본

외 무 부

종 별 :

번 호 : VZW-0237   일 시 : 91 0423 1700

수 신 : 장관(국연,미중,사본:주유엔대사)(중계필)

발 신 : 주 베네수엘라 대사대리

제 목 : RIO GROUP 회의

대: WVZ-100

1. 대호 관련, 당관 정영채참사관은 4.23 외무성 IRMA ANTONIONI 다국관계국장(DIRECTORA DE ASUNTOS MULTILATERALES)과 면담, RIO GROUP 회의에서 지역문제외의 토의 가능성에 대해 타진한바, 그 반응을 아래와 같이 보고함.

가. RIO GROUP 은 중남미 통합을 궁극적 목적으로 하며, 대체로 역내 국가간의 협조및 권고가 회의의 주내용이 되고 있음.

나. 전세계적인 문제는 토의되기도하나, 짧은 회의 일정등으로 특정국가 문제는 토의 대상이 되기 어려우며, 한국의 유엔가입문제도 금번에 토의 가능성이 희박함.

다. 동 국장은 중국의 거부권을 행사하지 않는한 한국의 금년 유엔가입은 무난할 것이라고 사견을 피력함.

2. 주재국 ARMANDO DURAN ACHE 외무장관은 4.25 룩셈불크 개최 RIO 그룹장관급 회의 참석차 경제협력국장을 대동, 4.23 출발함.(ANTONIONI 국장에 의하면 ARMANDO DURAN 외무장관은 회의 종료후 말레이지아 방문예정이나 확실치 않다함). 끝.

(대사대리 정영채-국장)

예고:191.12.31 일반###########
의거 일반문서로 재분됨

검토필(1791. 6. 30.)

국기국   1차보   2차보   미주국

관리 번호	91 －2656

외　무　부

종　별 :

번　호 : UNW-1009　　　　　　　　일　시 : 91 0423 1900

수　신 : 장관(국연,미중,기정)

발　신 : 주 유엔 대사

제　목 : 유엔가입문제

표제관련 당관원참사관의 중남미 대표부 관계관의 접촉결과를 아래보고함.

1. 과테말라(F.AGUILAR 공사)

45 차 총회 기조연설시 밝힌 아국지지 입장을 재확인하면서, 아측 요청에 대해 본부지시가 있을것으로 본다고 언급

2. T AND T (E.KING 서기관), 도미니카(S.RICHARDS 참사관)는 본부지시를 기다리고 있다는 반응을 보임. 끝

(대사 노창희-국장)

예고:91.12.31. 일반

검토필(1991.6 30.) 이재현

국기국	장관	차관	1차보	2차보	미주국	청와대	안기부

관리
번호 : 91
-2011

외 무 부

원 본

종 별 :

번 호 : UNW-1029

일   시 : 91 0424 2000

수 신 : 장관(국연,미중,기정)

발 신 : 주 유엔 대사

제 목 : 유엔가입문제

표제관련 당관 원참사관의 중남미대표부 관계관과의 접촉결과를 아래보고함.

1. 바하마(H.SHERMAN-PETER 공사)

본부에 아국 안보리문서 배포를 보고하였으며, 본국지시가 있을것으로 기대함. 안보리만 통과한다면 총회에서 한국가입에 대한 어떤문제가 있으리라고 보지않음.

2. 바베이도스(T.MARSHALL 참사관), 하이티(A.RODRIGUE 공사)는 본국지시 대기중이라는 반응이며, 세인트루시아는 C.FLEMMING 대사 일시귀국중으로서 다음주 귀임하는대로 접촉위계임.끝

(대사 노창희-국장)

예고:91.12.31. 일반
의거 일반문서로 재분류

검 토 필(1991. 6. 30.)

국기국	장관	차관	1차보	2차보	미주국	청와대	안기부

PAGE 1

91.04.25   10:11

외신 2과 통제관 CA

0142

<중남미지역>

국 명	주 재 국	유 엔

안티구아		○ 주유엔공사
		- 지지표명(공개표명에는
		  회의적)
		- Caricom(12국) 공동
		  지지표명 가능성 검토
		  제안

알젠틴	○ 정무차관 면담(4.15) - 유엔가입지지 - 회원국의 consensus 중요	○ 주유엔참사관 - 지지표명(공개표명 신중)

바베이도스		○ 지역개발 및 문화장관
		  면담(4.24)
		- 보편성원칙에 따른
		  가입지지
		
		○ 주유엔참사관(4.23)
		- 본국지시 대기중

바하마		○ 주유엔공사(4.23) - 안보리 통과가 관건
벨리즈	○ 외무장관(90.12.7) - 유엔가입지지	○ 주유엔서기관 접촉(4.20) - 본부지시 대기중

브라질	○ 외무장관(4.18)
	- 중국방문시 중국설득 요청
	  쾌히 수락
		○ 주유엔대사(4.17)
		- 유엔가입지지
		- 46차 총회개막시
		  리오그룹 공동입장
		  표명 추진 의견제시

볼리비아	○ 외무장관 친서 수교(4.30) - 유엔가입지지.	○ 주유엔공사(4.20) - 지시 대기중
칠 레	○ 다자국장(4.17) - 적극 가입지지 내용의 구상서 수교	○ 주유엔참사관(4.20) - 유엔가입지지

콜롬비아	○ 국제기구 차관보(4.19)
	- 중국을 잘 설득하여 성사
	  시키기 바람.
	- 유엔가입지지
		○ 주유엔대사(4.12)
		- 공동입장 표명시기에
		  대한 문의

코스타리카	○ 4.8자 유엔내 회람문서로 유엔
	  가입지지 입장표명
		○ 주유엔대사 면담(4.19)
		- 리오그룹 공동입장
		  표명에 가능한 협조

0143

국 명	주 재 국	유 엔
도미니카		○ 주유엔 참사관(4.24) - 본부지시 대기중
도미니카 (공)	○ 외무차관 면담(4.15, 3.22) - 유엔가입 적극지지	○ 주유엔대사(4.14) - 본부 호의적 검토중
에쿠아돌	○ 외무장관(4.8) - 유엔가입지지	○ 주유엔대사(4.10) - 유엔가입지지

엘살바돌	○ 정무국장(4.19)
	- 유엔가입 적극지지
	- 91.7.17-18. 하바나개최
	  예정인 남미 및 카리브지역
	  비동맹 외상회의시 유엔
	  가입문제 토의가능성 있음.	

그레나다		○ 주유엔참사관(4.20) - 본부지시 대기중 ɔ 0744논 6 142 (??)

과테말라		○ 주유엔공사(4.24)
		- 본부지시 대기중, 45차
		  총회 기조연설에서
		  아국지지발언 언급

가이아나		○ 주유엔참사관(4.19) - 추후 회보
아 이 티	○ 관방장 - 보고하겠음. ○ 외무장관(3.20) - 유엔가입 적극지지 ○ 정무국장(4.2) - 유엔가입지지	

온두라스	○ 4.18자 공한으로 적극지지
	  표명
		○ 주유엔 차석대사
		- 유엔가입지지 훈령 접수
		- 공개적 표명에도 호의적
		  반응

자메이카	○ 국장(4.5) - 국익에 따라 결정하겠음.	○ 주유엔공사(4.20) - 본부지시 대기중

멕 시 코	○ 경제국장(4.11)
	- 4월 리오그룹-EC 외상회의시
	  공동지지입장 표명에 회의적
	
	○ 외무차관(4.11)
	- 유엔가입지지
		○ 주유엔대사(4.9)
		- 유엔가입지지
		- 정부입장을 적절한
		  기회에 유엔차원에서
		  공식화하고자 함.

0144

국 명	주 재 국	유 엔
니카라과	○ 대통령(90.11.1) - 유엔가입지지 천명	○ 주유엔참사관(4.20) - 지시 대기중
파 나 마		○ 주유엔대사(4.19) - 지지표명(공개표명 현단계 부적절)
파라과이	○ 외무장관 면담(4.8) - 유엔가입지지	○ 주유엔 참사관(4.16) - 아국입장지지 ○ 나개표간죠
페 루	○ 아주과장 - 리오그룹국 의견문의중 (칠레, 에쿠아돌 지지의사 회보)	○ 주유엔 공사(4.16) - 아국입장지지
세인트 루시아	○ 외무장관(3.21) - 사견전제 유엔가입 적극지지 - 공식검토후 가능한 한 호의적 검토 결정할 것임.	○ 주유엔 참사관(4.23) - 본국지시 대기중 ○ 얻신격사배두소자 ○
세인트 빈센트		○ 주유엔 공사(4.23) - 유엔가입지지 - 공개적 표명 호의적 검토 , 앤신늘사배귀흪
세인트 킷츠		○ 주유엔 참사관(4.10) - 유엔가입지지
수 리 남	○ 국제기구국장(3.14) - 유엔가입지지	○ 주유엔 서기관(4.20) - 본부지시 대기중
T & T	○ 외무장관 면담(4.10) - 유엔가입지지	○ 주유엔 서기관(4.24) - 본부지시 대기중
우루과이	○ 외무장관(3.13) - 유엔가입지지	○ 주유엔 서기관(4.16) - 아국입장지지
베네주엘라	○ 다국관계국장(4.23) - 유엔가입지지	○ 주유엔대사(4.12) - 유엔가입 적극지지 - 리오그룹 공동지지 표명에 협조

0145

남북한 유엔가입, 1991.9.17. 전41권 (V.11 한국의 유엔가입 지지교섭 : 중남미지역) 339

외 무 부

관리 P/A
번호 2750

원 본

종 별 :

번 호 : MXW-0465
일 시 : 91 0425 1630

수 신 : 장관(국연,미중,사본:주멕시코대사)

발 신 : 주 멕시코 대사대리

제 목 : 유엔가입 지지교섭

　　　대:EM-0009,0011

　　　연:MXW-0383

　　　연호 4.9. 주재국 외무차관 및 유엔국장 면담, 아측입장 설명 및 안보리 각서(COVE
NOTE 첨부) 전달, 지지를 교섭한데 대하여 주재국으로부터 동 각서 내용을 유념하고
정성껏 검토(UN EXAMEN ESMERADO)할 것이라는 내용의 회신 문서를 금 4.25. 접수함.
동 문서 사본 파편 보고 위계임.

　　　(대사대리 김상철-국장)

예고:1991.12.31. 일반문에
의거 일반문서로 재분류

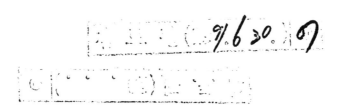

국기국　　장관　　차관　　1차보　　2차보　　미주국　　미주국　　청와대　　안기부

원 본

관리 번호	91- 2145

외 무 부

종 별 :

번 호 : UNW-1045

일 시 : 91 0425 2015

수 신 : 장관(국연,미중,기정)

발 신 : 주 유엔 대사

제 목 : 바베이도스 유엔교섭

연:UNW-1044

1. 본직은 금 4.24. UNICEF 집행이사회 바베이도스 수석대표로 참석중인 동국 지역개발 및 문화장관 DAVIS THOMPSON (국회의원)을면담, 양국내 상주공관이 없음을 감안하여 직접 접촉한다고 전제하면서 아국의 유엔가입 문제에 대하여 설명하고 바베이도스 정부의 지지를 요청하였음. 본직은 특히 5.9 바베도스 개최 예정인 CARICOM 외상회의에서 주최국인 바베도스가 아국지지를 적극 주도하여 줌으로서 동 회의에서 카리브 제국의 공동지지 입장 표명등 협조를 요망하였음.

2. 이에대하여 동장관은 귀국후 외무장관에게 직접 이야기하고 관심을 촉구하겠다고 말하면서 본인의 소관은 아니나 유엔헌장의 보편성원칙에 비추어 바베도스 정부가 아국가입을 지지하는데 아무런 문제가 없을것이라고 말하였음. 끝

(대사 노창희-국장)

예고:91.12.31. 일반고문에 의거 인반문서로 닫춘됨

검토필(179(6.30.)5

국기국	장관	차관	1차보	2차보	미주국	청와대	안기부

91.04.26 10:23

외신 2과 통제관 CA

0147

외 무 부

원 본

UN

종 별 :

번 호 : BVW-0143   일 시 : 91 0429 1630

수 신 : 장관(국연,미남)

발 신 : 주 볼리비아 대사

제 목 : 아국의 유엔가입 지지 외무장관 친서

1.CARLOS ITURRALDE 주재국 외무장관은 이상옥 장관님께 전달해 주도록 친서를 보내왔는바, 동 친서 요지는 아래와 같음.

  . 장관님의 취임을 축하하오며 큰 업적 이룩하시기 기원함.

  . 양국 국민의 우호관계를 강화시키는 양국간의 경제 기술 협력관계의 긍정적 개발에 만족을 표명하며 특히 최근의 산타크루스 잠업연구소를 위한 기자재 기증을 봉한 한국정부의 대 볼리비아 잠업개발 지원사실을 강조코자함.

  . 금년 하반기에 예정된 한. 볼 공동위 제 3 차회의가 기존하는 우호협력 유대강화에 결정적으로 기여할 것으로 확신함.

  . 볼리비아 정부는 한국정부가 추진하는 한반도 문제해결을 위한 정당한 조치를 지대한 관심으로 지켜보며, 국제정치상의 제원칙에 입각하여 한반도 문제의해결에 기여하는 국제법상의 규범에 따른 모든 조치를 지원할 것임.

  . 이러한 맥락에서 한국의 유엔가입 노력을 찬동하며 이러한 노력이 한반도에 평화와 안전을 결정적으로 정착시키는데 기여할 것으로 확신함.

  . 볼리비아 정부는 국가간의 상호의존성 및 국제관계의 재편 과정으로 특징지워지는 현 세계에서 국제평화와 안전의 강화 필요성을 의식하면서, 아직도 국제사회에 영향을 미치는 각종 분쟁의 해결이 시급하다고 사료함. 따라서 볼리비아 정부는 이러한 제원칙에 입각해서 한민족의 숭고한 봉일이념 실현을 위해 한국정부가 취하는 모든 조취를 지원할 것임.

  2. 동 친서를 금주 정파(5.3)편 송부함. 끝.

(대사 명인세 -국제기구조약국장)

예고:91.12.31.에 일반

검토필(1991. 6. 3.)

국기국   차관   1차보   2차보   미주국   청와대   안기부

원 본

외 무 부

관리
번호 91-2845

종 별 :

번 호 : MXW-0489   일 시 : 91 0430 1750

수 신 : 장관(국연,미중,사본:주유엔대사(중계필)

발 신 : 주 멕시코 대사

제 목 : U.N 가입지지 교섭(겸임국)

　　연: 멕정 700-71(90.11.6), 멕영 700-415(90.12.11), MXW-1312

　　1. 본직은 금 4.30 오전 주재지의 FONSECA SOTO 니카라과 대사 및 MORALEZ 벨리즈 대사를 각각 접촉, 금추 제 46 차 U.N 총회를 전후한 아국의 U.N 가입신청 관련 정부 입장을 알리고(91.4.25 자 당관 공한 전달) 조속 자국정부의 적극적인 지지 공한이 아측에 전달되도록 협조 요청하였음.

　　2. 동건관련 본직은 특히 90.11.1 본직의 니카라과 CHAMORRO 대통령 면담시(신임장 제정후 면담-E.DREYFUS 외상 배석) 및 동년 12.7 벨리즈 출장중 MUSA 외상 면담시 아국 가입지지를 명백히 천명한바 있음을 각각 상기 시켜준바 있음.

　　3. 양국 대사는 공히 자국 정부의 아국 가입 지지를 확신한다 하면저 조속 정식 공한으로 작성, 전달되도록 노력, 협조키로 한바 계속 진전 추보코저함.

　　(대사 이복형-국장)

　　예고:1991.12.31.에 일반 공문에 립

국기국	차관	1차보	2차보	미주국	청와대	안기부

원 본

외 무 부

종 별 :

번 호 : UNW-1092

수 신 : 장관(국연,미남,기정)

발 신 : 주 유엔 대사

제 목 : 유엔가입문제

일 시 : 91 0430 2000

표제관련 본직은 금 4.30 A.CANETE (파라과이) 대사를 방문한바, 면담결과를 아래보고함.

1. 본직은 정부의 년내가입의지와 현상황을 설명한다음 파라과이가 아국의 유엔가입을 적극 지지해오고 있는데 대해 사의를 표하면서 계속적인 협조를 요청하였음.

2. 이에대해 CANETE 대사(8 년째 유엔대사근무, 87 년 방한)는 파라과이의 지지를 확약하면서, " 북한이 세계에 맞추어야지 어찌 세계가 북한에 맞출수 있겠는가고" 북한의 폐쇄성과 불합리한 태도를 지적하였음.

3. 본직이 파라과이의 공개적인 지지의사 표명문제를 제기한데 대하여, 동대사는 자국외상이 EC. 리오그룹 외상회의에서 귀국하는대로 수도에서 공개적인 지지표명 조치를 취한다음 이를 유엔에서 회람시키는 방안을 외상과협의, 추진해보겠다고 언급함.

4. 이어 본직은 리오그룹의 아국지지 공동입장표명 추진을 위한 협조를 요청한바, CANETE 대사는 적절한 기회에 동 공동입장 표명이 이루어질수 있도록 협조하겠다고 말함. 끝

(대사 노창희-국장)

예구 91.12.31. 일반
의거 일반문서로 ~고 무예

검토필(1991. 6. 3 이)

국가국   차관   1차보   2차보   미주국   정와대   안기부

91.05.01   09:44
외신 2과 통제관 BW
0150

<중남미지역>

국 명	주 재 국	유 엔

안티구아		○ 주유엔공사
		- 지지표명(공개표명에는
		  회의적)
		- Caricom(12국) 공동
		  지지표명 가능성 검토
		  제안

알젠틴	○ 정무차관 면담(4.15) - 유엔가입지지 - 회원국의 consensus 중요	○ 주유엔참사관 - 지지표명(공개표명 신중)

바베이도스		○ 지역개발 및 문화장관
		  면담(4.24)
		- 보편성원칙에 따른
		  가입지지
		
		○ 주유엔참사관(4.23)
		- 본국지시 대기중

바하마		○ 주유엔공사(4.23) - 안보리 통과가 관건
벨리즈	○ 외무장관(90.12.7) - 유엔가입지지	○ 주유엔서기관 접촉(4.20) - 본부지시 대기중

브라질	○ 외무장관(4.18)
	- 중국방문시 중국설득 요청
	  쾌히 수락
		○ 주유엔대사(4.17)
		- 유엔가입지지
		- 46차 총회개막시
		  리오그룹 공동입장
		  표명 추진 의견제시

볼리비아		○ 주유엔공사(4.20) - 지시 대기중
칠 레	○ 다자국장(4.17) - 적극 가입지지 내용의 구상서 수교	○ 주유엔참사관(4.20) - 유엔가입지지

콜롬비아	○ 국제기구 차관보(4.19)
	- 중국을 잘 설득하여 성사
	  시키기 바람.
	- 유엔가입지지
		○ 주유엔대사(4.12)
		- 공동입장 표명시기에
		  대한 문의

코스타리카	○ 4.8자 유엔내 회람문서로 유엔
	  가입지지 입장표명
		○ 주유엔대사 면담(4.19)
		- 리오그룹 공동입장
		  표명에 가능한 협조

0151

국 명	주 재 국	유 엔
도미니카		○ 주유엔 참사관(4.24) - 본부지시 대기중
도미니카 (공)	○ 외무차관 면담(4.15, 3.22) - 유엔가입 적극지지	○ 주유엔대사(4.14) - 본부 호의적 검토중
에쿠아돌	○ 외무장관(4.8) - 유엔가입지지	○ 주유엔대사(4.10) - 유엔가입지지

엘살바돌	○ 정무국장(4.19)
	- 유엔가입 적극지지
	- 91.7.17-18. 하바나개최
	  예정인 남미 및 카리브지역
	  비동맹 외상회의시 유엔
	  가입문제 토의가능성 있음.	

그레나다		○ 주유엔참사관(4.20) - 본부지시 대기중

과테말라		○ 주유엔공사(4.24)
		- 본부지시 대기중, 45차
		  총회 기조연설에서
		  아국지지발언 언급

가이아나	--	○ 주유엔참사관(4.19) - 추후 회보
아이티	○ 관방장 - 보고하겠음. ○ 외무장관(3.20) - 유엔가입 적극지지 ○ 정무국장(4.2) - 유엔가입지지	
온두라스	○ 4.18자 공한으로 적극지지 표명	○ 주유엔 차석대사 - 유엔가입지지 훈령 접수 - 공개적 표명에도 호의적 반응
자메이카	○ 국장(4.5) - 국익에 따라 결정하겠음.	○ 주유엔공사(4.20) - 본부지시 대기중

멕시코	○ 경제국장(4.11)
	- 4월 리오그룹-EC 외상회의시
	  공동지지입장 표명에 회의적
	
	○ 외무차관(4.11)
	- 유엔가입지지
		○ 주유엔대사(4.9)
		- 유엔가입지지
		- 정부입장을 적절한
		  기회에 유엔차원에서
		  공식화하고자 함.

0152

국 명	주 재 국	유 엔
니카라과	ㅇ 대통령(90.11.1) 　- 유엔가입지지 천명	ㅇ 주유엔참사관(4.20) 　- 지시 대기중
파 나 마		ㅇ 주유엔대사(4.19) 　- 지지표명(공개표명 　　현단계 부적절)
파라과이	ㅇ 외무장관 면담(4.8) 　- 유엔가입지지	ㅇ 주유엔 참사관(4.16) 　- 아국입장지지
페 루	ㅇ 아주과장 　- 리오그룹국 의견문의중 　　(칠레, 에쿠아돌 지지의사 　　　　　　　　회보)	ㅇ 주유엔 공사(4.16) 　- 아국입장지지
세인트 　루시아	ㅇ 외무장관(3.21) 　- 사견전제 유엔가입 적극지지 　- 공식검토후 가능한 한 호의적 　　검토 결정할 것임.	ㅇ 주유엔 참사관(4.23) 　- 본국지시 대기중
세인트 　빈센트		ㅇ 주유엔 공사(4.23) 　- 유엔가입지지 　- 공개적 표명 호의적 검토
세인트 　킷츠		ㅇ 주유엔 참사관(4.10) 　- 유엔가입지지
수 리 남	ㅇ 국제기구국장(3.14) 　- 유엔가입지지	ㅇ 주유엔 서기관(4.20) 　- 본부지시 대기중
T & T	ㅇ 외무장관 면담(4.10) 　- 유엔가입지지	ㅇ 주유엔 서기관(4.24) 　- 본부지시 대기중
우루과이	ㅇ 외무장관(3.13) 　- 유엔가입지지	ㅇ 주유엔 서기관(4.16) 　- 아국입장지지
베네주엘라	ㅇ 다국관계국장(4.23) 　- 유엔가입지지	ㅇ 주유엔대사(4.12) 　- 유엔가입 적극지지 　- 리오그룹 공동지지 　　표명에 협조

0153

원 본

외 무 부

관리 7/
번호 ─2870

종 별 :

번 호 : UNW-1101

일 시 : 91 0501 1900

수 신 : 장관(국연,미남,기정)

발 신 : 주 유엔대사

제 목 : 유엔가입문제(페루)

표제관련 본직은 금 5.1. R.LUNA 페루대사를 방문한바, 면담결과를 아래보고함.

1. 본직이 아국 년내가입 방침과 동 추진 상황을 설명하고 페루측의 계속적인 협조를 요청한바, LUNA 대사는 아국가입을 지지하는데 어려움이 없을것으로 본다고 언급하였음.

2. 동 대사는 최근 북한 박길연대사의 방문을 받은바 있다고 하면서 89 년말 자국에 북한대사관이 설치되었으나, 대북한 관계에는 별 진전이 없으며 이러한 양자관계와는 별개로 유엔가입 문제에 관해서는 분명히 한국입장을 지지할것으로 믿는다고 부연하였음.

3. 리오그룹 공동입장 표명문제에 관해서 동대사는 그룹조정국인 콜롬비아의 대사와 협의하겠다고 말하면서, 자기가 보기에는 그룹외상들이 6 월초 샌디에고에서 개최 예정인 OAS 회의시 회동 가능성이 있는바 그기회를 이용해보는 문제를 협의하겠다고 언급하였음. 끝

(대사 노창희-국장)

예고:91.12.31. 일반
19   에   고무에
의거 일반문서로

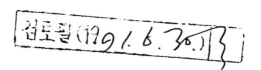

국기국   차관   1차보   2차보   미주국   청와대   안기부

CARICOM 현황

1. CARICOM (Caribbean Community and Common Market) 개관

가. 설립일자 : 1973. 7. 4.

나. 회원국(13개국) : 자메이카, 트리니다드 토바고, 바베이도스,
　　　　　　　　　　가이아나(이상 4개국 창립회원국), 벨리즈,
　　　　　　　　　　도미니카 연방, 그레나다, 세인트 루시아
　　　　　　　　　　세인트 빈센트, 안티가 바부다, 바하마, 몬세라트
　　　　　　　　　　세인트 킷츠 네비스

　　* 옵서버국(5개국) : 수리남, 아이티, 멕시코, 베네수엘라,
　　　　　　　　　　　푸에르토리코

다. 설립목적
　　ㅇ 역내 경제개발 촉진 및 카리브 공동시장 창설
　　ㅇ 역내 국가간의 외교 정책 조정
　　ㅇ 기타분야 기능적 협력 강화

라. 본 부 : 가이아나, 죠지타운

마. 주요기구
　　ㅇ Heads of Government Conference
　　　　- 최고기구로 주요정책 결정
　　ㅇ Common Market Council
　　　　- 공동시장 업무 관장

0155

관리 91
번호 —2867

원 본

외 무 부

종 별 :

번 호 : UNW-1103

수 신 : 장관(국연,미중.기정)

발 신 : 주 유엔 대사

제 목 : 유엔가입문제(카리콤)

일 시 : 91 0501 1900

연:UNW-0961,1045

1. 당관은 연호 보고와같이 카리콤의 아국지지 공동입장 표명 가능성을 관련국 대표부에 타진중인바, 바베이도스(D.THOMPSON 장관, T.MARSHALL 참사관), 세인트루시아 (C.FLEMMING 대사), 안티과바부다(P.LEWIS 공사), 세인트빈센트(J.POMPEY 공사)가 호의적 반응을 보이고있으며 앞으로 다른 회원국대표부와도 본건 계속 협의위계임.

2.91.5 월 카리콤 외상회의 주최국인 바베이도스(T.MARSHALL 참사관)에 의하면, 동회의 일정은 실무준비회의(5.9-10), 본회의(5.13-14)라고 하는바, 동기회에 아국지지 공동입장이 표명되도록 일단 추진해 보는것이 좋을것으로 사료됨.

3. 본건의 효과적 추진을위해 카리콤 회원국 주재및 겸일 아국공관을 통해서도 적극 교섭이 이루어지도록 조치요망. 끝

(대사 노창희-국장)

예고:91.12.31. 일반문에
일반문서로 재분됨

검토필(1991. 6. 30.)

국기국   차관   1차보   2차보   미주국   청와대   안기부

91.05.02   09:00
외신 2과 통제관 BW
0156

원 본

외 무 부

종 별 :

번 호 : UNW-1104

일 시 : 91 0501 1900

수 신 : 장관(국연,미중,기정)(사본:트리니다드토바고대사(중계필)

발 신 : 주 유엔 대사

제 목 : 유엔가입문제(세인트빈센트,세인트루시아)

1. 세인트빈센트 대표부 (J.POMPEY 공사)가 금 5.1. 당관에 알려온바에 의하면 , 아국입장을 지지하는 다음 정부 코뮤니케를 안보리 문서로 배포요청하였다고함.

"THE GOVERNMENT OF ST.VINCENT AND THE GRENADINES SUPPORTS THE ASPIRATION OF THE REPUBLIC OF KOREA TO SEEK MEMBERSHIP OF THE UNITED NATIONS DURING THE COURSE OF THIS YEAR AS INDICATED IN ITS MEMORANDUM S/22455 DATED APRIL 5TH 1991."

"THE GOVERNMENT OF ST.VINCENT AND THE GRENADINES FIRMLY BELIEVES THAT THE ADMISSION OF THE REPUBLIC OF KOREA WOULD NOT ONLY BE IN CONFORMITY WITH THE PRINCIPLE OF UNIVERSALITY: BUT THAT IT WOULD ASSIST IN CREATING A BETTER POLITICAL ENVIRONMENT FOR A PEACEFUL SOLUTION TO THE KOREAN QUESTION."

2.5.1. 세인트루시아 대표부(S.FLEMMING 대사)도 아국입장을 지지하는 안보리 문서를 금명간 배포요청하겠다고 알려옴.끝

(대사 노창희-국장)

예고 :91.12.31. 일반
의거 인반문서로

검토필(1)91. 6.>0.)

국기국	차관	1차보	2차보	미주국	정와대	안기부

외 무 부

종 별 :

번 호 : BRW-0344

일 시 : 91 0502 1801

수 신 : 장 관(국연,비납,기정동문)

발 신 : 주 브라질 대사대리

제 목 : 가입추진(중국태도 변화)

대:WBR-0175

1. 당관 임참사관은 5.2 주재국 외무부 중국담당 ORLANDO GALVEAS OLIVEIRA 아주 1 과장을 방문, 대호 관련사항을 문의한바 동과장은 금년중 브. 중간 교환 방문계획을 아래와 같이 설명함.

가. 행정부

1) REZEK 외무장관 방중(8 월초 계획)

2) 브. 중 과학. 기술 공동위(5.9-10 브라질리아, 중국 과기부 부부장 수석대표 예정)

3) 브. 중 경제. 봉상 공동위(5.15-16 브라질리아, 중국 대외무역부 부부장 수석대표 예정)

나. 정당

브. 중간 브라질노동자당(PTB)과 중국 공산당간 매년 1 회정도 상호 교환방문을 실시해왔으나 금년계획은 아직 미정임.

다. 사법부

중국 대법원과 브라질 연방최고법원간 상호 교환방문 교류가 비정기적으로 있으며 5.3 중국 대법원 부원장 XIANG HUA 일행 5 명이 주재국 연방최고법원 방문 예정임.

2. 동과장은 또한 양국간 2 년마다 실시하는 정책협의회가 있으며 90.5 월말 3 차회의시 중국 양상곤 국가주석이 방브한 사실이 있다고 설명함. 끝.

(대사대리 변종규-국장)

예고:91.12.31. 일반

검 토 필(1991. 6. 30.)

국기국   장관   차관   1차보   2차보   미주국   청와대   안기부

2b

	분류번호	보존기간

관리 91
번호 - 2896

발 신 전 보

WJM-0125   910502 1845   FN

번 호 : _____   종별 : _____

수 신 : 주 수신처 참조   대사. 총영사/ (사본 : 주유엔대사)   UTT -0055   WVZ -0132
                                                        WHX -0248   WUN -1167

발 신 : 장 관 (국연)

제 목 : 카리콤 지지표명

1. 주유엔대사는 우리의 유엔가입문제 관련 카리콤의 아국지지 공동입장
표명 가능성을 카리콤 구성국의 주유엔 대표부측과 타진중인 바, 일차적으로
바베이도스(D.THOMPSON 장관, T.MARSHALL 참사관), 세인트루시아(C.FLEMMING 대사),
안티과바부다(P.LEWIS 공사), 세인트빈센트(J.POMPEY 공사)가 호의적 반응을 보이고
있음.

2. 카리콤 외상회의가 금년 5월 하기일정으로 바베이도스에서 개최될 예정
이라 하는 바, 동 기회에 유엔가입문제에 대한 카리콤의 아국지지 공동입장이 표명될
경우 우리의 금년내 가입실현(특히 중국태도 변화유도)에 큰 기여를 할 것으로 봄.

  91.5.9-10 : 실무준비 회의

  5.13-14 : 본회의

3. 따라서 귀관은 상기를 유념, 귀주재국 (또는 겸임국)에 우리의 가입
문제에 대한 카리콤의 공동지지 입장이 가능한 표명될 수 있도록 교섭하고 결과
보고바람.   끝.

예 고 : 1991.12.31에 일반문에
        의거 일반문서

(국제기구조약국장 문동석)

수신처 : 주자메이카, T & T, 베네수엘라, 맥시코대사

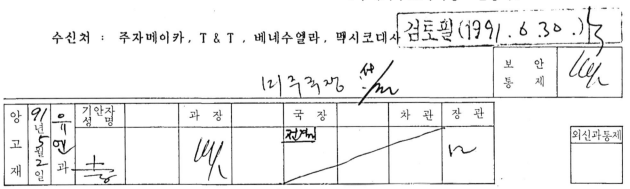

검토필(1991. 6. 30.)

		기안자 성명		과 장	국 장	차 관	장 관		
양고재	91년 5월 2일				전재성				외신과통제

0159

관리 번호 9/ -2902

원 본

외 무 부

종 별 :

번 호 : UNW-1116

일 시 : 91 0502 1900

수 신 : 장관(국연,미중,기정)사본:트리니나드토바고,멕시코,베네주엘라:중계필

발 신 : 주 유엔 대사

제 목 : 유엔가입문제(카리콤)

연:UNW-1103

1. 연호관련 당관 원참사관은 5.1-2 간 T AND T (E.KING 서기관), 그레나다(G.BRATHWAITE 참사관), 세인트킷츠 (R.TALYOR 참사관), 벨리즈 (S. BURN 서기관), 가이아나 (T.CRICHLOW 참사관), 바하마 (M.SHERMAN-PETER 공사)대표부와 접촉, 본건 협조요청한바, 본국정부와 적극 협의하겠다는 반응을 보임.

2. 진전사항 추보위계임.끝

(대사 노창희-국장)

예고:91.12.31. 일반문서로 재분류

접수필(1991. 8.30.)K

국기국	장관	차관	1차보	2차보	미주국	청와대	안기부

PAGE 1

91.05.03 08:43
외신 2과 통제관 DO

0160

원 본

관리	91
번호	-2904

외 무 부

종   별 : 지 급

번   호 : MXW-0502   일   시 : 91 0502 1900

수   신 : 장관(국연,미중,사본:주유엔대사(중계필)

발   신 : 주 멕시코 대사

제   목 : CARICOM 공동지지 교섭

대:WMX-0248

연:MXW-0489

1. 본직은 금 91.5.2. 16:00 겸임 벨리즈 외상 SAID MUSA 와 긴급접촉 대호내용을 적절히 설명하고 아국 유엔 가입에 대한 벨리즈 정부의 적극지지 활동의 일환으로 CARICOM 공동지지에 가담하여 주고 이를 지급 주유엔 벨리즈 대사에게 훈령토록 요청함.

2. 동 외상은 동국의 아국 유엔가입 지지입장을 재천명하고 차주 BARBADOS 수도 BRIDGETOWN 에서 개최되는 CARICOM 외상회의에 참석시 여타 외상들과 협의, 동 결과를 주유엔 자국대사에 타전키로 약속함.

3. 동 외상은 아국이 제공한 90 년도 무상원조(스포츠용품등)에 사의를 표하고 91.9.21. 벨리즈 독립 10 주기 행사에 긴요하다하며 91 년 아국의 대벨리즈무상원조(9 만불)내에 약 5 만불 정도로 기념행사에 필요한 LIGHT AND SOUND 기구(AUDIO 시스템등)를 고려하여 줄것을 요청, 구체사항 제의시 포함시킬 것임을 알린바 있음.

(대사의복형-국장)

예고:1991.12.31. 일반

국기국	장관	차관	1차보	2차보	미주국	청와대	안기부

관리 91
번호 -2906

원 본

외 무 부

종 별 :

번 호 : MXW-0503

일 시 : 91 0502 1910

수 신 : 장관(국연,미중)

발 신 : 주 멕시코 대사

제 목 : 유엔가입 지지교섭

연:MXW-0465

1. 본직은 금 5.2. 10:30 외무성 아태국장대리 MIJARES 공사를 방문 외상방문 준비등 양국간 현안 협의중, 특히 아국의 금추 총회를 전후한 유엔가입 입장에 대해 주재국이 빠른 시일내에 명백하고 공개적인 지지를 표명하여 줄것을 강조 요청함.

2. 동 국장대리는 주재국의 아국 가입지지에 낙관을 표하고 약 2 주전 JORGE MONTANO 주유엔대사 보고에서도 긍정 검토 건의가 있었다 알리면서 외상 방한전 정리, 방한시 전달이 있을것으로 안다하고 현재 외상-차관등이 구주 순방중이고 유엔국장이 N.Y 출장중으로 근일중 정책 결정이 있을 것이라고 알려옴.

3. 본직은 주재국 대통령의 45 차 총회 기조연설, 전임 유엔국장의 아국 가입지지 확약 사실등을 상기시키고 특히 양국간의 실질관계 증진에 비추어 주재국이 외상방한전 공개적으로 지지 표명을 하여 줄것을 강력히 요청함.

4. 본직은 내주초 PBEC 총회 개회식때 외상-차관등을 접촉 위계이며 명 5.3. 18:00 및 내주초 유엔출장에서 귀임하는 유엔국장을 면담 외상 방한전 지지표명이 나오도록 적극 활동중임.

(대사 이복형-국장)

예고 1991.12.31. 일반

<table>
<tr><td>국기국</td><td>장관</td><td>차관</td><td>1차보</td><td>2차보</td><td>미주국</td><td>청와대</td><td>안기부</td></tr>
</table>

91.05.03   10:47
외신 2과 통제관 BW

0162

검토필 (1991.4.10.)

관리
번호 91
-2930

외 무 부

종 별 :

번 호 : COW-0207   일 시 : 91 0503 1750

수 신 : 장관(미중)

발 신 : 주 코스타리카 대사

제 목 : 외무차관 방한

대:1) WCO-0063, 2) WCO-0112(89.9.7)

연: COW-0142, 0187

대호 1) CASTRO 차관(부인 및 딸 1 인동반)의 방한일시, 희망사항, 약력등 관련사항(금 3 일 본직 면담시 확인) 아래 보고함.

1. 방한일시

도 착 : 5.30(목) 14:40 (동경발 KE-701) 출 발 : 6. 1(토) 10:00 (뉴욕행 KE-026)

2. 희망사항 : 아국경제, 문화등 발전상 파악

3. 약 력(상세 차파편 송부)

0 성 명 : HERNAN RAMON CASTRO HERNANDEZ

0 생년월일 : 33. 6. 7.

0 학 력 : 58 멕시코 ESCUELA BANCARIA Y COMERCIAL 졸업

58-59 미국 뉴욕 DUNN AND BRADSTREET (CREDITS AND ANALYSIS 전공)

60 MICHIGAN 대학교 영어 전공

0 경 력 : 90-현재 외무차관

85-현재 여당(PUSC)국제위, 윤리위 위원(89 년 국제위 차장)

79-80 RAFAEL A. CALDERON (현 대봉령)대봉령 후보 고문

71-72 유엔총회 "코"대표70-74 국회의원

62-69 SAN JOSE 시 의원

기타 PAN AM 항공사, GULF, SHELL, ESSO 등 정유회사, ULTRAMAR BANKING CORP. 등 근무, 다수 국제회의 참석

0 가족관계 : 부인 ROSITA SUAREZ DE CASTRO 와 딸 2 명(방한 동반 ALEXANDRA

미주국   차관   1 차보 국기국

CASTRO)

    0 참 고 :

- 금주 및 가벼운 식사 희망

- 아국 경제발전상 파악차 89.9.28-29 삼성초청으로 방한(대호 2)참조)

    4. 건의사항

    가. 차관일행의 항공표가 동경-서울간은 ECONOMY, 서울-뉴욕간이 BUSINESS CLASS 인바, KAL 측에 요청, 가능하면 서울-뉴욕간을 1 등으로 하여주시기 바람(3 인 모두 어려울경우 차관내외만)

    나. 기자 인터뷰 주선하면 아국유엔가입지지 발언토록 교섭하였음.

    다. 체한일정 회시바람. 끝.

    (대사 김창근-국장)

예고:1991.12.31. 일반 문서에 의거 서 됨

검토필(1991. 6. 28)

PAGE 2

0164

관리	9/
번호	-296⑧

원 본

외 무 부

종 별 :

번 호 : TTW-0078   일 시 : 91 0506 1600

수 신 : 장 관(국연,미중), 사본:주유엔대사

발 신 : 주 트리니 다드대사

제 목 : 카리콤 유엔가입 지지교섭

대:WTT-55

1. 대호관련, 주재국 BASDEO 외무장관과 SPENSER 차관의 브라셀 CPA 회의 참석차 외유로(동 장. 차관은 회의후 바베이도스로 직행 예정이라함) 본직이 접촉치 못하고, 대호 지침에 따라 카리콤 공동 지지입장 표명을 요청하는 공한을 작성, 당관 정서기관이 5.3(금) WILTSHIRE 정부국장(카리콤담당)에게 수교하면서, 교섭한 바, 동국장은 여타 회원국과 협의는 해 보겠으나, 금번 카리콤 회의는 짧은 일정에 카리콤 확대, 마약거래.남용방지, 환경, 외교관 교육, 국제기구등에서의 카리콤 공동입장 조정(공동대표파견 포함)등 지역문제관련의제를 다루어야하므로, 아국 공동지지 문제를 거론하기는 어려울 것이라고, 난색을 표명하였음.

2. 또한 당관은 상기 5.3 자 공한을 7 개 겸임국에도 송부(팩시밀)한데 이어, 각겸임국 외무부의 차관(세인트빈선트, 세인트키츠, 안티구아, 도미니카), 정부국장(바베이도스) 또는 카리콤 담당관(세인트루시아, 그레나다)과도 접촉(전화)협조 요청한 바, 대부분 장관과 협의해 보겠다고 하였으며, 특히 회의 주최국인 바베이도스측은 상기 주재국 정부국장과 비슷한 반응을 표시하였음.

3. 당관은 동관련 계속 적극 교섭예정이며, 진전사항 추보하겠음끝.

(대사 박부열-국장)

예고:1991.12.31.일반 ~ 에 의거 일반문서

검토필(1971.8.20.)

국기국	장관	차관	1차보	2차보	미주국	청와대	안기부

PAGE 1   91.05.07   07:28
                                          외신 2과 통제관 BS
                                                    0165

관리 9/
번호 ─2969

외 무 부

원 본

종 별 :

번 호 : JMW-0253　　　　　　　　　　일 시 : 91 0506 1600

수 신 : 장 관(국연,미중) 사본:주 유엔대사-중계필

발 신 : 주 자메이카 대사

제 목 : 유엔 가입

대:WJM-0125

　　1. 본직은 금 5.6(월)주재국 외무부 G.DUNCAN 차관을 면담, 대호 카리콤 외상회의시 카리콤 제국이 유엔가입관련 아국입장을 공동 지지토록 노력하여 줄것을 요청한바, DUNCAN 차관은 CARR 극동국장으로부터 자세한 보고를 받았다고 언급하고 현재 브르셀 개최 APC-EC 회담에 참석차 부재중인 COORE 외무장관에게 보고, 카리콤 외상회담시 자메이카가 아국입장 지지를 주도하는 역할을 하도록 권고하겠다는 호의적 반응을 보임.

　　2. 당관 김일수 참사관은 5.4(금) 주재국 외무부 E.CARR 극동국장및 R.PIERCE 정무국장을 개별적으로 접촉, 상기건에 관해 자메이카측 지지를 요청하였던바, CARR 국장은 아국의 유엔가입이 현 국제상황에 비추어 당연히 실현되어야할 사안이라고 언급하고 자메이카 정부가 아국의 입장을 공개적으로 지지하도록 상부에 건의하겠다고 말하였으며 PEIRCE 국장도 카리콤 외상회담시 아국요청이 반영되도록 최선을 다하겠다는 긍정적 반응을 보였음.

　　3. 바베이도스 개최 카리콤 외상회담에 주재국에서는 COORE 외무장관, DUNCAN 차관, PIERCE 정무국장이 참석예정임.끝

　　(대사 김석현-국장)

예고:91.12.31 일반 고문에
의거 인반문서로

검토필(17 9/. 6. 10.)

국기국　　장관　　차관　　1차보　　2차보　　미주국　　청와대　　안기부

관리 91
번호 ─2977

원 본

외 무 부

종   별 :

번   호 : UNW-1146   일   시 : 91 0506 1700

수   신 : 장관(국연,미중,기정)(사본:주자마이카,트리니나트토바고대사)

발   신 : 주 유엔 대사   (중계필)

제   목 : 유엔가입문제(카리콤)

연:UNW-1103,1116

1. 당관 원참사관은 5.6. 자마이카 대표부 M.ROBERTS 공사와접촉, 표제관련 협조요청한바, 본부에 보고하겠다는 반응을 보임.

2. 또한 도미니카 대표부 S.RICHARDS 참사관도 본건요청관련, 본국과협의 하겠다고 언급함. 끝

(대사 노창희-국장)

예고:91.12.31. 일반문에
의거 인반문서로 재분됨

검토필(19 91. 6. 3

국기국   장관   차관   1차보   2차보   미주국   청와대   안기부

PAGE 1   91.05.07   06:44
                                                외신 2과 봉제관 DO

0167

관리
번호 91
-2992

원 본

외 무 부

종 별 :

번 호 : MXW-0516   일 시 : 91 0506 1720

수 신 : 장 관(국연,미중) 사본:주유엔대사-중계필

발 신 : 주 멕시코 대사

제 목 : 유엔가입 지지교섭

연:MXW-0503

대:EM-0017

　연호에 이어 금 5.6. 오전 당관 김참사관은 외무성 아태국 부국장 MIJARES 공사를 방문, 아국의 유엔가입 당위성, 우방국의 지지표명 증가, 한맥 양국간 제반관계 심화, 맥-북한간의 실질관계 전무, 한반도를 위요한 평화정착 분위기 고조(GULF 만과 같은 분쟁지역이 아님을 강조)등을 들어 한반도 문제에 있어 멕시코가 취한 과거의 소극적이고 전통적인 정책(불간섭)을 탈피할 단계에 왔다고 생각한다고 말하고 대국으로서 가입 신청시 지지부표 차원을 넘어 사전에 공개적이고 적극적인 지지 표명을 해주는 것이 양국관계를 더욱 심화 발전시키는데 긴요하며 한반도 평화통일에도 기여하게 될것임을 강조하고 동인의 적극적 협조를 요청하였음.

　동부국장은 브라질의 입장이 표명되었는지를 문의한바, 현재 교섭중이며 별문제가 없을것으로 본다고 말하고 멕시코가 중남미에 영향을 미치도록 선두(LEAD) 역활을 해줄것을 요청함.

　동부국장은 그간 주재국이 국제문제는 물론 한반도 문제에 있어 소극적, 보수적 입장을 취한 것을 수긍하는 표정을 지으면서 자신으로서는 동감이 감으로 상부보고 및 유엔국과 적극 협조토록 하겠다고 답변함.

　현재 유엔국장을 비롯 과장등 관계관이 유엔출장 중이므로 귀국하는대로 접촉하겠음.끝.

　(대사 이복형-국장)

예고:1991.12.31. 일반 에 의거 인반분서로 ─

국기국	·장관	차관	1차보	2차보	미주국	청와대	안기부

관리
번호 9/
-2993

외 무 부

원 본

종 별 :

번 호 : PUW-0366　　　　　　　　　　일　시 : 91 0506 1930

수 신 : 장 관(국연,미남,정일,기정)

발 신 : 주 페루 대사

제 목 : 유엔가입 추진

연:PUW-0298

1. 본직은 5.6 17:00-17:30 외무차관을 대리하고있는 ALEJANDRO GORDILLO 양자차관보와 면담, 아국의 유엔가입 추진계획과 관련, 미국및 유럽등 서방국가들은 물론 소련을 비롯한 동구국가등 전세계 분위기가 남북한 또는 아국의 유엔가입을 적극 지지하고 있음을 설명하고 아국은 남북한이 유엔에 동시 가입하는것을 원칙으로하나, 북한이 이를 거절할 경우 금년중 아국만이라도 단독 가입하는것이 정부의 확고한 방침임을 재강조 하였음.

2. 따라서 남북한 대사관이 함께 상주하고 있는 주재국이 아국 유엔가입 추진계획에 대한 공식 지지 입장을 조속 결정해 줄것을 당부하였던바, 동차관 대리는 전에도 언급한바처럼 아국 유엔가입은 정당한것으로 생각하나, 현재 실무자들이 RIO 구룹국들의 의견을 수렴, 검토중이며, 상부 재가를 얻어 정부의 공식입장을 결정하게 될것이라고 말하고 중국의 입장을 문의하였음.

3. 본직은 아국이 중국과 수교관계는 없으나, 금년초부터 봉상대표부를 상호 상주시키고 있을뿐 아니라 봉상관계의 증진등 양국관계가 점차 긴밀해 지고 있음에 비추어 안보리에서 기권 정도는 예측하나 대북한과의 옛우정관계를 고려 확정된 입장을 밝히고 있지않다고 말하고, 현재까지 주재국이 문의 파악한 RIO 구룹국들의 아국 유엔가입에 대한 의견회시 결과를 문의하였던바, 동차관 대리는현재까지 파악한 RIO 구룹국들의 입장은 아국의 유엔가입에 대해 반대하지는 않는것으로 안다고 답변하였음.

4. 한편 당관 이창호 참사관은 5.6 YVAN SOLARI 아주과장과 면담하였는바, 동과장 외무부 실무진은 아국 유엔가입을 지지하는 분위기라고 말하고, 대다수RIO 구룹국들은 아국 유엔가입을 긍정적으로 검토하고 있다는 반응을 보이고 있으며, 주재국 정부는

국기국	장관	차관	1차보	2차보	미주국	정문국	청와대	안기부

오는 7 월경 공식입장을 결정하게될 것이라고 언급하였음. 끝.

(대사 윤태현-국제기구조약국장)

예고:91. 12. 31. 일반 고문에 의거 인반문서로 책분됨

검토필 (1991. 6 30.

외 무 부

원 본

종 별 :

번 호 : PUW-0368　　　　　　　　일　시 : 91 0507 1600

수 신 : 장관(국연,미남,정일) 사본:주유엔대사-중계필

발 신 : 주 페루 대사

제 목 : 유엔가입 추진

1. 당관 이창호 참사관은 5.7 GASTON IVANEZ 외무부 유엔국장과 면담, 제주도 한.소 정상회담 내용을 설명하면서, 소련을 비롯한 동구권 국가들도 아국 유엔가입을 적극 지지하는등, 전세게 국가들이 아국 유엔가엡을 지지하는 분위기이므로 주재국도 아국 유엔가입을 지지하는 공식 입장을 조속 결정하여 줄것을 재요청하였음.

2. 동국장은 실무적인 입장에서 유엔 보편성의 원칙에 따라 아국이 유엔에 가입하는 것은 당연한것으로 생각하나 공식 입장을 결정하기 위하여 RIO 구룹국을비롯 아시아국및 안보리 이사국들의 입장을 문의중이며, 동결과에 따른 추세를참고하여 상부재가를 받아 결정할것이라고 하면서, 현재까지 파악한 국가들의 반응은 긍정적이였으며, 중국도 한.중 양국간 관계 발전 추세에 비추어 중립적 입장을 떠나 찬성쪽으로 기울어질 것으로 본다고 전망함.

3. 동국장 이참사관에게 현재까지 RIO 구룹국을 포함 일부 아시아국에 문의, 파악하여 작성한 아국 유엔가입에 대한 각국입장 회신내용표 사본을 전수하였는바, 동내용은 다음과 같음.

국가명, 회신 내용 (순)

베네주엘라: COREA DEL SUR DEBE ESTAR REPRESENTADA(한국은 가입 되어야함)

중국: PROBLEMA DEBE SER RESUELTO POR ACUERDO DE LAS PARRTES(남북한 합의에 따라 결정되어야함)

에꾸아돌: APOYARA EN EL MOMENTO OPORTUNO(적절한 시기에 지지 예정임)

칠레: SEGURAMENTE LE DARIAMOS APOYO(지지코자함)

우루과이: COMENTARIO FAVORABLE SOBRE PRETENDIDO INGRESO(긍정 검토라고 회신됨)

브라질: APOYARIA COREA DEL SUR TEMBIEN A C. NORTE SI LO PIDE(한국 유엔가입

국기국	장관	차관	1차보	2차보	미주국	정문국	청와대	안기부

지지함, 북한도 요청시 가입 지지하겠음)

  콜롬비아: NO POSICION DEFINITIVA. SEGUIRIAN TENDENCIA GRULA NEUVA
YORK(미확정임. 유엔 라틴 아메리카국들의 추세에 따르겠음)

  필리핀: INCONVENIENCIA INGRESO POR SEPARADO(분리 가입은 부적당함)

  일본: CONSIDERA POCO PRACTICA FORMULA "UN SOLO ASIENTO"(단일 의석안은
비현실적이라고 생각함).끝.

  (대사 윤태현-국제기구조약국장)

예고:91.12.31.일반 예고문에
의거 일반문서로 재분류

○ (2그 현영, 흘날 유능령

○ 흘 2녹, 각니 각남구

검토필(1991. 6. 30.)
PAGE 2

0172

366 남북한 유엔 가입 지지 교섭 2: 아주, 중남미

관리
번호 91
-3035

원 본

외 무 부

종 별 :

번 호 : TTW-0080   일 시 : 91 0507 1610

수 신 : 장 관(국연,미중,사본:주유엔대사-중계필)

발 신 : 주 트리니 다드대사

제 목 : 카리콤 유엔가입 지지교섭

대:WTT-55

연:TTW-78

본직은 금 5.7(화) 오후 DAVID PUNCH 주재국 외무차관과 면담(정서기관및 GRANDERSON 한국담당관 배석), 대호건 관련 아측입장과 공동 지지 요청사유를 상세 설명하고, 주재국이 카리콤 주요회원국이며, 당관 상주국임을 감안, 적극 협조를 요청한 바, 동차관은 자신이 금번 회의에 참석치는 않으나, BASDEO 장관에게 아측의 뜻을 충분히 전달하겠다고 답변하였음.

또한 동차관은 특히 중국의 태도 변화 가능성에 관해 관심을 표명하고, 카리콤 사무국에 대한 아측의 교섭여부를 문의한 바, 본직은 주자마이카 대사관을 통해 교섭중인 것으로 안다고 답변하였음.끝.

(대사 박부열-국장)

예고:91.12.31 일반 고 에
의거 일반문서로 재

검토필(1991. 6.30.)

국기국	장관	차관	1차보	2차보	미주국	정와대	안기부

원 본

외 무 부

관리 91
번호 ─ 3031

종 별 :

번 호 : UNW-1166   일 시 : 91 0507 1900

수 신 : 장 관(국연,남미,기정)(사본:주볼리비아대사-중계필)

발 신 : 주 유엔 대사

제 목 : 볼리비아 대사면담

1. 본직은 5.7. NAVAJAS 볼리비아 대사를면담, 아국가입관련 최근상황을 설명하고 계속적인 지원을 요망한데 대해 동대사는 지난주 총회속개회의 참석차 당지방문한 본국외상과 본건을 1 차 협의한바 있다고 하고 동외상은 LA PAZ 에서도아측으로부터 본건관련 지지요청이 있었다고하면서 보편성원칙 뿐만 아니라 양국관계에 비추어 아국입장을 지지하기로 하였다고 언급하였다함.

2. RIO 그룹 공동명의 지지요청에 대해 동대사는 볼리비아로서는 문제없다고하면서 관계국 대사들과 협의하겠다고 함.

3. 유엔 사무국에도 오래 근무한바있는 동대사는 본인 생각으로는 중국이 이문제에 대해 결국은 거부권 행사를 하지않을 것으로 본다고 하고 그이유로는 중국자신이 오랫동안 강대국 거부권의 제물이 된 경험이있고 정책기조로 패권주의에 반대하며 실질 문제에서도 득보다 실이 크기 때문이라고 분석함.끝.

(대사 노창희-국장)

예고.191.12.31.에일반고문에
의거 인반문서로

국기국   장관   차관   1차보   2차보   미주국   정와대   안기부

PAGE 1   91.05.08   09:18

외신 2과 통제관 BS

0174

CARICOM 공동 지지입장

면 담 자	반 응
○ 5.6. 주유엔 자메이카 공사	○ 본부 보고하겠음.
5.6. 외무차관	○ 외상회의시 자메이카가 아국입장 지지를 주도하는 역할을 하도록 장관에게 권하겠음.
○ 5.6. 주유엔 도미니카 참사관	○ 본국과 협의하겠음.
○ 5.3. T&T 카리콤 담당국장	○ 금년 5월 바에이도스 개최 카리콤 외상 회의는 짧은 일정에 많은 의제를 다루어야 하므로 아국 공동지지문제를 거론하기는 어려울 것임.
○ (5.7. 주 T&T대사 보고)	
바베이도스(회의주최국) 정무국장	○ 상기 T&T 보고와 비슷한 반응
세인트빈센트 외무차관 세인트 킷츠 외무차관 안티구아 외무차관 도미니카 외무차관 세인트루시아 카리콤담당관 그레나다 카리콤담당관	○ 장관과 협의해 보겠음. (세인트 빈센트, 그레나다측은 아국입장을 지지하는 내용의 안보리문서 배포 요청 하였다고 밝힘) (세인트루시아는 금명간 안보리 문서를 배포 요청 예정임)
○ (5.2. 유엔보고)	
바베이도스(장관), 세인트루시아 (대사), 안티구아(공사), 세인트 빈센트(공사)	○ 호의적 반응
○ (5.2. 유엔보고)	
T&T (서기관), 그레나다(참사관), 세인트킷츠(참사관), 벨리스(공사), 가이아나(서기관), 바하마(참사관)	○ 본국과 적극 협의하겠음.
○ 5.2. 벨리즈 외상	○ 외상회의시 여타외상들과 협의하겠음.

0175

Rio 그룹(11개국) 반응

국 가	면담일시 및 면담자	반 응
콜롬비아	o 4.12. 유엔대사	o 회원국 의견청취후 본부협의 o 공동입장 표명시기 문의함. (가입신청 전.후 또는 여타계기)
멕 시 코	o 4.9. 유엔대사 o 4.11. 경제국장	o 리오그룹 공동입장 가능성 타진권함. o 4.25. EC-Rio GP 외상회의시 표명에 회의적 - 카라카스 정상회담(가을) 시기미상
베네수엘라	o 4.23. 다국관계 국장	o 4.25. 리오그룹 회의시 유엔가입문제 토의 가능성 희박
에쿠아돌	o 4.16. 유엔대사	o 앞장서기는 어려우나 동조에는 어려움 없음. (8월 안보리의장국)
브 라 질	o 4.11. 국장 o 4.17. 유엔대사	o 하나의 방법이 될 것임. 보고하겠음. o 46차 총회개막시 리오그룹 외상들이 만나는 기회에 공동입장 표명 의견 제시
페 루	o 4.11. 유엔과장, 아주과장 o 4.15. 아주과장 o 5.1. 유엔대사 o 5.6. 양자 차관보	o 의견 수렴하겠음. 공동보조 o 리오그룹국 입장 문의중 - 칠레, 에쿠아돌 지지입장 회보 o 그룹조정국인 콜롬비아대사와 협의하겠음. o 6월초 센디에고 개최 예정인 OAS (미주기구)회의시 그룹외상 회동 가능성 있음. o 유엔가입지지 문제에 대한 공식입장 7월경 결정
알 젠 틴	o 4.17. 리오그룹 담당관	o 차기 Rio 그룹 정책회의 일자 미정 o 공개 표명에 신중
칠 레	o 4.11. 유엔과장 o 4.15. 유엔대사	o 가능하고 바람직한 방안임. 적극 협조하겠음. o 적극 협조하겠음.

0176

국 가	면담일시 및 면담자	반 응
파 라 과 이	ㅇ 4.30. 유엔대사	ㅇ 적절한 기회에 표명되도록 협조 하겠음.
볼 리 비 아	ㅇ 4.30. 외무장관 친서 수교	ㅇ 유엔가입지지 및 우리가 취하는 모든 조치에 지지 표명

0177

I. 정상회의 개요

1. 기   간 : '90.10.11 - 12

2. 장   소 : 베네수엘라 "카라카스" (Caracas)

3. 참석인사 (8개국 정상, 1개국 영부인)

    ○ "뻬레스"(Perez) 베네수엘라 대통령

    ○ "가비리아"(Gaviria) 콜롬비아 대통령

    ○ "살리나스"(Salinas) 맥시코 대통령

    ○ "꼴로르"(Collor) 브라질 대통령

    ○ "메넴"(Menem) 아르헨티나 대통령

    ○ "앨윈"(Aylwin) 칠레 대통령

    ○ "보르하"(Borja) 에쿠아돌 대통령

    ○ "후지모리"(Fujimori) 페루 대통령 영부인

    ＊ "후지모리" 페루 대통령은 의회의 대통령 출국 미승인으로 영부인이
       외상대통 대리 참석

4. "리오그룹"(Rio Group, Grupo de Rio)

    가. 구   성 (9개국)

       ○ 베네수엘라, 콜롬비아, 맥시코, 브라질, 페루, 아르헨티나,
          우루과이, 칠레, 에쿠아돌,

    나. 연   혁

       ○ '83.1. "꼰따도라"(Contadora) 그룹 발족

          - 맥시코, 베네수엘라, 파나마, 콜롬비아

          - 중미사태의 역내국가에 의한 해결 도모

0178

o '85.6. 브라질, 페루, 아르헨티나, 우루과이 4개국이 "꼰따도라"
   후원 그룹(Grupo de Apoyo) 결성

o '86.12. Rio 에서 8개국 그룹(Grupo de Ocho) 결성 (제1차 정상
   회담)
   - 미국의 미주기구(OAS) 운영주도 반대
   - 중남미 문제에 대한 미국개입 배격, 역내 정치통합 추구

o '88.10. "노리에가"(Noriega) 의 합법정부 전복에 반대 파나마에
   대해 회의 참여 정지, "리오 그룹"(Grupo de Rio) 으로 호칭됨.

o '89.10. "제3차 8개국 그룹 정상회의"시 동 그룹의 확대 결정으로
   에쿠아돌, 칠레 추가 참여 "리오그룹" 결성

   * 그룹회의
     o 정상회의
       - 제1차 회의 : 87.11. 맥시코 "아까뿔꼬"(Acapulco)
       - 제2차 회의 : 88.10. 우루과이 "뿐따 델 에스떼"
                            (Punta del Este)
       - 제3차 회의 : 89.10. 페루 "이까"(Ica)

     o 외상회의
       - 89.12. 아르헨티나 외상회의등 7차례 개최

     o 기타 재무등 관계장관 회의 부정기 개최

다. 그룹 성격

   o 최초, 역내국간 정치적 현안해결을 도모하는 협의체로 출발, 정식
     지역기구가 아니며, 최근 외채, 지역 경제통합 등 경제문제가
     중시되고 있는바, 역내 주요현안을 논의, 공동해결 방안을 강구키
     위한 "지역협의체" 임.

0179

외 무 부

종 별 :

번 호 : MXW-0526

일 시 : 91 0508 1110

수 신 : 장관(국연,미중)

발 신 : 주 멕시코 대사

제 목 : 유엔가입 지지교섭

연:MXW-0503

본직은 5.9(목) 17:00 외무성 유엔국장 및 5.10(금) 10:30 외무차관 면담이약속된바, 외상방한전 아측의 유엔가입 지지 확답을 받도록 노력중인바 진전 추보코저함.

(대사 이복형-국장)

예고:1991.12.31. 일반

국기국   미주국

91.05.09   04:54

외신 2과 통제관 CA

0180

원 본

관리 번호	91 —3050

외 무 부

종 별 :

번 호 : PUW-0371　　　　　　　　　　일 시 : 91 0508 1330

수 신 : 장관(국연,미남,정일,기정)

발 신 : 주 페루 대사

제 목 : 유엔가입 추진

　1. 본직은 5.8 12:00-12:50 FERNANDO GUILLEN 신임외무부 다자차관보를 예방 한, 페 양국 우호관계및 한반도 정세, 특히 금년중 아국 유엔가입 추진의지및북한의 반대주장을 설명하고 북한이 남북한 동시 가입을 계속 반대할 경우 아국 단독으로 유엔가입을 신청할것임을 강조하고 주재국 정부의 지지를 요청하였음.

　2. 동차관보는 실무자 보고및 언론 보도를 통하여 아국 유엔가입의지를 잘알고 있다고 하면서 개인 의견으로는 경제발전국인 아국의 유엔가입은 유엔헌장 보편성의 원칙에 따라 정당한권리로 생각하나 RIO 구룹국및 여타국가들의 입장을종합검토, 상부의 재가를 얻어 정부의 공식 입장을 결정하게될것이라고 언급하였음.

　3. 관측: 남북한 대사관이 상주하고 있는 주재국은 가급적 중립적 입장을 유지하되 RIO 구룹국을 비롯한 대다수 국가의 입장 추세에 따라 공식 입장을 결정할 의도인것으로 판단됨. 끝

　　(대사 윤태현-국제기구조약국장)

예고 : 91.12.31. 일반 고문에
외거 일반문서로 재분됨

검토필(1991. 8. 30.)

국기국	장관	차관	1차보	2차보	미주국	정문국	청와대	안기부

PAGE 1

원 본

관리번호 91 —2064

외 무 부

종 별 :

번 호 : UNW-1187   일 시 : 91 0508 2030

수 신 : 장 관(국연,미중,기정) 사본:주트리니다드대사-중계필

발 신 : 주 유엔 대사

제 목 : 유엔가입교섭(세인트루시아)

연:UNW-1104

금 5.8. 세인트루시아 C.FLEMMING 대사는 연호 아국 유엔가입을 지지하는 안보리의장(중국 D.LI 대사) 앞 발송 서한(5.8. 자)내용을 다음과같이 알려옴.

UPON INSTRUCTIONS FROM MY GOVERNMENT, I HAVE THE HONOUR TO INFORM YOU IN YOUR CAPACITY OF PRESIDENT OF THE SECURITY COUNCIL, THAT THE GOVERNMENTOF SAINT LUCIA SUPPORT FULLY THE ASPIRATION OF THE REPUBLIC OF KOREA TO BECOME A MEMBER OF THE UNITED NATIONS. SAINT LUCIA IS OF THE VIEW THAT THE REPUBLIC OF KOREA'S MEMBERSHIP OF THE ORGANIZATION WOULD BE MOST CONSISTENT WITH THE PRINCIPLE OF UNIVERSALITY EMBODIED IN THE SPIRIT OF THE CHARTER.

IN THIS REGARD, THE GOVERNMENT OF SAINT LUCIA SUPPORTS THE MEMORANDUM OF THE GOVERNMENT OF THE REPUBLIC OF KOREA CONTAINED IN SECURITY COUNCIL DOCUMENT NUMBER S/22455 OF 9 APRIL 1991

I SHOULD BE GRATEFUL IF YOU WOULD HAVE THE TEXT OF THIS LETTER CIRCULATED AS A DOCUMENT OF THE SECURITY COUNCIL.

끝

(대사 노창희-국장)

예고:91.12.31. 일반고 에 의거 인반문서로 재분류

검토필(1991. 6. 30)

국기국	차관	1차보	2차보	미주국	정와대	안기부

91.05.09   09:51
외신 2과 통제관 BS
0182

관리
번호 91
-3/05

외 무 부

원 본

종 별 :

번 호 : TTW-0081   일 시 : 91 0509 1600

수 신 : 장관(국연,미중,사본:주유엔대사)

발 신 : 주 트리니다드대사

제 목 : 카리콤 유엔가입 지지교섭

대:WTT--55

연:TTW-78,80

1. 대호건 교섭결과, 그레나다정부는 금 5.9(목) 당관앞 공한(5.8 자)을 통해 카리콤 외무장관회의에서의 아국 유엔가입 공동지지에 대한 아측요청을 지지한다고 통보하여 왔음. 또한 당관이 금일 안티구아의 CHALLENGER 외무차관과 세인키츠의 IRISH 카리콤담당관과도 접촉(전화), 문의한 바, 이들 양국 정부도 동건을 지지한다고 확인하였음.

2. 또한 당관은 금일 주재국 외무부의 GRANDERSON 한국담당관도 접촉, 상기3 개국의 지지의사 표명과 세인트빈센트에 이어 세인트루시아 정부도 아국 유엔가입을 개별 지지하는 안보리문서를 채택했다는 사실을 통보하면서, BASDEO 장관과 접촉되는대로 이를 보고토록 협조 요청하였음. 바베이도스, 세인트루시아, 세인트빈센트, 도미니카(연)등 여타 겸임국 경우, 장. 차관을 비롯한 외무부의 책임자들이 대부분 상기 회의 참석등의 사정상 외유중으로 접촉, 입장확인이 거의 불가한 실정인 바, 접촉 가능한 대로 교섭, 추보하겠음. (대사 박부열-차관)

예고:91. 12. 31 일반고
의거 일반문서로 재

검토필(1991. 6. 10.)

국기국   장관   차관   1차보   2차보   미주국   정와대   안기부

PAGE 1   91.05.10   07:21
                                          외신 2과 통제관 FE

0183

관리 91
번호 ─3117

원 본 √

외 무 부

종 별 :

번 호 : PMW-0244   일 시 : 91 0509 1700

수 신 : 장 관(국연,미중, 사본:주유엔대사-중계필)

발 신 : 주 파나마 대사

제 목 : 유엔가입 추진

대:EM-0016

1. 본직은(민병학 참사관 대동) 금 5.9. 주재국 LINARES 외무장관을 방문, 아국의 유엔가입에 대한 주재국의 지지입장을 총회 이전 가급적 빠른 시일내 공개적으로 유엔 안보리 의장앞 문서로 배포해줄것을 요청하였는바 이에 대한 동장관의 발언요지 아래 보고함.

    가. 파나마정부는 제 45 차 유엔총회에서 ENDARA 대통이 참석, 기조연설문에 언급되여 있는바와 같이 아국의 유엔가입에 대하여는 적극지지하는 입장임.

    나. 제 46 차 총회참석할 파나마대표는 상금 미상이지만 계속 지지하는 입장을 공개적으로 표시할것임.

    다. 아국 유엔가입 지지입장을 유엔안보리 의장앞으로 문서로 보내도록 주유엔대표부에 지시하겠음.

2. 본건 진전사항 추보위계임.끝.

    (대사최상진-국장)

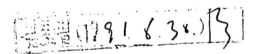

예고:91.12.31 까지
    19
    의거 인민 서

판독필 (1 91. 6. 3 .)

국기국   장관   차관   1차보   2차보   미주국   정와대   안기부

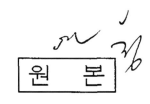

관리 91
번호 -3163

외 무 부

종 별 :

번 호 : SUW-0109 　　　　　　　　　　일 시 : 91 0510 1020

수 신 : 장 관(국연,미중) 사본:주유엔대사-중계필

발 신 : 주 수리남 대사

제 목 : 유엔가입 문제

대:EM-0009,0013, 연:SUW-0074

1. 본직은 5.9. 공관장회의 귀임 인사겸 대호교섭을 위하여 외무성 국제기구국장 AMB.LEEFLANG 및 아주국장 AMB.AMANH 을 각각 방문, 아래와 같이 의견교환을 갖었음을 보고함.

　　가. 국제기구국장 언급:

　　1) 주재국은 이미 90 년도 45 차 총회시 SHANKAR 대통령의 기조연설에서 한국의 유엔가입을 지지한다고 언급한바 있음을 상기시켰으며 그후 주재국은 군사혁명으로 과도정부하에 있으나 연호 보고와 같이 상금도 주재국의 대유엔대책은 변함이 없음.

　　2) 주재국 과도정부는 5.25. 총선거 대책으로 대외적인 이미지 쇄신에 전력을 경주하고 있으며 한국과의 협력관계(제 2 차전대차관및 냉동창고 건설 기증등에시)에 비추어 한국의 유엔가입신청에 대한 주재국의 입장은 변화가 없을것임.

　　3) 대호 요청에 따르는 공개적인 지지표명은 현과도정부의 성격과 업무량으로 미루어 어려움이 있으며 실무진으로서 상부보고 하기가 적절치 않음을 이해바람.(한국은 과도정부 승인치 않고 있음)

　　나. 아주국장 언급:

　　1) 한국정부의 금년도 유엔가입 신청은 시기적으로 늦은감이 있으며 북한과의 동시가입 노력이 성사되기 어려움에 비추어 단독가입이라도 추진하려는 한국정부의 입장을 이해함.

　　2) 주재국은 현재 과도정부로 총선거에 전신을 다하고 있으며 양국관계에 비추어 신정부에서도 한국의 대유엔가입 신청을 지지하도록 실무자로서 최선을 다할것임.총선거후 군부의 향배가 속단키 어려운바, 군부와의 긴밀한 관계유지를당부하는 바임.

국기국	장관	차관	1차보	2차보	미주국	청와대	안기부

PAGE 1 　　　　　　　　　　　　　　　　　　　　　　91.05.11　　07:21

　　　　　　　　　　　　　　　　　　　　　　　外신 2과 통제관 BS
　　　　　　　　　　　　　　　　　　　　　　　　　　0185

2. 관찰및 건의

가. 주재국은 연호교섭에 따라 한국의 유엔가입 신청의 타당성을 지지하고 있으나 주재국 정부의 공개적인 지지태도 표명은 시간적으로 어려움이 있어보임.국제기국국장 언급과 같이 주재국이 5.25. 총선거이후 신정부수립에 따른 긴박한일정하에서 한국의 유엔가입을 공개적으로 지지표명할 계기가 적절치 않을뿐 아니라 북한과 밀접한 관계를 갖고있는 군부를 오히려 자극할 우려가 있음에 비추어 신정부 수립후 양국간 합동위원회 개최시기(9-10 월경, 파라마리보 개최)에맞추어 지지발언을 공동성명에 삽입케 하거나 총회기조연설에서 강력 재발언케함이 시의적절할것으로 관찰되어 이를 건의함.

나. 한-수 합동위원회 개최문제 지역국과 협의 별도 건의위게임.

다. 군부와는 주재국이 추진중인 군수물자 조달(의복류 국제입찰및 군수송장비 구입교섭등)교섭시 자연스럽게 접촉할 기회가 있으며 긴밀한 관계를 유지토록 노력중임을 참고로 보고함(상세교섭경위 생략).끝.

(대사 김교식-국기국장)

예고:1991.12.31.일반 해제 고문에 의거 일반문서로 재문됨

섬토필(1991. 5. 30.)

원 본

관리 91
번호 ―459

외 무 부

종   별 :

번   호 : VZW-0274   일   시 : 91 0510 1200

수   신 : 장관(국연,미중), 사본:주유엔대사-필

발   신 : 주 베네수엘라 대사

제   목 : 카리콤 지지 교섭

대: WVZ-132

당관 정영채 참사관은 5.10, 당지 주재 가이아나대사관의 LAURENCE HOUSTON 일등
서기관과 면담, 5.13-14 간 바베이도스 개최 카리콤회의에서 아국 유엔가입 문제를
적극 지원토록 요청한바, HOUSTON 서기관은 즉시 본국 정부에 보고, 협조토록 최선을
다하겠다고 했음. 끝.

(대사 김재훈-국장)

예고: '91.12.31 일반

국기국   차관   1차보   2차보   미주국   청와대   안기부

관리 91
번호 -3159
원 본

외 무 부

종 별 :

번 호 : MXW-0540

일 시 : 91 0510 1710

수 신 : 장관(국연,미중,사본:주유엔대사)

발 신 : 주 멕시코 대사

제 목 : 유엔가입 지지교섭

연:MXW-0526,0503

1. 본직은 금 5.10. 10:30 외상방한 준비협의차 ROZENTAL 외무차관 면담시(S.FUENTES 아태국장, 김참사관 배석) 주재국의 아국 유엔가입 지지입장 조기결정, 표명을 요청한바 동 차관은 기히 밝힌바대로 멕시코의 아국 유엔가입 지지에는 변함이 없다고 재확인 하면서 주재국으로서는 금년 아국의 유엔가입 실현을 확신하고 있으며 안보리에서도 쏘련, 중국의 지지를 획득하는데 문제가 없을 것으로 안다고 말하고 외상 방한중 장관 면담 및 청와대 예방시 아국 유엔가입에 대한 지지 표명을 할것이라함.

2. 본직은 이어 12:30 OLGAR PELLICER 유엔국장을 방문, 상기 차관의 지지 표명을 재확인하고 동 국장이 최근 유엔 출장에서 관찰한 아국의 유엔가입 문제관련 유엔의 분위기를 문의한데 대하여 동 국장은 솔직하게 말해서 한국의 유엔가입은 하등의 문제가 없는 기정 사실로 본다고 말함.

(대사 이복형-국장)

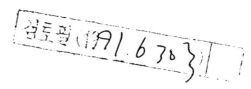

예고:1991.12.31. 일반에
의거 인반문서로

검토필 (1991.6.7.03)

국기국	장관	차관	1차보	2차보	미주국	청와대	안기부

91.05.11   09:41

외신 2과 통제관 FF
0188

관리
번호 91
-463

외 무 부

종   별 :

번   호 : MXW-0542

일   시 : 91 0510 1730

수   신 : 장관(미중,국연)

발   신 : 주 멕시코 대사

제   목 : 니카라과 대사 예방 접수

대:WMX-0264

연:MXW-0536, 멕경 700-210

1. 본직은 금 5.10 FONSECA 당지 주재 니카라과 대사의 내방을 받은바 동 대사는 대호 아국의 대니 원조 결정사실에 대하여 본국으로부터 연락을 받았다고하고 이어 연호,2 항 최근 평양개최 IPU 총회에서 보여준 니대표의 행동에 대하여 유감을 표지한바, 동대사는 현재 니카라과 의회내에 아직 산디니스타 세력이 3 할이상 점하고 있어, 여권도 분립되어있는 상태로 현 국제추세를 이해하지 못하는 이들에 의해 야기된 불미스런 결과임을 이해해 줄것을 요청하면서, LACAYO 대통령실 장관의 유감의 뜻을 전해 왔음.

2. 또한 본직은 금추 유엔총회에서 니측의 조기 지지표명을 재차 요청한바,동 대사는 서면에 의한 지지표명이 전달되도록 노력하겠다고 약속함.

3. 한편 FONSECA 대사는 외무성의 컴퓨터 정보 센터 설립과 관련, 컴퓨터 시스템 설치에 필요한 동분야 전문가 1 명을 파견하여 줄것을 요청하는 외무성 노트를 전달해 왔는바(연호 기송부한 FAX 본 참조) 동 노트 파편 송부함.

(대사 이복형-국장)

예고:1991.12.31. 까지 분에
의거 인반문서

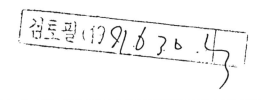

미주국   국기국

PAGE 1

91.05.11   14:25

외신 2과 통제관 BA

0189

관리
번호 91-497

외 무 부

종 별 : 긴 급

번 호 : PUW-0387   일 시 : 91 05110030

수 신 : 장관(국연,미남,정일)

발 신 : 주 페루 대사

제 목 : 유국 유엔 가입에 대한 중국 태도

1. 본직이 금 5.10 22:00 GORDILLO 외무차관대리 (양자 차관보)와 만찬을 함께하는 자리에서 동차관대리가 전언한바에 의하면 금일 19:00 주중국 자국 대사로부터 보고를 접수하였는바, 중국 이붕 총리가 북한을 방문하고 귀국한후 외교가에서는 동총리가 북한으로 하여금 남북한 동시 유엔가입을 종용했다는 소식이전해지고 있다고 함.

2. 동전문에 의하면 이붕총리는 북한으로 하여금 고립 외교정책을 지양하고남북한 동시 유엔가입을 권고하면서 정당하게 국제사회에 참여토록 종용하는한편 평양측이 계속 남북동시 가입을 반대하여 한국이 단독가입을 신청할 경우 중국은 안보리에서 기권할수 밖에 없다는 공식입장을 북한에 전달하였다고함.

3. 동차관대리는 상기 내용은 비밀로 하여 줄것을 당부하였음을 첨언함. 끝
(대사 윤태현-국제기구조약국장)
예고:91.12.31. 일반

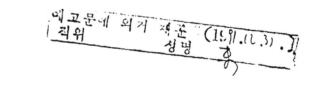

예고문에 의거 재준 (1991.12.31)
직위   성명   홍

검 토 필(19 91. 6. 30.)

국기국	장관	차관	1차보	2차보	미주국	정문국	정와대	안기부

PAGE 1   91.05.11   14:51
                                                    외신 2과 통제관 BA
                                                           0190

원 본

관리 번호	91 -3269

외 무 부

종 별 : 지급

번 호 : BVW-0169   일 시 : 91 0514 1730

수 신 : 장관(국연,미남)

발 신 : 주 볼리비아 대사

제 목 : 유엔가입 추진

연:BVW-0143

1. 본직은 금 14 일 FERNANDO MESSMER 외무성 정무차관을 면담코, 연호 아국의 유엔가입 입장에 지지를 표명한 ITURRALDE 장관의 이상옥 장관님앞 친서에 대하여 심심한 사의를 표한바, MESSMER 차관은 주재국 정부가 아국의 유엔가입 입장에 전폭적으로 지지할 뿐만 아니라, 중남미 형제국에 대하여 및 리오 그룹 회원국으로서 동 그룹 공동명의 지지표명에 주도적 역할을 하기위한 구체적 조치를 취하도록 ITURRALDE 장관으로부터 특명을 받았다고 언급했음. 지난 5.10. 이임하는 쏘련대사 선훈행사시 ITURRALDE 장관에게 이상옥 장관님앞 친서에 사의를 표명했음.

2. MESSMER 차관에 의하면 주 유엔 볼리비아 NAVAJAS 대사는 중남미 카리브 UNDP 사무국장으로서 장기간 근무한바 있어서 중남미 카리브제국으로부터 많은 사랑과 협조를 받고있는 인사이므로 유엔업무 관련 동 지역 형제국에 대하여 어느 정도 영향력이 있을 것이라고 하는바, 주 유엔 아국대사로 하여금 동 NAVAJAS 대사와 긴밀한 협조관계를 유지토록 해 주실 것을 건의함.

3. 이번 특사 방문(면담)관련, 본직은 5.9. 과 11 일 부통령 및 대통령의 측근 보좌관과 접촉, 아국의 유엔가입 입장을 부통령 및 대통령에게 사전 설명토록 관련자료 제공 및 설명을 통한 사전적 조치를 취하였기 첨언함. 끝.

(대사 명인세-국제기구조약국장)

예고:91.12.31. 일반 고무에
의거 일반문서

국기국	장관	차관	1차보	2차보	미주국	청와대	안기부

91.05.15   14:16
외신 2과 통제관 DO
0191

원 본

외 무 부

관리번호 91 ~3292

종 별 :

번 호 : UNW-1240   일 시 : 91 0514 1945

수 신 : 장 관(국연,미중,기정)

발 신 : 주 유엔 대사

제 목 : 유엔가입문제(세인트빈센트)

연:UNW-1104

1. 세인트 빈센트의 연호 아국입장 지지정부 코뮤니케가 안보리문서로 상금배포되지 않고있는 것과 관련 당관 원참사관이 금 5.14. 동국대표부 J.POMPEY 공사에게 문의한바, 동대표부는 연호 배포요청 서한이 안보리 사무국에 접수되지않은것을 확인하고 현재 본건 배포를 재요청하는 조치를 취하고 있다함.

2. 진전사항 추보위계임.끝

(대사 노창희-국장)

예고:91.12.31. 일반고문에 의거 인반문서로 재문됨

검토필(1791. 6. 70.)

국기국   장관   차관   1차보   2차보   미주국   청와대   안기부

PAGE 1   91.05.15   10:48

외신 2과 통제관 BS

0192

원 본

외 무 부

종 별 :

번 호 : UNW-1241   일 시 : 91 0514 1945

수 신 : 장 관(국연,미중,기정) 사본:주자마이카대사-중계필

발 신 : 주 유엔 대사

제 목 : 유엔가입문제(자메이카)

　　　표제관련 본직은 금 5.14. H.WALKER 자메이카 대사를 방문한바, 면담결과를아래
보고함.

　　1. 본직은 아국의 년내가입 방침을 설명하고 자메이카의 적극적인 지지를
요청한바, 동대사는 자메이카로서는 남북한 동시가입 또는아국 선가입 지지에
어려움이 없다고 언명함.

　　2. 이어 본직은 카리콤의 아국가입 지지 공동입장 표명을위해 카리콤 주도국인
자메이카측의 적극적인 협조를 당부하면서 금번 브리지타운 외상회의시 동표명이
없는경우 향후 적절한 기회에 표명이 이루어질수 있도록 자메이카의 계속적인 지원을
요청하였음. 이에대해 동대사는 자국외상이 상기 브리지타운 회의에서 귀임하는대로
보고하겠으며 당지 카리콤 회원국 대사들과도 협의하겠다고 언급하고, 주자메이카
아국대사도 자국 외무장관과 본건 협의하는것이 좋겠다고 말하였음. 끝.

　　(대사 노창희-국장)

예고:91.12.31. 일반 고문에
의기 인반문서로 분류됨

검토필(1991. 6.30)

국기국	장관	차관	1차보	2차보	미주국	정와대	안기부

91.05.15 10:49
외신 2과 통제관 BS

0193

원 본

관리 번호	91 ~812

외 무 부

종 별 :

번 호 : TTW-0082

일 시 : 91 0515 1530

수 신 : 장관(국연,미중,사본:주유엔대사-필)

발 신 : 주 트리니 다드대사

제 목 : 카리콤 유엔가입 지지교섭

대:WTT-55

연:TTW-78,80,81

당관이 금 5.15(수) BROWNE 바베이도스 외무부 정무국장및 CHALLENGER 안티구아 외무차관과 각각 접촉, 확인한 바에 의하면, 대호 아국 유엔가입 공동 지지 문제가 금번 카리콤 외무장관회의 주최국인 바베이도스의 KING 외무장관에 의해 실무회의와 본회의에서 모두 제기, 협의되었으며, 동 협의 결과 모든 카리콤회원국이 아국가입을 지지하였으나(GENERALLY SUPPORTED IN FAVOUR), 아국이 유엔 가입 신청을 하지않은 단계에서 공동발표만은 시기상조로 결론되었다함.

(대사 박부열-차관)

예고:91.12.31 일반 문에
의거 일반문서로 재분됨

검토필(1991.6.30.)

국기국	차관	1차보	2차보	미주국	정와대	안기부

91.05.16   06:47
외신 2과 통제관 CF
0194

원 본

관리 번호	91 -895

외 무 부

종 별 :

번 호 : GUW-0159   일 시 : 91 0515 1830

수 신 : 장관(국연)

발 신 : 주 과테말라 대사

제 목 : 유엔가입 추진

연: 과정 20311-146

대: WGU-106

1. 본직은 5.15 ARZU 외상을 방문하고 면담한바, 동 외상은 한국의 유엔가입을 지지하기 위해 대통령 재가를 득하였으므로 서면 통고하겠다면서 유엔에서 제반협조를 하겠다고 약속함.

2. 유엔 지지 공한은 차주 파편 송부 하겠음. 끝.

(대사 조기성 - 국장)

예고 1991.12.31에 일반 문서에
의거 인반문서로 재분함

검토필(1991. 6 3 .)

국기국	장관	차관	1차보	2차보	미주국	청와대	안기부

91.05.16   08:34
외신 2과 통제관 CE

0195

外 務 部

종 별 :

번 호 : COW-0219   일 시 : 91 0515 1830

수 신 : 장관(미중,국연)

발 신 : 주 코스타리카 대사

제 목 : 외무차관 방한

　　　대:WCO-0098

　　　연:COW-0207

　　금 15 일 본직은 CASTRO 외무차관을 방문, 대호 방한일정을 전달하는 자리에서, 체한중 기자회견이 있을 경우, 아국유엔가입 관련, 별첨과 같이 답변하여 줄 것을 요청하였음. 동 차관은 NO PROBLEM 이라하고 동 요청에 동의하였음. (연호 CONEJO 대외정책국장의 북한 비거론 언급을 감안, 상기 답변내용에 대한 국장의 의견을 물을 경우, 아무런 이의없이 동의하도록 사전요청하였으며 동 국장도 양해하였음.)

　　별첨:기자회견 자료

　　(대사 김창근-국장)

　　예고:91,12,31 일반 에의

　　별첨자료 COW-220 으로 타전함.

미주국　　　차관　　　국기국

관리	91
번호	-3283

외 무 부

종 별 :

번 호 : COW-0220   일   시 : 91 0515 1830

수 신 : 장관(미중,국연)

발 신 : 주 코스타리카 대사

제 목 : 외무차관 방한

연:COW-0219

QUESTION: THE GOVERNMENT OF THE REPUBLIC OF KOREA (SOUTH KOREA) INTENDS TO MAKE AN APPLICATION FOR UNITED NATIONS MEMBERSHIP THIS YEAR IN THE FORMULA OF SIMULTANEOUS ENTRY OF SOUTH AND NORTH KOREA TO THE UNITED NATIONS, MAKING EVERY EFFORT TO PERSUADE NORTH KOREA TO ABANDON ITS "SINGLE-SEAT MEMBERSHIP" FORMULA. IF NORTH KOREA CONTNTINUES TO ADHERETO ITS SINGLE SEAT MEMBERSHIP FORMULA, SOUTH KOREA WILL SEEK INDEPENDENTLY UNITED NATIONS MEMBERSHIP THIS YEAR.

HOW DO YOU SEE SOUTH KOREA'S SIMULTANEOUS MEMBERSHIP FORMULA AND NORTHKOREA'S SINGLE-SEAT MEMBERSHIP FORMULA AND WHAT IS YOUR GOVERNMENT'S POSITION TO BOTH FORMULA?

ANSWER: I THINK NORTH KOREA'S SINGLE-SEAT MEMBERSHIP FORMULA IS NOT ONLY UNREALISTIC AND UNWORKABLE, BUT ALSO RUNS COUNTER THE PROVISION OF THE UNITED NATIONS CHARTER.

IN CASE BOTH KOREAS HAVE DIFFERENT OPINIONS IN SPECIFIC MATTERS, HOW WILL THEY REPRESENT BOTH KOREA'S POSITIONS? THEREFORE, MY GOVERNMENT FULLY SUPPORTS THE SOUTH KOREAN POSITION OF SIMULTANEOUS OR SEPARATE MEMBERSHIP.

IF NORTH KOREA CONTINUES TO INSIST IN THEIR OWN FORMULA, THE GOVERNMENT OF THE REPUBLIC OF COSTA RICA WILL SUPPORT INDEPENDENT ADMISSION OF SOUTH KOREA TO THE U.N. IN THIS RESPECT, THE COSTA RICAN GOVERNMENT HAS CIRCULATED A SECURITY COUNCIL MEMORANDUM TO ALL THE COUNTRY MEMBERS OF THE U.N.,THROUGH THE COSTA RICAN MISSION TO THE UNITED NATIONS, IN WHICH WE SUPPORT THE POSITION OF

미주국   차관   국기국

THE REPUBLIC OF KOREA. 끝.

1991.12.31 에 대고문에
의거 인터 서로 대론됨

검토필(1991. 6. 38.) 5

PAGE 2

0198

외 무 부

관리 번호	91 -8315

원 본

종 별 :

번 호 : JMW-0269

일 시 : 91 0516 1500

수 신 : 장관(국연,미중)사본:주유엔대사 중계요

발 신 : 주 자메이카 대사

제 목 : 카리콤 외상회담

연:JMW-0253

대:WJM-0125

1. 연호 주재국 외무부 R.PIERCE 차관보가 금 5.16 당관에 알려온바에 의하면 5.13-14 간 바베이도스에서 개최된 카리콤 외무장관 회의에서 주재국 COORE 외무장관은 카리콤 공동명의로 아국의 유엔 가입을 지지하는 문제를 제기하였으나 대부분 참가국들은 동 문제의 성격상 카리콤의 공동명의 입장 표명보다는 각국이 개별적으로 동 문제어   을것이라는 견해를 표명, 카리콤 공동명으

2. PIERCE 차관보는   아국의 유엔가입에 호의적태도를 보였으   외 무 부   를 지지할 의사를 표명하였다고 말함.

3. 이에 대해 당관은 주재국 정부가 아국의 유엔가입을 지지하는 입장을 금명간 발표하여 줄것을 요청하였으며 PIERCE 차관보는 MANLEY 총리가 극동 순방차출발하는 5 월말까지 자메이카 정부의 공식입장 표명이 있도록 노력하겠다고 말함. 끝

(대사 김석현-국장)

예고:1991.12.31.에 일반문서에 의거 재분류

검토필(1991. 6 . 3 0.)

국기국	장관	차관	1차보	2차보	미주국	청와대	안기부

PAGE 1

91.05.17   06:06

외신 2과 통제관 FE

0199

원 본

```
관리 9/
번호 -3331
```

외 무 부

종 별 :

번 호 : VZW-0289   일 시 : 91 0516 1930

수 신 : 장 관(국연,미남,사본:주유엔대사(본부중필))

발 신 : 주 베네수엘라대사

제 목 : 유엔가입 지지교섭

대: WVZ-98

　　1. 당관 정영채 참사관은 5.15 주재국 외무성 MAIGUALIDA APONTE 국제기구 과장과 면담, 아국의 금년 유엔가입 신청 방침을 설명, 대호 서어본 각서를 수교하고 아국 입장을 적극 지지해 주도록 요청함.

　　2. 동 과장은 국제사회에 있어서 아국의 위상및 경제활동등으로 보아 아국의 유엔가입은 당연하다고 본다며, 아국 입장지지를 위해 최선을 다하겠다고 말함.

　　3. 동 과장은 중국의 거부권행사 가능성에 대해 의문을 제기했으나, 정참사관은 대다수국가들이 아국입장을 지지하는 국제적분위기가 확산되면 중국 태도 완화에 도움이 될 것이라고 설명, 동 과장은 이에 동감을 표하며 아국을 위해 협조해 주겠다고 언급함. 끝.

　　(대사 김재훈-국장)

예고: 91.12.31 일 반 일 반

검토필(1) 91. 6.30.)

국기국　　장관　　차관　　1차보　　2차보　　미주국　　청와대　　안기부

PAGE 1

91.05.17　10:12
외신 2과　통제관 BS

0200

원 본

외 무 부

종 별 :

번 호 : JMW-0271   일 시 : 91 0517 1500

수 신 : 장 관(국연) 사본:주유엔대사-중계필

발 신 : 주 자메이카 대사

제 목 : 유엔가입 지지

연:JMW-0269

1. 당관은 연호 카리콤 외상회의 결과 관련, 금 5.17 주재국 외무부
E.CARR극동국장과 접촉하였는바, CARR 국장은 동 외상회의에서 CARICOM 국가들은
대체적으로 한국의 유엔가입 원칙에 적극적인 지지를 표명하였으나 상금 구체적인
가입신청이 이루어지지 않은 상황하에서 지지성명을 발표하는것은 시기상조라는
견해가 지배적이었다함.

2. 또한 자메이카의 개별적 아국지지 입정표명 관련, CARR 국장은 카리콤의대외
정책이 전체적 합의에 의하여 결정되어 왔음에 비추어 자메이카가 당장 단독으로
아국을 지지하는 성명을 발표하는것 보다는 만약 아국이 7월 이전 정식으로 유엔가입
신청을 하는경우,7.2.-4 간 ST.KITTS AND NEVITTS 에서 개최 예정인 연례 카리콤
정상회담에서 자메이카가 적극적으로 카리콤 공동명의 지지의사가 발표될수있도록
논의를 주도하는 방안이 보다 바람직 할것으로 본다고 말함.

3. 당관의 견해로는 자메이카 정부가 5 월말 예정이었던 MANLEY
총리방한이자국사정으로 연기된 것에 관해 부담을 느끼고 있으며 이번 기회에 아국의
유엔가입관련 요청을 적극적으로 수용, 카리콤내에서의 지지, 획득에 주도적 역할을
할 의사를 갖고있는 것으로 보이는바, 동건관련 자메이카 정부와 계속 접촉위계임.끝

(대사 김석현-국장)

예고:91.12.31. 일반...에
의거 일반문서로 ...

검토필(1991.6 3 .)

국기국   장관   차관   1차보   2차보   미주국   청와대   안기부

관리 91
번호 ─3366

외 무 부

종 별 :

번 호 : GUW-0164   일 시 : 91 0517 1600

수 신 : 장 관(미중)

발 신 : 주 과테말라 대사

제 목 : 온두라스 외상면담

연: GUW-154

1. 본직은 5.16, CARIAS ZAPATA 외상을 방문한바, 동 외상은 아래와 같이 언급 하였기에 아래 보고함.

가. CALLEJAS 대통령은 국내 경제난을 타개하기 위하여 미국, 일본, 자유중국, 한국 정부와 재정차관, 은행차관 공여 가능성을 교섭하라는 지시가 있어 초치한 것임. 한국정부가 재정차관, 한국은행단이 은행차관을 공여할수 있는지 문의 하였기 본직은 재정차관 공여는 현 아국의 재정사정으로 어려울 것이나 소규모 대외 협력 기금이 있으므로, 동 범위내에서 계획서를 제출하면 본국에 건의 하겠으며 은행간 금융은 은행간 직접 접촉을 통해 교섭함이 좋겠다는 입장을 표명함.

나. 아국의 대온두라스 부자가 17 개사로 증가된데 대해 CALLEJAS 대통령과자신은 만족하고 있다면서 계속 한국부자가 증가되기를 기대하며 온두라스에 한국전용 공단 건설이 촉진되기를 바란다함.

다. CALLEJAS 대통령은 91.11. 하순 자유중국 방문 기회에 방한을 희망하고있음을 언급하였기 이를 본국정부에 보고하겠다고 말함.

라. 온두라스는 한국의 전통 우방으로서 한국의 유엔가입을 전폭 지지하며 중미외상 회의에서도 한국의 유엔가입 중요성을 강조하겠다 함.

2. 정세.

가. 소련 초대 대사(니카라과 상주)는 5.14. 신임장을 제정 했으며 92 년초상주 대사관을 개설 예정이라함.

나. 온두라스는 CALLEJAS 대통령 체제하에 정치안정과 괄목한 경제 발전을 이룩하고 있으며 특히 외국부자와 건설공사가 활기를 보이고 있음.

3. 건의.

미주국   장관   차관   1차보   2차보   국기국   청와대   안기부

가. 91. 대온두라스 자동차 원조중 EXCEL 자동차 1 대는 선적시 주 페루 온두라스 대사관 앞으로 선적 건의하며 서류는 당관에 송부 바람.

나. COMAYAGUA 에 추진중인 공단 조성(재미교포 이봉희)을 아국 정부 또는 경제 단체 주관하에 조기 건설을 건의함. 끝.

(대사 조기성-국장)

예고: 1991. 12. 31. 일반 ... 에 의거 일반문서로 ...

검토필(1991. 6. 30.) 5

원 본

관리 91
번호 -3364

외 무 부

종 별 :

번 호 : VZW-0297   일 시 : 91 0517 1830

수 신 : 장 관(국연,국기,미중,사본:주유엔대사-본부중계필)

발 신 : 주 베네수엘라대사

제 목 : 유엔가입 및 국제기구 이사국 입후보 지지교섭

대: EM-9.11,국기 20333-4810,20331-480,20334-720

1. 당관 정영채 참사관은 5.17 당지 주재 가이아나 대사관의 LAURENCE HOUSTON 일등서기관과 면담, 아국 정부의 금년 유엔 가입신청 방침을 설명, 대호(EM-9,11) 각서를 수교하고 아국 입장지지를 요청함.

2. 또한 금년 아국의 UNESCO 집행위원, IMO 및 FAO 이사국 입후보 결정도 재설명, 각 구상서를 전달하고 가이아나 정부의 적극지지를 요청함.

3. HOUSTON 서기관은 상기 각서및 구상서를 곧 본국정부에 송부하고, 아국 입장에 대한 이해와 지지를 위해 최선의 협조를 다하겠다고 말함. 끝.

(대사 김재훈-국장)

예고:191.12.31 일반고문에 의거 일반문서로

(1)91. 6. 3.

국기국	장관	차관	1차보	2차보	미주국	국기국	청와대	안기부

관리번호 91 -3360

원 본

외 무 부

종 별 : 지 급

번 호 : BVW-0174   일 시 : 91 0517 1900

수 신 : 장 관(국연, 미남) 사본:유엔-중계필

발 신 : 주 볼리비아 대사

제 목 : 유엔가입 추진

연:BVW-0169

1. 본직은 금 17 일 MARCO ANTONIO VIDAURRE 외무성 국제기구국장을 오찬에초대코 RIO 그룹 공동명의 지지표명 추진을 주재국이 PROMOTE 할수있는 방안을협의한바, 동 국장은 오는 6.2-8 간 SANTIAGO 개최 OAS 총회에 주재국에서는 ITURRALDE 외무장관, MESSMER 정무차관 및 자신이 참석한다고 하면서 동 총회기간중 RIO GROUP 외상들과의 접촉기회에 ITURRALDE 장관이 본건을 거론 협의할 수 있을 것이라고 언급했음.

2. 이러한 상황하에서 본직은 VIDAURRE 국장에게 OAS 총회 안건별 훈령등 자료 준비와는 별도로 아국의 유엔가입 관련 RIO GROUP 공동명의 지지표명 추진을 위한 자료를 특별히 마련, ITURRALDE 장관에게 제공하여 장관이 효과적인 활동을 전개할 수 있도록 협조해 줄 것을 당부한바, MESSMER 차관과 협의 조치하겠다고하였음. 끝.

(대사 명인세 -국 장)

예고 1991. 12. 31 에 일반고문에 의거 인반문서로 재분류

국기국	장관	차관	1차보	2차보	미주국	정와대	안기부

PAGE 1

91.05.18 10:01
외신 2과 통제관 BS

0205

관리
번호 91-516

외 무 부

종 별 :

번 호 : PUW-0413

일 시 : 91 0517 1900

수 신 : 장 관(국연,미남,정일,기정)

발 신 : 주 페루 대사

제 목 : 아국 유엔가입에 대한중국의 태도

(자료응신 제 30 호)

1. 5.17 주재국 외무부 IVAN SOLARI 아주쾌이 당관에 제보한바에 의하면 수일전 당지 북한 김경호 대사가 GORDILLO 외무차관대리(양자차관보)와 면담시 중국 이붕 총리 북한방문후 평양으로부터 통보받았다고 하면서 동총리가 금년중에는 아국 단독유엔 가입을 원치 않는다는 입장을 표명했다고 언급하고 주재국 정부가 아국단독 유엔가입에 반대해 줄것을 요청했다고함.

2. 동북한대사의 이붕총리관련 언급 부분은 아국 유엔 가입을 방해하기위한임의적 발언이 아닌가 추측됨. 끝

(대사 윤태현-국제기구조약국장)

예고:91.12.31. 일반

예고문에 의거 재분
류위   성명   (1991.12.31.)

검 토 필(1991. 6. 30.)

| 국기국
안기부	장관	차관	1차보	2차보	미주국	정문국	외연원	정와대

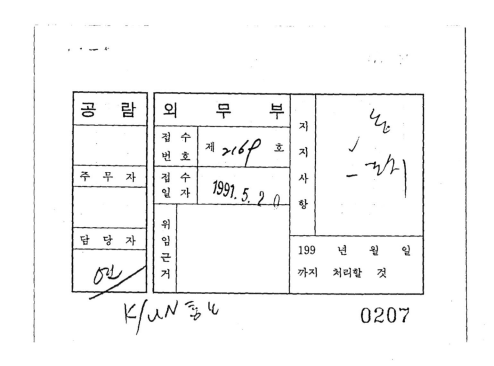

공 람	외 무 부		지 지 사 항	노 ✓ 재기
	접수 번호	제 216 호		
주 무 자	접수 일자	1991. 5. 2 0		
	위임 근거		199 년 월 일	
담 당 자			까지 처리할 것	

K/UN총4

0207

배 부 처

기 획 실		미 주 국		국 제 경 제 국		외 연 원	
의 전 실		구 주 국		통 상 국		총 무 과	
특 전 실		중 아 국		정 문 국		감 사 관 실	
아 주 국		국제기구 조 약 국	✓	영 교 국		여 권 과	

0208

EMBAJADA DE PANAMA.
SEOUL.

E. P. S. No. 123/91

       The Embassy of Panama presents its compliments to the Ministry of Foreign Affairs of the Republic of Korea and has the honour to inform you that the Government of the Republic of Panama will support the join of the Republic of Korea as a member of the Organization of the United Nations in accordance with the note D.M. No. 377 of the Ministry of Foreign Affairs of the Republic of Panama. We enclose the copy of the note D.M. no. 377 and D.M. no. 378 dated May 14, 1991.

       The Embassy of Panama avails itself of this opportunity to renew to the Ministry of Foreign Affairs of the Republic of Korea the assurances of its highest consideration.

Seoul, May 17, 1991

To the honourable
Ministry of Foreign Affairs
Republic of Korea
S e o u l

0209

EMBAJADA DE PANAMA.
SEOUL.

E. P. S. No. 123/91

The Embassy of Panama presents its compliments to the Ministry of Foreign Affairs of the Republic of Korea and has the honour to inform you that the Government of the Republic of Panama will support the join of the Republic of Korea as a member of the Organization of the United Nations in accordance with the note D.M. No. 377 of the Ministry of Foreign Affairs of the Republic of Panama. We enclose the copy of the note D.M. no. 377 and D.M. no. 378 dated May 14, 1991.

The Embassy of Panama avails itself of this opportunity to renew to the Ministry of Foreign Affairs of the Republic of Korea the assurances of its highest consideration.

Seoul, May 17, 1991

To the honourable
Ministry of Foreign Affairs
Republic of Korea
S e o u l

0210

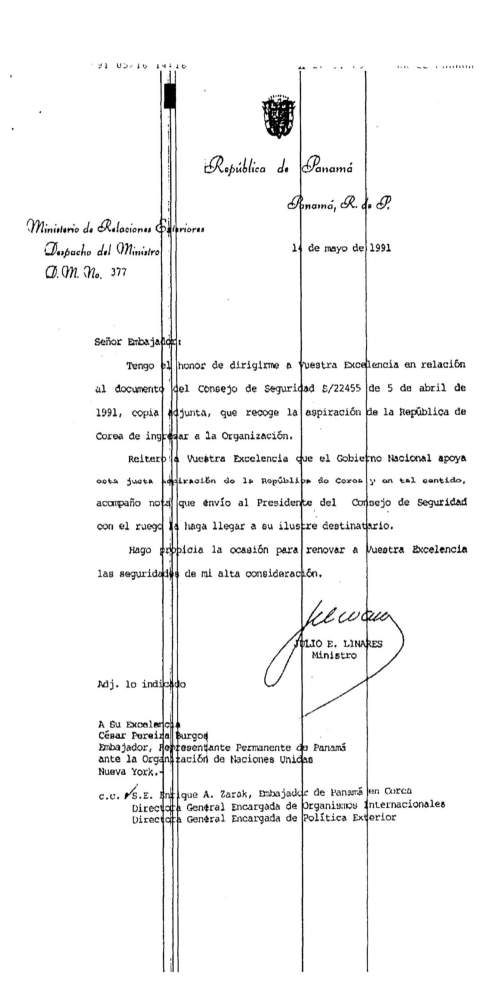

República de Panamá

Panamá, R. de P.

Ministerio de Relaciones Exteriores
Despacho del Ministro   14 de mayo de 1991
O. M. No. 377

Señor Embajador:

Tengo el honor de dirigirme a Vuestra Excelencia en relación
al documento del Consejo de Seguridad S/22455 de 5 de abril de
1991, copia adjunta, que recoge la aspiración de la República de
Corea de ingresar a la Organización.

Reitero a Vuestra Excelencia que el Gobierno Nacional apoya
esta justa aspiración de la República de Corea y en tal sentido,
acompaño nota que envío al Presidente del Consejo de Seguridad
con el ruego la haga llegar a su ilustre destinatario.

Hago propicia la ocasión para renovar a Vuestra Excelencia
las seguridades de mi alta consideración.

JULIO E. LINARES
Ministro

Adj. lo indicado

A Su Excelencia
César Pereira Burgos
Embajador, Representante Permanente de Panamá
ante la Organización de Naciones Unidas
Nueva York.-

c.c. S.E. Enrique A. Zarak, Embajador de Panamá en Corea
     Directora General Encargada de Organismos Internacionales
     Directora General Encargada de Política Exterior

0211

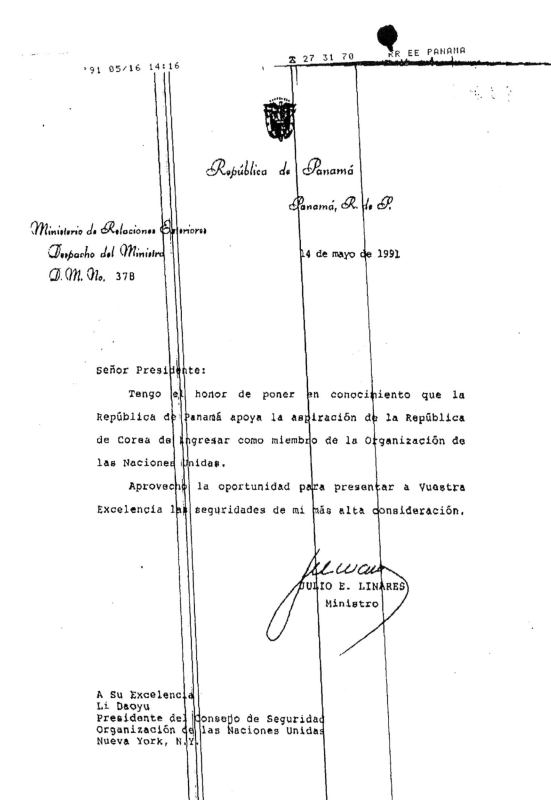

'91 05/16 14:16   ☎ 27 31 70   KR EE PANAMA   02

República de Panamá

Panamá, R. de P.

Ministerio de Relaciones Exteriores

Despacho del Ministro   14 de mayo de 1991

D.M. No. 378

Señor Presidente:

Tengo el honor de poner en conocimiento que la
República de Panamá apoya la aspiración de la República
de Corea de ingresar como miembro de la Organización de
las Naciones Unidas.

Aprovecho la oportunidad para presentar a Vuestra
Excelencia las seguridades de mi más alta consideración.

JULIO E. LINARES
Ministro

A Su Excelencia
Li Daoyu
Presidente del Consejo de Seguridad
Organización de las Naciones Unidas
Nueva York, N.Y.

0212

관리 번호	91 -3470			분류번호	보존기간

발 신 전 보

WJM-0139   910520 1804 FO

번   호 : _____   종별 : _____

수   신 : 주   수신처참조   대사. 총영사//

WTT -0063   WVZ -0156
WMX -0287   WUN -1408

발   신 : 장   관   (국연)

제   목 : 유연가입추진 (카리콤 지지표명)

    1. 5.13-14간 바베이도스에서 개최된 카리콤 외무장관회의에서 아국의 유연가입문제에 관한 카리콤의 공동명의 지지입장 표명보다는 각국이 개별적으로 이를 밝히는 것이 바람직하다고 의견이 수렴되었다 함.

    2. 그간 우리측의 카리콤 공동입장 표명고섭이 카리콤 각국의 아국입장 지지 및 이의 공식표명에 기여한 것으로 평가됨.   다만, 현시점에서는 상기 카리콤의 의견을 고려, 더이상 공동지지입장 표명 고섭은 추진하지 말기바람.

끝.

예 고 `19 1991. 12. 31. 일반문에 의거 인반문서로 재분됨`

(장   관)

수신처 : 주자메이카, 트리니다드토바고, 베네주엘라, 멕시코 대사

    (사본 : 주유엔대사)

`검토필 (1991. 6. 30.)`

미주국장 :

보 안 통 제	

	91 년 5 월 20 일	UN 과	기안자 성명		과 장		국 장		차 관	장 관		외신과통제
앙 고 재												

분류번호	보존기간

발 신 전 보

번   호 : WVZ-O157   910520 1806 FL   종별 :

수   신 : 주   수신처참조   대사. 총영사 //

발   신 : 장 관   (국연)

제   목 : 유엔가입추진 (Rio그룹 공동지지 표명)

WCL -0115	WMX -0288
WBR -0215	WPU -0201
WAR -0220	WUR -0071
WCS -0153	WEQ -0106
WUN -1409	

1. 표제건, 아국의 유엔가입에 관한 Rio 그룹 공동지지 표명 추진보다는 Rio 그룹 각국이 개별적으로 아국입장 지지를 밝힘이 바람직하다는 각국 반응이 있었음.

2. 그간 우리의 Rio 그룹 공동입장 표명 교섭은 Rio 그룹 각국의 아국입장 지지 및 이의 공식 표명에 기여한 것으로 평가됨. 다만, 현시점에서는 상기 Rio 그룹국가들의 의견을 고려, 더이상 공동지지입장 표명 교섭은 추진하기 말기 바람.   끝.

예 고 : 1991.12.31. 일반문에 의거 인□문서도 □□됨   검토필 (1991. 6. 30 3□□□로맥3□□ 문□□□)

수신처 : 주베네주엘라, 콜롬비아, 멕시코, 브라질, 페루, 알젠틴, 우루과이, 칠레, 에쿠아돌 대사

(사본 : 주유엔대사)

미주국장 : 그을

보 안 통 제	□□

앙 고 재	9I 년 5 월 2O 일	기안자 성명		과 장		국 장		차 관	장 관		외신과통제

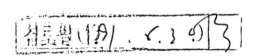

외 무 부

종 별 :

번 호 : UNW-1293   일 시 : 91 0520 1930

수 신 : 장관(미중.국연)

발 신 : 주 유엔 대사

제 목 : 바하마-북한수교

     대:WUN-1396

     연:UNW-1029,1116

    1. 표제수교관련 금 5.20 당관 원참사관은 M.SHERMAU-PETER 공사와 접촉한바 동인 언급요지는 다음과같음.

    가. 금번 수교와 대아국 유엔가입 지지문제는 별개의 사안이라고 보고있음.

    나. 아국 안보리 문서배포이후 본국의 훈령은 없었으나, 자국이 총회 기조연설시 아국가입 지지를 언급(41 차 총회언급 지칭 추정)한바가 있었음을 참고바람.

    다. 지난주 카리콤 외상회의결과 (아국유엔가입 지지 공동입장 표명문제)를아직 통보받지 못했으며, 특기사항이 있는경우 알려주겠음.

    2. 금일 접촉시 동공사는 금번 대북 수교문제는 J.MOULTRIE 자국대사가 주로 관여, 처리했다고 하면서, 더이상의 본건 거론을 회피하였음. 끝

    (대사 노창희-국장)

예고:1991.12.31. 일반문서에

미주국   장관   차관   1차보   2차보   국기국   정와대   안기부

원 본

외 무 부

종 별 :

번 호 : VZW-0307　　　　　　　　일 시 : 91 0521 1800

수 신 : 장관(국연,미남,사본:주유엔대사(본부중계필))

발 신 : 주 베네수엘라대사

제 목 : 유엔가입 지지교섭

　　연: VZW-0289

　　연호 아국의 유엔가입 지지 요청과 관련, 주재국 외무성은 아측의 관련 정보제공에 감사한다는 내용의 공한을 5.21 당관에 보내 왔음을 보고함. 끝.

　　(대사 김재훈-국장)

예고:191.12.31 일반

검토필(1791.6.7*.)

국기국　　　미주국

원 본

외 무 부

관리
번호 9/
—3469

종 별 :

번 호 : UNW-1314 일 시 : 91 0521 1920

수 신 : 장관(국연,미중,기정)사본:주트리니다드,도미니카대사 중계필

발 신 : 주 유엔 대사

제 목 : 유엔가입교섭

연:UNW-1240

1. 금 5.21 세인트루시아 대표부측은 자국의 연호 아국가입 지지 안보리문서 (S/22628)가 명일 배포예정임을 알려옴.

2. 한편 A.DELA MAZA 도미니카(공) 대사 (5 석)는 5.21 당관 원참사관 접촉시 아국가입 지지 안보리 문서배포(코스타리카, 세인트빈센트)동향에 큰 관심을 표명하면서, 본국에 여사한 동향을 계속 보고하고 있다고말함. 원참사관이 다음주 아국특사의 동국방문 계획을 언급한데 대해, 동대사는 자국 주재 아국대사관,특사의 노력에 비추어 본부로 부터 공개지지 표명에 관한 훈령이 곧 있기를 기대한다고 말함. 끝

(대사 노창희-국장)

예고:91.12.31.에 일반고문에
의거 인반문서로 ○○됨

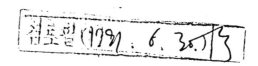

검토필(1991. 6. 30.)

국기국	장관	차관	1차보	2차보	미주국	청와대	안기부

PAGE 1

91.05.22 09:07
외신 2과 통제관 FE
0217

원 본

관리
번호 91 -3468

외 무 부

종 별 :

번 호 : UNW-1315

일 시 : 91 0521 1920

수 신 : 장관(국연,미중,기정)

발 신 : 주 유엔 대사

제 목 : 유엔가입교섭(가이아나)

금 5.21 본직은 S.INSANALLY 가이아나 대사의 방문을 받은바, 동면담 결과를 아래보고함.

1. 대 아국관계

INSANALLY 대사는 가이아나가 과거 북한과 비교적 가까운 관계였으나 최근 한국과의 관계를 중시, 보다 친한적인 방향으로 가고있음을 설명하였음.

2. 아국 유엔가입문제

1)동 대사는 자국이 작년 45 차 총회 기조연설시 아국가입 지지를 간접적으로 나마 언급했던 사실을 상기시키면서, 상기와같은 대한정책에 비추어 남북한 동시가입은 물론 한국의 선가입도 본국에서 호의적으로 검토중에 있다고 말함.

2)동인은 지난주 카리콤 외상회의에서 아국 유엔가입문제가 논의된 것으로 들었으며, 가이아나도 결국 여타 카리브 국가와 공동보조를 취하게 될것으로 본다고 하였음.

3. 북한 핵개발

1)이어 동 대사는 가이아나 야당지도자가 한국의 "사회당" 측으로 부터 받은 정보라고 하면서 가이아나 정부측에 지난 4 월 이국방 장관 핵관련 발언문제를 제기하여온바, 이에관해 알아보라는 본국의 지시가 있어, 금일 본직을 방문케된것이라고 하였음.

2)이에 대해 본직은 북한의 영변핵시설, NPT 에 따른 안전사찰 의무거부, 여사한 북한태도에 대한 미, 일, 소 의 반응, 이국방 장관발언과 해명경위등을 상세히 설명하여 주었음. 끝

(대사 노창희-국장)

예고:91.12.31.에 일반 ~고문에

검토필(1991.6.30.)

국기국	장관	차관	1차보	2차보	미주국	청와대	안기부

PAGE 1

91.05.22   09:08

외신 2과 통제관 FE

0218

관리 91
번호 _505

분류번호	보존기간

발 신 전 보

번 호 : WUN-1433   910522 1928 FN 종별 : _____

수 신 : 주 유 엔   대통령영(사본 : 주파나마대사) WPM-0114

발 신 : 장 관   (국연)

제 목 : 파나마의 아국유엔가입 지지 공한

1. 주한 파마나대사는 5.17자 공한을 통하여 아국의 유엔가입을
    지지하는 Linares 파나마외상 명의 공한을 송부하여 오면서
    아울러 파나마의 아국가입 지지입장을 Linares 외상명의
    서한(5.14자)으로 작성, 안보리의장인 Li Daoyu 중국대사에게 √
    송부하였음을 알려옴.

2. 파나마외상의 안보리의장앞 서한내용은 하기와 같음.
    "Tengo el honor de poner en conocimiento que la
    Republica de Panama apoya la aspiracion de la Republica
    de Corea de ingresar como miembro de la Organizacion de
    las Naciones Unidas."   끝.

1991.12.31 애 대고문아국제기구조약국장 문동석)
의거 일반문서로 재분류

검토필(1991. 6. 30.)

					보안통제	

앙고재	91년 5월 22일	기안자 성명	과장	국장	차관	장관	외신과통제
	4과						

관리 번호	91 -3493

분류번호	보존기간

발 신 전 보

번 호 : WUN-1435   910522 1929 FN   종별 :

수 신 : 주 유엔 대사. ~~총영사~~ (사본 : 북경대사)   WCP -0640

발 신 : 장 관 (국연)

제 목 : 멕시코외상 방한

1. 본직은 방한중(5.21-23)인 멕시코 외상과의 회담에서 그간 멕시코가
   우리의 유엔가입 입장을 지지해 준데 대하여 감사를 표시하고 우리의
   금년도 유엔가입실현 노력을 소상히 설명한 바, 동 외상은 대한민국의
   유엔가입이 꼭 실현되기를 희망한다는 멕시코의 입장을 밝히고 우리의
   가입노력이 성공할 수 있도록 가능한 모든 지원을 아끼지 않겠다는
   입장을 표명함.

2. 본직은 동 외상의 중국방문시(5.23-27) 중국고위층에 대하여 북한이
   현재 처해있는 국제적 고립상태를 탈피하는데 있어서나, 특히 최근
   대서방 관계개선 추진 및 국내경제난 극복을 위한 국제협력을 강화함에
   있어서 유엔가입이 긍정적인 역할을 할 것이라는 점을 중국이 계속
   북한측에 설득하도록 요청해 줄 것을 당부함. 이에 대해 동 외상은
   한국의 유엔가입을 지지하는 멕시코의 입장을 재천명하고, 중국정부로
   하여금 한국의 유엔가입을 지지토록 금번 방중시 중국요로에 설득할
   것이라는 점을 한국이 믿어도 좋을 것이라고 밝혔음. 끝.

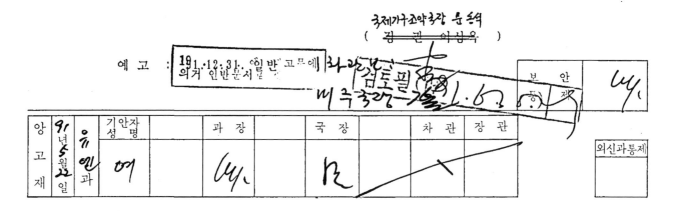

국제기구조약국장 윤 ???
(장 관 이상옥)

예 고 : 1991.12.31. 일반 고문에
의거 일반문서로 ???

보 안 동	???

앙 고 재	91 년 5 월 22 일	유 엔 과	기안자 성 명	여	과 장	???	국 장	???	차 관	장 관		외신과통제

0220

원 본

>06

관리
번호 91-696

외 무 부

종 별 :

번 호 : PUW-0428

일 시 : 91 0522 2200

수 신 : 장 관(미남,국연,정일,기정,국방) 사본:주유엔대사-중계필

발 신 : 주 페루 대사

제 목 : 중국대사와의 접촉

1. 본직이 금 5.22 12:00 볼리비아 대사 주최 에꾸아돌대사 송별연에서 당지 주재 SHIGI 중국대사와 접촉, 아국의 유엔가입관련, 대화한 내용을 아래와 같이보고함.

가. 중국대사가 본직에게 접근 한.중 양국간의 경제관계가 심화되고 있다는 이야기를 하는 기회에 본직이 양국간의 경제관계 긴밀화는물론 아국의 유엔 가입관련 중국이 태도결정을 분명히 하여야 할때가 아니냐고 하였던바

나. 동 대사는 자국이 한국과 북한의 유엔 가입문제에 한해서는 더이상 개입하지 않기로 결정하였다고 언급하였음.

다. 이에 대해 본직이 동대사에게 상기 내용이 중국정부의 공식입장인지 여부를 문의하였던바, 동대사는 정부의 공식 입장이라고는 말할수 없으나 자신이 아는한은 상기내용이 본국 정부에서 결정된 사항인줄 알고 있다고 하였음. 본직은 중국이 개입치 한겠다는 말이 아국 유엔 가입 신청시 안보리에서의 기권을 의미하는냐고 재차 문의하였던바, 그런 줄안다고 답변하였음.

2. 한편 본직이 양국아니 경협을 비롯해서 제반 문제가 잘되어 가고 있는데통상대표부 상호 교환으로 만족할것이 아니라 정식으로 국교를 수립하여야하지않느냐고 했던바, 동대사는 금년중 자국의 외교부가 아국과 접촉을 갖을것으로알고 있다고 하였음.

3. 이에 대하여 본직이 동접촉이 중국의 외교부장과 아국의 외무장관과의 접촉인지및 그시기를 문의를 문의 하였던바, 접촉인사는 알수없으나 9.10 월경에양국안의 외교부가 접촉을 할것으로 안다고 답변하였음. APGC ?

4. 동 리셉션에는 북한의 김경호대사도 참석하였으나 중국대사와의 접촉은 거의없었고 인사를 나누는 정도였음. 끝

(대사 윤태현-미주국장)

검 토 필(19 91. 6. 30.)

미주국	장관	차관	1차보	2차보	국기국	정문국	정와대	안기부
국방부								

예고:91.12.31. 일반

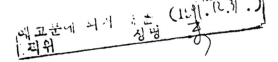

원 본

| 관리 | 9/ |
| 번호 | -3541 |

외 무 부

종 별 :

번 호 : UNW-1345   일 시 : 91 0523 1945

수 신 : 장관(국연,미중,기정),사본:주파나마대사-중계필

발 신 : 주 유 엔 대사

제 목 : 유엔가입교섭(파나마)

대:WUN-1433

1. 대호 안보리의장앞 서한관련 당관 원참사관이 I.SAINT MALO 파나마 대사(3 석)에 문의한바, 동대사는 본건 서한의 안보리 문서 배포요청 여부에 관해 본부에 청훈중이라고 함.

2. 동대사는 안보리문서로 배포 요청하게될 것으로 본다고 하는바, 진전사항 추보위계임.끝

(대사 노창희-국장)

예고:91.12.31. 일반고문에 의거 일반문서로 재분류됨

원본통필(1)91. 6. 30.

국기국	장관	차관	1차보	2차보	미주국	청와대	안기부

PAGE 1   91.05.24   08:53
                                                    외신 2과 통제관 CE
                                                         0223

원 본

외 무 부

종 별 :

번 호 : UNW-1354   일 시 : 91 0524 1530

수 신 : 장관 (국연,미중,기정) 사본:주파나마대사(중계필)

발 신 : 주 유엔 대사

제 목 : 유엔가입 교섭 (파나마)

대: WUN-1433

연: UNW-1345

1. 금 5.24. I.SAINT MALS 파나마대사 (3 석)가 당관 원참사관에 통보해온바에 의하면 동국은 대호 서한을 안보리문서로 배포 요청키로 하였다고함.

2. 상기 문서 배포되는대로 추보위계임. 끝

(대사 노창희-국장)

예고:91.12.31.에 일반고문에 의거 인반문서로 재분됨

검토필(1991. 6 30. 김)

국기국	장관	차관	1차보	2차보	미주국	정와대	안기부

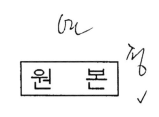

| 관리
번호 | 91
—3567 | |

외 무 부

종 별 :

번 호 : UNW-1355   일 시 : 91 0524 1530

수 신 : 장관 (국연,미중,기정) 사본:주과테말라대사(중계필)

발 신 : 주 유엔대사

제 목 : 유엔가입교섭 (온두라스)

　1. 5.24. J.SUAZO 온두라스 대사 (차석)는 당관 원참사관과 접촉시 중미, 카리브 국가들의 아국지지 안보리문서 배포에 관심을 표하면서 유사한 문서배포 문제를 본부와 현재 협의중이라고 언급함.

　2. 진전사항 추보 위계임. 끝

　(대사 노창희-국장)

예고:91.12.31. 일반 ~~고 무에~~

검토필(1991. 6. 30)

| 국기국 | 장관 | 차관 | 1차보 | 2차보 | 미주국 | 정와대 | 안기부 |

외 무 부

종 별 :

번 호 : ARW-0396   일 시 : 91 0524 1600

수 신 : 장관(국연,미남)

발 신 : 주 아르헨티나 대사

제 목 : 유엔가입

　　본직은 5.22. 일본대사 주최 만찬에서 CAVALLO 경제장관(91.2 월 개각시까지
외무장관)과 아국의 유엔 가입문제에 관해 의견을 교환하였음. 동 장관에 의하면 메넴
대통령은 5.22. 각의에서 금년도 유엔총회에는 대통령이 직접 참석하여 각국 정상들과
만날수 있도록 준비하라고 지시한바 있다고 함을 참고로 보고함.

　　(대사 이상진-국장)

예고:91.12.31. 일반

국기국	장관	차관	1차보	2차보	미주국	청와대	안기부

PAGE 1   91.05.25   05:44

원 본

외 무 부

관리번호 91-3584

종 별 :

번 호 : TTW-0086   일 시 : 91 0524 1700

수 신 : 장 관(국연,미중, 사본:주유엔대사-중계필)

발 신 : 주 트리니 다드대사

제 목 : 카리콤 유엔가입 지지교섭

대:WTT-0055,0063

연:TTW-0082

1. 본직은 금 5.24(금) 오후 연호 카리콤 외무장관 회의참석등 외유에서 돌아온 BASDEO 주재국 외무장관을 면담, 상기 외무장관회의에서의 아국 유엔가입 공동 지지표명 문제토의 결과를 청취하고, 개별 지지입장표명등에 관해 협의한 바, 동장관은 카리콤 공동지지문제가 동회의에서 본의제와는 달리 비공식적으로 협의 되었으며, 아국이 유엔가입신청을 하지않은 현단계에서 아국가입 지지를 공개표명하는 것은 시기상조이고, 부적절하며, 따라서 가입에 관한 구체적 신청행위가 이루어질 경우 공동지지입장을 공개표명하는 데 합의가 이루어졌으며, 동합의가 7.1-4 간 세인트 키츠에서 개최될 카리콤 정상회의에서 인준을 받게될 것이라고 말하였음. 또한 동장관은 아측의 구체적 가입신청이 있을 경우 카리콤(13 개국)의 공동 지지성명이 발표될 것으로 확신하며, 본인 자신이 이를 위해 적극적인 역할을 수행알 것이라고 다짐하였음.

2. 상기 BASDEO 장관의 언급에 비추어, 카리콤에 대해서는 각 회원국이 개별 지지입장표명을 위해 교섭하는 것과 아울러, 가입신청후 공동 지지입장 표명도 가능토록 계속 교섭하는 것이 바람직할 것으로 판단됨.끝.

(대사 박부열-장관)

예고:91.12.31 일반

검토필(1991. 6. 30)

국기국	장관	차관	1차보	2차보	미주국	청와대	안기부	·

91.05.25   08:29
외신 2과   통제관 BS

0227

관리	91
번호	―3583

외 무 부

종 별 :

번 호 : TTW-0087 　　　　　　　　　　일 시 : 91 0524 1730

수 신 : 장 관(미중,국연,국기, 사본:주유엔대사-중계필)

발 신 : 주 트리니 다드대사

제 목 : 겸임국 출장건의

　　본직은 아국의 유엔가입에 대한 지지표명 확보 교섭, 국제기구 아국입후보(FAO 이사국, UNESCO 집행위원, IMO 이사국)지지 교섭, 무상원조 희망품목협의 또는 기증식을 포함한 경협증진방안 협의, 최근 남북한 관계및 국내정세설명, 홍보, 각국 정세파악등의 목적으로 아래와 같이 정병국 1 등서기관을 대동, 겸임국을 출장할 것을 건의하니, 검토 회시바람.

　　1. 출장국 및 일정

　　가. 그레나다:6.9(일)-6.11(화)(2 박 3 일)

　　나. 세인트 키츠및 안티구아:6.12(수)-6.15(토)(3 박 4 일)

　　다. 도미니카연방:6.17(월)-6.19(수)(2 박 3 일)

　　라. 바베이도스:6.20(목)-6.22(토)(2 박 3 일)

　　2. 소요경비(단위:미불)

　　가. 항공료:3,124.91

　　1) 그레나다:465.56(283.10182.55)

　　2) 세인트키츠및 안티구아:1,156.84(687.74469.10)

　　3) 도미니카연방:894.96(536358.96)

　　4) 바베이도스:607.55(360.85246.70)

　　나. 일숙식비:규정액수

　　다. 활동비(주요인사 선물비, 오만찬비등):5,000(각국별 1,000).

　　(대사 박부열-국장)

예고:1991.12.31. 일반 고문에

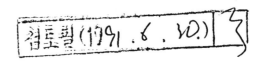

검토필(1991. 6. 10.)

미주국	차관	1차보	국기국	국기국

관리	91
번호	-3609

외　무　부

종　별 :

번　호 : PMW-0281　　　　　　　　일　시 : 91 0527 1800

수　신 : 장 관(국연,미중,사본:주유엔대표부-중계필)

발　신 : 주 파나마 대사

제　목 : 유엔가입교섭(파나마)(자료응신:91-10)

대:WPM-117

　　당관 민병학참사관은 5.23. 주재국 외무부 ITZIA 국제기구 국장및 장관보좌관 MARINA MAYO 에게 주재국의 안보리 의장앞 서한을 유엔회원국에게 배포해줄것을 요청하였는바, 동 서한배포를 지지하는 전문이 5.24. 주유엔. 파나마대표부에 타전되었음이 금일 장관보좌관으로 부터 확인되었음을 보고함.

　　(대사최상진-국장)

예고:91.12.31. 일반

검토필(1991. 6. 30.)

국기국	장관	차관	1차보	2차보	미주국	정와대	안기부

PAGE 1　　　　　　　III 급　비　밀　　　　　91.05.28　　08:25
　　　　　　　　　　　CONFIDENTIAL　　　　　외신 2과　통제관 BS
　　　　　　　　　　　　　　　　　　　　　　　　　　　0229

外　務　部

종　별 :

번　호 : MXW-0633　　　　　　　　　　　일　시 : 91 0603 1640

수　신 : 장 관(국연,미중)

발　신 : 주 멕시코 대사

제　목 : 니카라과 정부 유엔가입 지지성명

대:AM-0115

니카라과 외무성은 대호 5.28자 본부대변인 논평에 대하여 6.3.자로 남북한의 유엔가입을 환영한다는 외무성 성명을 발표하고 이를 당관에 통고하여왔기 동 TEXT 를 별첨 보고함.

　　(대사 이복형-국장)

　　(TEXT)

　　COMUNICADO

EL MINISTERIO DEL EXTERIOR DE LA REPUBLICA DE NICARAGUA, ANTE LA RECIENTE DECISION DE LOS GOBIERNOS DE LA PENINSULA COREANA DE INGRESAR A LAS NACIONES UNIDAS, HACE DEL CONOCIMIENTO DEL PUEBLO DE NICARAGUA Y LA COMUNIDAD INTERNACIONAL LO SIGUIENTE:

NICARAGUA HA SIDO OBSERVADOR INTERESADO DEL DIFICIL PROCESO DE REUNIFICACION DE LA PENINSULA COREANA, QUE CONSTITUYE LA MAXIMA ASPIRACION DE ESE PUEBLO TRADICIONALMENTE AMIGO, Y QUE EN LOS ULTIMOS ANOS, SUS DIRIGENTES HAN DADO MUESTRA DE UNA FIRME VOLUNTAD DE DIALOGO ENCAMINADO A LOGRAR TAL OBJETIVO.

EN ESTE CONTEXTO, NICARAGUA SALUDA LA RECIENTE DECISION DE AMBOS GOBIERNOS DE SOLICITAR SU INGRESO COMO MIEMBROS PLENOS DE LA ORGANIZACION DE NACIONES UNIDAS, LO QUE DEBERA CONTRIBUIR A DINAMIZAR EL PROCESO DE RECONCILIACION Y REUNIFICACION DE COREA.

IGUALMENTE, EL GOBIERNO DE NICARAGUA MANIFIESTA SU DECISION DE APOYO AL INGRESO DE AMBAS COREAS AL ORGANISMO MUNDIAL, CONVENCIDO DE QUE ELLO PROMOVERA

국기국　　1차보　　미주국　　외정실　　안기부

PAGE 1　　　　　　　　　　　　　　　　　　　91.06.04　09:25 WG

　　　　　　　　　　　　　　　　　　　　외신 1과 통제관

　　　　　　　　　　　　　　　　　　　　0230

LA PAZ Y LA SEGURIDAD INTERNACIONAL EN LA PENINSULA COREANA.

DADO EN LA CIUDAD DE MANAGUA A LOS TRES DEL MES DE JUNIO DE MIL NOVECIENTOS NOVENTA Y UNO.끝.

외 무 부

종 별 :

번 호 : MXW-0699
일 시 : 91 0620 1300

수 신 : 장 관(미중,국연,사본:주유엔대사-중계필)

발 신 : 주 멕시코 대사

제 목 : 외무장관 방한 후속조치(UN 협력)

대:미중 20242-602(91.5.27)

주재국 SOLANA 외상방한시(91.5.21-23) 한-멕 외상회담에서 언급된바 있는 대중국 유엔협력 문제관련, 그간 주재국 외무성에 문의한바, 금 6.20 11:00 태평양 국장서리 MIJARES 공사가 당관에 알려온바에 의하면, SOLANA 외상이 멕-중 외상 회담에서 유엔가입에 대한 한국의 입장을 설명하고, 북한이 유엔가입을 희망하지 않을 경우 멕시코 정부는 한국의 단독 가입을 지지할것임을 설명한데 대하여 중국외상은 남북간의 유엔가입은 남. 북한간의 협상과 타협을 통해서 이루어져야 한다는 것이 중국의 입장이라고 답변하였다함.끝.

(대사 이복형-국장)

예고:1991.12.31. 일반근데
의거 일반문서 분류됨

미주국   장관   차관   국기국   청와대   안기부

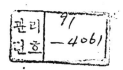

√3️⃣6️⃣

주 트리니다드 트르바고 대사 · 관

주 트리니다드(정)800- 17   1991. 6 . 28

수 신: 장 관

참 조: 미주국장, 국제기구조약국장, 문화협력국장

제 목: 겸임국 출장결과 보고

        대: (1) WTT - 0069, (2) 국기20333- 4810, 20334- 720, 20331- 480
            (3) 정통20501- 1318(91.5.23)
        연: (1) TTW - 0087, 97, (2) TTW - 0099, 0101

    연호(1) 본직의 91.6.9- 21간 겸임 5개국 출장활동 결과를 아래와 같이
보고합니다.

1. 각국별 주요 접촉인사및 활동

   가. 바베이도스(6.9- 11)

      ○ Maurice King   외무장관, Peter Laurie   차관및 Richardo Browne
        정무국장 면담

      ○ Laurie   차관및 Browne   정무국장 초청 오찬

   나. 세인트 키츠 네비스(6.12- 14)

      ○ Kennedy Simmonds 수상 겸 외무장관, Asyll Warner   차관 면담

      ○ Warner   차관, Byron   주한 대사, Irish   의전관및 외교단
        (베네주엘라 대사, 자유중국 대사대리) 초청 오찬

      ○ 자유중국 대사대리 주최 만찬 참석

   다. 안티구아 바뷰다(6.14- 15)

      ○ Eric Challenger   외무차관, Colin Murdoch   차관보 면담및
        등 초청 오찬

      - Vere Bird   수상 겸 외무장관의 고령으로 Challenger   차관이
        실질적인 외무장관 역할 수행

0233

1991. 7. 5. 편호 2476

라. 도미니카 연방(6.16- 18)

- Mary Charles 수상(여), Brian Alleyne 외무장관, Justinian Coipel 차관 면담
- Alleyne 외무장관, Coipel 차관, Charles 의전장 대리(여) 초청 오찬
- Coipel 차관 부부 초청 만찬
- 90 무상원조 기증식(본직일행과 Alleyne 외무장관, Alleyne Carbon 체신건설장관, Heskeith Alexander 노동이민장관, Coipel 외무차관 등 참석)

마. 그레나다(6.19- 21)

- Nicholas Brathwaite 수상 겸 외무장관, Gloria Payne-Banfield 외무차관(여) 면담
- Payne-Banfield 차관 및 Heyes 의전장 초청 오찬
- 동부카리브국가기구(OECS) 제 19차 총회 개막식 및 동 기구 창설 제 10주년 기념 행사 참석(연호 2 참조)

2. 사안별 주요 교섭·활동 내역

가. 아국 유엔가입 지지문제(5개국 공통)

- 그간 유엔총회 기조연설 등 계기 아국 유엔가입 입장 지지에 사의 표명과 향후 계속적인 지지협력 당부

  - 금번 북한이 단일의석 가입안 철회하고, 유엔가입신청 의사를 표명함으로써, 아측의 남북한 공동 가입안을 수용하게된 배경을 상세 설명하면서, 특히 이같은 북한측의 태도변경에는 상기 우방의 아국가입 지지의 외교적 압력이 큰 역할을 하였음을 강조

- 동 관련, 각국은 본직에게 북한의 태도변경으로 조기 유엔가입 실현이 가능하게 된 데 축하를 표시하면서, 아국의 가입 신청 시기, 남북한 동시 가입신청 여부, 이를 계기로 남북관계 진전, 북한 내부정세 변화 가능성과 남북통일 전망 등에 지대한 관심을 갖고 문의하고, 유엔가입 문제 관련 계속 지지 약속

- 2 -

0234

나. 아국의 국제기구 입후보 지지 교섭(5개국 공통)

- 아국의 UNESCO 집행위원, FAO 이사국, IMO 이사국 입후보 지지 교섭 관련(단, IMO 경우 세인트 키츠및 그레나다는 제외),대호(2) 지침에 따라 아국 입후보 배경을 상세 설명하고, 아측 공한을 수교하면서,적극 지지 요청

- 동 관련,각국은 관계부처와 협의 결과를 통보해주기로 약속
  - 대부분 국가가 아국 입후보와 카리브 지역국가 후보가 경합될 경우에는 후자 지지가 불가피한 입장은 양해해줄 것을 언급

다. 무상원조(5개국 공통)

- 그간 아국의 무상원조에 대해 거듭 사의를 표하면서,아측이 기 요청한 금년도 무상원조 희망품목을 최대한 조속 제시하겠다고 언급

- 도미니카에서는 작년도 무상원조(그란도 집 1대및 컴퓨터 3대)에 대한 기증식 거행 과 청소년 체육관계 시설 지원 문제 협의
  - 동 기증식에 외무장관및 차관(컴퓨터 수혜),노동이민장관(컴퓨터 수혜)및 체신건설장관(그란도 집 수혜) 참석
  - 수상및 외무장관이 청소년 체육 육성 계획에 필요한 자재 등의 아국지원을 요청,연간 무상원조 희망 프로젝트 또는 품목에 포함 신청토록 조언

- 안티구 아측은 작년도 무상원조로 공여한 위드프로세서 2대 중 1대의 Diagram set 가 처음부터 고장(알파벳 "U" 가 타자되지 않음),사용치 못하고 있으며,동 Diagram set 및 Spare parts catalogue 1권의 조속 지원 요청

라. 아국 관계 홍보활동(5개국 공통)

- 최근 북한측의 유엔가입신청및 핵안전조치협정 서명 의사 표명 등 제반 태도 변경과 관련,향후 남북한 관계 진전및 통일관련 전망,이에 따른 한반도 주변 정세 변화 전망,대 중국 수교를 비롯한 아국 외교정책 방향 등에 대해 상세 설명

- 대호(3) 6.25 41주년 계기,북한 내부 실상및 정세 전망,아측의 평화통일 외교노력 등 부가 설명

- 3 -

0235

o 기타 지방자치제 실시를 포함한 최근 국내정세 설명

마. 대 안티구아 사증면제협정 체결 교섭

o 88.3. 아측안 제시(89.1. 수정 제의), 당관 겸임 7개국 중 이미 6개국과 최근 동 협정을 체결한 점, 아국민의 해외여행 급증 추세 등을 강조하면서, 조속한 협정 체결 추진 요청

o 동 관련, Challenger 외무차관은 적극 검토하겠다고 하면서, 최근 아국이 동부 카리브국가와 체결한 협정문 사본을 지급 송부해줄 것을 요청, 본직 귀임 후 즉시 송부 조치

바. 대 그레나다 대외경제협력기금(EDCF   ) 지원문제

o Brathwaite 수상은 Carriacou 및 Petite Martinique   섬 지역의 교통·수도시설 확충사업 소요비용(US$ 3,765천) 중 카리브개발은행(CDB) 차금지원액(US$ 3,389천)을 제외한 나머지 US$ 376 천을 아국 EDCF   에서 지원해줄 것을 간곡히 요청

  - 동 수상, 금번 출장 직전인 6.3 에도 주재국 방문 기회에 본직을 숙소로 초치, 이 문제에 대한 적극 협조 요청

o 동 관련, 본직은 카리브개발은행측의 타당성 평가보고서등과 함께 공한 요청토록 언급

사. 기타

o OECS 정상회의(6.17- 21, 그레나다)와 CARICOM 정상회의(7.1- 4, 세인트 키츠)의 주요 예상 의제, 이들 회의 계기 동 지역의 정치·경제 통합 추진 전망등에 관한 정보 수집(연호 2 참조)

o 각 출장국 정세 파악, 정부 주요 인사와의 유대 강화 등

- 4 -

0236

3. 건의사항

　o 상기 "2 다"의 대 안티구아 위머프로세서 부품및 부품카탈로그 지원과
　　"2 바"의 대 그레나다 대외경제협력기금 지원건을 적극 검토, 조치해 줄 것을
　　건의함(동건 관련 별도 공문 조치 예정). 끝.

예고:

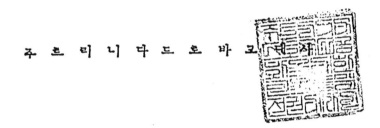

주　르　리　니　다　드　도　바　고

- 5 -

0237

관리 번호	91-441

외 무 부

종 별 :

번 호 : UNW-2264 　　　　　　　　　　　　일 시 : 91 0823 1830

수 신 : 장 관(국연,미남)

발 신 : 주 유엔 대사

제 목 : 아국 유엔가입 지지공한

　　주유엔 콜롬비아 대표는 8.16 자 당관앞 별첨 공한을 통해 안보리에서의 남북한 유엔가입 권고 결의안 채택에 만족을 표명하고 향후 양자간 문제에서 뿐 아니라 유엔의 제반 문제에있어 아국과 긴밀히 협력하고자 하는뜻을 전달해옴.

　　첨부:상기공한:UNW(F)-455 끝

　　(대사 노창희-국장)

　　예고:91.12.31. 까지

예고문에 ~~~~~
직위　　　　　성명 (1991.12.31.)

국기국	장관	차관	1차보	미주국	분석관	정와대	안기부

별첩

UNW(FJ)-455 10823 1830
(국연 . 미남)   총104

No. 1119

The Permanent Mission of Colombia to the United Nations presents its compliments to the Permanent Observer Mission of the Republic of Korea to the United Nations and has the honour to express its satisfaction for the resolution approved by the Security Council of the United Nations by means of which it recommends to the General Assembly to approve the admision of the Democratic People's Republic of Korea as a member of the United Nations.

The Permanent Mission of Colombia to the United Nations also wants to express its disposition to cooperate in all the future tasks that Colombia and the Republic of Korea shall undertake in favour of the economic, political and social development of our two countries, as well as in all other noble issues that the United Nations pursues.

The Permanent Mission of Colombia to the United Nations avails itself of this opportunity to reiterate to the Permanent Observer Mission of the Republic of Korea to the United Nations the assurances of its highest consideration.

New York, August 16, 1991

0239

외교문서 비밀해제: 남북한 유엔 가입 3
남북한 유엔 가입 지지 교섭 2: 아주, 중남미

초판인쇄 2024년 03월 15일
초판발행 2024년 03월 15일

지은이 한국학술정보(주)
펴낸이 채종준
펴낸곳 한국학술정보(주)
주 소 경기도 파주시 회동길 230(문발동)
전 화 031-908-3181(대표)
팩 스 031-908-3189
홈페이지 http://ebook.kstudy.com
E-mail 출판사업부 publish@kstudy.com
등 록 제일산-115호(2000. 6. 19)

ISBN 979-11-6983-946-4 94340
      979-11-6983-945-7 94340 (set)

이 책은 한국학술정보(주)와 저작자의 지적 재산으로서 무단 전재와 복제를 금합니다.
책에 대한 더 나은 생각, 끊임없는 고민, 독자를 생각하는 마음으로 보다 좋은 책을 만들어갑니다.